DE SLANGENKUIL

Ariana Franklin

De slangenkuil

H&W

VAN HOLKEMA & WARENDORF
Unieboek BV, Houten/Antwerpen

Oorspronkelijke titel: *The Death Maze*
Vertaling: TOTA/Erica van Rijsewijk
Omslagontwerp: Wil Immink
Omslagfoto: Chartes O'Rear/Corbis
Opmaak: ZetSpiegel, Best

2 6. 1 0. 2009

www.unieboek.nl

ISBN 978 90 475 0798 7 / NUR 342

Copyright © Ariana Franklin 2008
Copyright © Nederlandstalige uitgave 2008: Uitgeverij Unieboek bv, Houten
Oorspronkelijke uitgave: Bantam Press, a division of Transworld Publishers

Voor dr. Mary Lynch, met (letterlijk) mijn diep doorvoelde dank

Proloog

De stemmen van de twee mannen galmden zo door de tunnel dat ze onverstaanbaar waren, maar desondanks wekten ze de indruk in een zakelijke bespreking verwikkeld te zijn. En dat was ook zo. In zekere zin.

Een moordenaar kreeg instructies van zijn cliënt. Die, als je het de moordenaar vroeg, de zaken voor zichzelf nodeloos ingewikkeld maakte, wat dat soort cliënten altijd deed.

Het was altijd hetzelfde liedje: ze wilden hun identiteit geheimhouden en kwamen dusdanig gemaskerd of dik ingepakt naar je toe dat hun instructies amper te verstaan waren. Ze wilden niet met jou samen worden gezien, zodat de opdracht je werd gegeven op een akelig open veld of in een stinkende kelder zoals deze. Ze maakten zich de zenuwen om je de aanbetaling te overhandigen, voor het geval je hen neerstak en er met de poen vandoor ging.

Snapten ze nou maar eens dat een respectabele moordenaar zoals hij wel te vertrouwen móést zijn, want daar hing zijn carrière van af. Het had even geduurd, maar 'Sicarius', het Latijnse pseudoniem dat hij voor zichzelf had gekozen, had de reputatie verworven dat hij uitstekend werk leverde. Of het woord nu uit het Latijn werd vertaald als 'moordenaar' of als 'dolk', het stond er garant voor dat je politiek tegenstander, je vrouw of je schuldeiser keurig uit de weg werd geruimd zonder dat er ook maar iets in jouw richting wees.

Tevreden cliënten raadden hem aan aan anderen die in de problemen zaten, al was het onder het mom van een grapje: 'Jij zou die Sicarius eens moeten inschakelen,' zeiden ze. 'Die zou, zeggen ze, wel raad weten met problemen zoals het jouwe.' En als de ander daarop inging: 'Ik weet het natuurlijk niet zeker, maar het verhaal gaat dat hij te vinden zou zijn in The Bear in Southwark.' Of Fillola in Rome. Of La Boule in Parijs. Of welke herberg dan ook in welke streek dan ook waar hij dat seizoen zijn diensten aan de man bracht.

Deze maand was het Oxford. In een kelder die door een lange tunnel verbonden was met de krochten van een herberg. Door een bediende met een masker en een kap op – echt, volkomen overbodig – was hij daarnaartoe gebracht en naar een dik roodfluwelen gordijn geleid dat in een hoek was opgehangen; daar zat de cliënt achter verstopt, en het vormde een schril contrast met de beschimmelde muren en slijmerige bodem. Verdorie, zijn laarzen zouden straks geruïneerd zijn.

'De... opdracht gaat uw kunnen niet te boven?' vroeg het gordijn. De stem die erachter opklonk had heel specifieke instructies gegeven.

'De omstandigheden zijn ongebruikelijk, my lord,' zei de moordenaar. Hij sprak ze altijd aan met 'my lord'. 'Ik laat niet graag sporen na, maar als u dat per se wilt...'

'Dat wil ik, ja, maar ik bedoel het in geestelijke zin,' zei het gordijn. 'Speelt uw geweten u geen parten? Bent u niet bang dat uw ziel verdoemd wordt?'

Kijk, het was weer zover: het moment was daar dat de cliënt zich moreel van hem distantieerde; hij was de laaggeboren schurk die het mes liet flitsen en zij waren alleen maar de rijke schurken die daartoe opdracht gaven.

Hij had kunnen zeggen: 'Het zorgt voor brood op de plank, en niet zo'n beetje ook. Verdoemd of niet, dat is altijd nog beter dan verhongeren.' Hij had kunnen zeggen: 'Ik héb geen geweten. Ik heb maatstaven, en daar hou ik me aan.' Hij had zelfs kunnen zeggen: 'Wat dacht u van uw eigen zielenheil?'

Maar ze betaalden voor hun flintertje superioriteit, dus zei hij dat niet. In plaats daarvan merkte hij monter op: 'Hoog of laag, my lord. Pausen, boeren, koningen, knechten, adellijke dames, kinderen – ik leg ze allemaal om, en dat voor dezelfde prijs: vijfenzeventig mark vooraf en honderd als de klus is geklaard.' Hij boerde deels zo goed omdat hij altijd hetzelfde tarief hanteerde.

'Kínderen?' Het gordijn reageerde geschokt.

Gut-o-gut. Natúúrlijk kinderen. Kinderen erfden. Kinderen stonden de stiefvader, de tante, de broer of de neef in de weg die de nalatenschap in handen zou krijgen als dat kleine schatje er niet meer was. Kinderen waren zijn meest gestage bron van inkomsten. En nog moeilijker uit de weg te ruimen dan je misschien zou denken...

Hij zei alleen maar: 'Misschien zou u de instructies nog eens willen herhalen, my lord.'

Zorg dat de cliënt aan het woord blijft. Zorg dat je weet wie hij is, voor het geval hij van plan is het laatste deel van de betaling achterwege te laten. Als je iemand die zich niet aan de afspraken hield wilde omleggen, moest je hem kunnen opsporen en hem doden op een manier die zowel heel uitgekookt was als, mocht hij hopen, een waarschuwing aan het adres van toekomstige cliënten.

De stem achter het gordijn herhaalde wat hij al had gezegd. Het moest op die en die dag gebeuren, op die en die plek, op die en die manier; dit moest achterblijven, dat moest worden meegenomen...

Ze hechtten altijd erg aan precisie, bedacht de moordenaar vermoeid. Doe het zus of doe het zo. Alsof een moord meer wetenschap dan kunst was. In dit geval had de cliënt de moord echter uiterst gedetailleerd gepland, en hij was goed op de hoogte van het komen en gaan van zijn slachtoffer; hij kon er maar beter in meegaan...

Dus luisterde Sicarius aandachtig toe; niet naar de instructies – die had hij zich de eerste keer al in het hoofd geprent –, maar naar het timbre van de stem van de cliënt, gespitst op zinswendingen die hij een volgende keer zou herkennen, wachtend op een kuchje, een hapering, die de identiteit van de spreker later in een menigte zou prijsgeven.

Al luisterend keek hij om zich heen. Van de bediende die in de schaduwen was gaan staan, zorgvuldig in een onopvallende mantel gehuld en met zijn trillende hand – de arme kerel – op het gevest van een zwaard dat in zijn riem stak, alsof hij niet al twintig keer dood zou zijn voordat hij ook maar de kans zou krijgen het te trekken, werd hij niets wijzer. Een meelijwekkende beschermer, maar waarschijnlijk de enige in wie de cliënt vertrouwen had.

De locatie van de kelder... Tja, die maakte de moordenaar wel iets duidelijk, al was het alleen maar omdat de cliënt zo uitgekookt was geweest om daar af te spreken. Er waren drie uitgangen, waarvan eentje de lange tunnel was waar hij vanuit de herberg doorheen was geleid. De andere twee zouden overal op kunnen uitkomen; bij het kasteel misschien, of – hij snoof – de rivier. Het enige wat zeker was, was dat ze zich ergens in de ingewanden van Oxford bevonden. En ingewanden, zo wist de moordenaar uit ervaring, omdat hij er al heel wat had blootgelegd, waren wijdvertakt en zaten vol kronkelingen.

De kelder was natuurlijk gebouwd tijdens de oorlog tussen Stephen en Matilda. De moordenaar liet ongemakkelijk zijn gedachten gaan over alle tunnels die in de dertien jaar van die onfortuinlijke en bloederige twist Engeland letterlijk hadden ondermijnd. Het strategische juweel dat Oxford was, omdat het de belangrijkste noord-zuid- en oost-westroutes van het land bewaakte op de plek waar die de Theems kruisten, had zwaar geleden. De bewoners, die keer op keer belegerd werden, hadden gegraven als mollen om zowel naar binnen als naar buiten te komen. Op een gegeven moment zou die hele verrotte stad naar beneden donderen in de wormgaten die ze in zijn grondvesten hadden geknaagd.

Oxford, dacht hij. Een stad die voornamelijk voor koning Stephen was geweest, en dus voor de verkeerde kant. Twintig jaar na dato koesterden de verliezers die er woonden nog steeds een diepe wrok tegen Matilda's zoon, Hendrik Plantagenet, die uiteindelijk had gewonnen en koning was geworden.

De moordenaar had een heleboel informatie ingewonnen terwijl hij in de streek verbleef – het loonde altijd de moeite om te weten wie overhooplag met wie, en waarom – en hij achtte het niet onwaarschijnlijk dat zijn cliënt ook zo iemand was die nog steeds verbitterd was door de oorlog en dat er dientengevolge een politiek motief aan zijn opdracht ten grondslag lag.

Dus het kon nog gevaarlijk worden. Begeerte, wellust, wraak – het maakte hem niet uit wat hun motieven waren, maar politieke cliënten stonden meestal in zo'n hoog aanzien dat ze de neiging hadden hun betrokkenheid te camoufleren door nog een moordenaar in te huren om de eerste – hém dus – om zeep te helpen. Dat was altijd vermoeiend en leidde alleen maar tot meer bloedvergieten, hoewel het nog nooit zijn bloed was geweest.

Aha! De onzichtbare cliënt had zich verroerd en een tel, niet langer, was onder de zoom van het gordijn de neus van een laars zichtbaar geweest. Een laars van fijn hertenleer, net als de zijne, en ook nog eens nieuw, mogelijk kortgeleden gemaakt in Oxford – ook al net als zijn eigen laarzen.

Hij zou een ronde moeten maken langs de plaatselijke laarzenmakers.

'Dus we hebben een afspraak?' vroeg het gordijn.

'We hebben een afspraak, my lord.'

'Vijfenzeventig mark, zeg je?'

'In goud alstublieft, my lord,' zei de moordenaar, nog steeds monter. 'En dat geldt ook voor de honderd als het werk erop zit.'

'Heel goed,' zei de cliënt, en hij gebood zijn bediende de beurs met geld te overhandigen.

Daarbij maakte hij een fout die hij noch zijn bediende opmerkte, maar die de moordenaar veel zei. 'Geef meester Sicarius de beurs, mijn zoon,' zei hij.

Het gerinkel van het goud dat uit de beurs werd gehaald was bijna even bevredigend als de wetenschap dat de moordenaar nu wist wat voor werk zijn cliënt deed.

En hij was verrast.

1

De vrouw op het bed bracht het niet meer op om te schreeuwen. Afgezien van het geroffel van haar voeten en het gestomp van haar vuisten tegen de lakens wentelde ze zich in stilte om en om, alsof ze strijd leverde tegen de dood.

De drie nonnen die aan weerskanten van haar geknield zaten leken wel om goddelijke tussenkomst te vragen; hun lippen bewogen geluidloos, omdat elk geluid, zelfs de sisklanken van een gefluisterd gebed, bij de patiënt een nieuwe kramp opriep. Ze hadden hun ogen gesloten om haar niet te hoeven zien lijden. Alleen de vrouw die aan het voeteneind van het bed stond sloeg haar worsteling met een uitdrukkingsloos gezicht gade.

Aan de muren huppelden Adam en Eva in onschuldige geborduurde gezondheid tussen de flora en fauna van de Hof van Eden, terwijl de Slang, in een boom, en God, op een wolk, hen minzaam gadesloegen. Het was een ronde kamer, en de schoonheid ervan stak schril af bij de afschuwelijke aanblik die de eigenaresse ervan bood: het blonde haar dat zwart was geworden en in zweterige lokken alle klanten op sliertte, de scherp afgetekende aderen in de ooit zo blanke hals, de lippen vertrokken in een gruwelijke grijns.

Wat gedaan kon worden, was gedaan; kaarsen en brandende wierook verlichtten een kamer waarin de glas-in-loodramen en luiken waren dichtgestopt tegen het rammelen.

Moeder Edyve had uit Godstow, haar klooster, de relikwieën weggehaald teneinde deze getroffen vrouw de hulp van de heilige te zenden. Omdat ze te oud was om zelf te komen, had ze zuster Havis, de priores van Godstow, instructies gegeven. Op haar aanwijzingen was het scheenbeen van Sinte-Scholastica vastgebonden op de rondzwaaiende arm, waren er druppels uit de fiool met melk van Sinte-Maria op het hoofd van de arme ziel gesprenkeld, en was er een splinter van het Ware Kruis in de hand van de vrouw gedrukt, ook al had ze die tijdens een van haar krampen door de kamer geslingerd.

Voorzichtig, zodat ze geen geluid zou maken, stond priores Havis op en ging de kamer uit. De vrouw die aan het voeteneind van het bed had gestaan ging haar achterna. 'Waar gaat u heen?'

'Ik ga vader Pol halen. Ik heb gevraagd of hij wilde komen; hij wacht in de keuken.'

'Nee.'

Als de strenge christin van goeden huize die ze was, betrachtte priores Havis in de regel geduld met eenieder die het moeilijk had, maar van de huishoudster kreeg ze altijd kippenvel. Ze zei: 'Het is zover, Dakers. Ze moet het laatste sacrament krijgen.'

'Ik vermoord je. Ze gaat niet dood. Als de priester boven komt, vermoord ik hem.'

Ze zei het zonder speciale nadruk of duidelijke emotie, maar de priores geloofde deze vrouw onmiddellijk; alle bedienden waren al weggelopen uit angst voor waar zij toe in staat was als hun meesteres zou komen te overlijden.

'Dakers, Dakers,' zei ze – noem altijd de naam van gekken als je tegen ze praat, als om hen aan zichzelf te herinneren –, 'we kunnen een ziel die op het punt staat zijn reis te aanvaarden niet het troostrijke ritueel van de heilige zalving onthouden. Moet je luisteren...' Ze pakte de huishoudster vast bij haar arm en draaide haar zo dat beide vrouwen de kamer in keken, waar vanwege hun gemompel het lichaam op het bed zich weer tot een boog had gespannen. Alleen de hielen en de kruin rustten nog op het bed, zodat het een brug van kwellingen vormde.

'Geen enkel mensenlichaam is tegen zo'n foltering bestand,' zei priores Havis. 'Ze is stervende.' Na die woorden daalde ze de trap af.

Voetstappen kwamen achter haar aan, zodat ze zich aan de leuning moest vastgrijpen voor het geval ze een duw in haar rug zou krijgen. Ze liep verder, maar het was een opluchting toen ze beneden was en de witkoude frisse lucht in kon lopen toen ze overstak naar de keuken, die was gebouwd naar het voorbeeld van die van Fontevrault, met zijn schoorstenen, en als een reusachtige peperbus een paar meter naast de toren was gesitueerd.

De vlammen in een van de haarden boden het enige licht en wierpen een rode gloed op de drogende lakens die aan haken waren opgehangen waaraan normaal gesproken kruiden en zijden spek hingen.

Vader Pol, een muizig mannetje en op deze avond muiziger dan ooit, zat in elkaar gedoken op een kruk met een dikke zwarte kat in zijn armen alsof hij in deze woning om diens troost verlegen zat. Zijn blik ving die van de priores en verplaatste zich toen vragend naar de gestalte van de huishoudster.

'We zijn zover, vader,' liet de priores hem weten.

Opgelucht knikte de priester. Hij stond op, zette de kat voorzichtig op de kruk, gaf hem nog een laatste klopje, pakte de benodigdheden voor de zalving die naast hem op de grond stonden op en maakte zich uit de voeten. Priores Havis wachtte even om te kijken of de huishoudster achter hen aan zou komen, zag dat dat niet zo was en volgde vader Pol.

Toen ze alleen was, staarde vrouw Dakers in het vuur.

De zegening van de bisschop die twee dagen geleden bij haar meesteres was geroepen had niets uitgehaald, en evenmin al die prullen van het klooster. De christelijke God had gefaald.

Goed...

Ze begon met bruuske bewegingen te redderen. Ze pakte spulletjes uit de kast in het naast de keuken gelegen kamertje dat haar domein was. Toen ze terugkwam, mompelde ze. Ze legde een in leer gebonden boek met een slot erop op het hakblok. Erbovenop plaatste ze een kristal dat bij het licht van het vuur met zijn facetten groene vonkjes door het vertrek deed dansen. Een voor een stak ze zeven kaarsen aan, liet er wat was af druppelen en zette ze daarmee vast op het blok. In een kring stonden ze om het boek en het kristal heen; ze gaven net zulk gestaag licht als de kaarsen boven, al roken ze dan niet zo lekker als bijenwas.

De gevulde kookpot die aan een haak boven het vuur hing pruttelde; zo hadden ze water bij de hand om de lakens uit de ziekenkamer te wassen. Heel veel lakens. De huishoudster boog zich eroverheen om te controleren of het wateroppervlak wel borrelde. Ze keek zoekend om zich heen waar het pannendeksel was – een groot, fraai gewelfd exemplaar van hout, met in het midden een gebogen ijzeren handvat –, vond het en zette het zorgvuldig op de grond aan haar voeten. Uit de verschillende vuurijzers naast de haard, klampen, vleespennen enzovoort koos ze een lange pook, en legde ook die, naast het deksel, op de vloer.

'Igsie-bitsie,' mompelde ze, 'sisjnoe sisjnoe, adonie-manoei, elam-pelam...' Als je niet beter wist, zou je denken dat ze een kinderversje opzei voor bij het touwtjespringen, maar anderen zouden de met opzet verhaspelde heilige namen van God uit diverse religies erin hebben herkend.

Onder de lakens door duikend liep vrouw Dakers naar de plek waar vader Pol had gezeten en pakte de kat op, die ze net als hij in haar armen nam en aaide. Het was een lief beest, een prima muizenjager, de enige die hier van haar mocht zijn. Terwijl ze met hem naar de haard liep, gaf ze hem met haar ene hand nog een laatste aai en reikte met de andere naar het deksel.

Nog steeds psalmodiërend liet ze de kat in het kokende water zakken, waarna ze snel het deksel op de pan legde en het met kracht neergedrukt hield. Ze stak de pook door de handgreep, zodat die uitstak over de randen. Heel even rammelde het deksel tegen de pook en floot er een kreet door de openingen ervan. Vrouw Dakers knielde neer op de haardrand en droeg het offer aan haar Meester op.

Als God had gefaald, werd het tijd de duivel te hulp te roepen.

Hemelsbreed zo'n honderddertig kilometer verder naar het oosten bracht Vesuvia Adelia Rachel Ortese Aguilar voor het eerst een kind ter wereld, of dat probeerde ze althans.

'Persen, ma,' zei de oudste zus van de kleine behulpzaam vanaf de zijlijn.

'Dat moet je niet tegen haar zeggen,' zei Adelia in de taal van East Anglia. 'Ze kan pas persen als het zover is.' In dit stadium had de arme vrouw daar weinig invloed op.

En ik ook niet, bedacht Adelia ten einde raad. Ik weet niet wat ik moet doen.

Het ging niet best; de weeën duurden zo lang dat de moeder, een gelaten vrouw uit de veengebieden, uitgeput raakte.

Buiten op het gras, gadegeslagen door Adelia's hond, zong Mansur kinderliedjes uit zijn thuisland om de andere kinderen aangenaam bezig te houden – die allemaal met hulp van een buurvrouw en een broodmes vlot ter wereld waren gekomen –, en het zei wel iets over hoe radeloos Adelia was dat ze op dit moment noch van zijn stem, noch van de vreemdheid van zijn engelachtige castratensopraan kon genieten die het Engelse veenland met Arabische mineurklanken overspoelde. Ze kon zich alleen maar verbazen over het uithoudingsvermogen van de lijdende vrouw op het bed, die wist uit te brengen: 'Dat klinkt goed.'

De echtgenoot van de vrouw kon het gezang niet bekoren. Hij hield zichzelf en de zorgen om zijn vrouw schuil in het onderste gedeelte van het hutje bij zijn koe. Zijn stem klonk op langs de houten trap naar de verhoging – deels hooizolder, deels woonvertrek – waar de vrouwen strijd leverden: 'De keren dat Goody Baines haar hielp bevallen, had ze het nooit zo moeilijk.'

Fijn voor Goody Baines, dacht Adelia. Díé baby's mochten dan probleemloos ter wereld gekomen zijn, maar het waren er wel te veel geweest. Later zou ze erop moeten wijzen dat aangezien vrouw Reed in twaalf jaar negen keer was bevallen, een volgend kind haar waarschijnlijk fataal zou worden, als dit het al niet was.

Maar nu was het daar nog niet het geschikte moment voor; ze moest de moed erin zien te houden, zeker voor de barende vrouw, dus riep ze opgewekt terug: 'Wees maar blij dat ik er ben, buur, en zorg nou maar dat dat water aan de kook blijft.'

Ik, dacht ze. Een anatoom, en ook nog eens een buitenlandse. Ik ben gespecialiseerd in lijken. Het is terecht dat je je zorgen maakt. Als je eens wist hoe weinig ervaring ik met bevallingen heb, buiten die van mezelf, dan zou je je de haren uit het hoofd trekken.

De onbekende Goody Baines mocht dan hebben geweten wat haar te doen stond, dat wist ook Gyltha, Adelia's metgezel en de verzorgster van haar kind. Maar beide vrouwen waren onafhankelijk van elkaar naar de jaarmarkt van Cambridge gegaan en zouden pas over een dag of twee terug zijn; ze waren op hetzelfde moment vertrokken waarop bij vrouw Reed de weeën waren begonnen. In dit afgelegen veengebied was Adelia de enige van wie bekend was dat ze medische kennis bezat, dus was zij bij het noodgeval geroepen.

En als de vrouw op het bed haar botten had gebroken of de een of andere ziekte had opgelopen, had Adelia haar ook daadwerkelijk kunnen helpen, want Adelia was arts; ze was niet alleen bekend met kruidengeneeskunde en met het pragmatisme dat door de generaties heen van de ene vrouw op de andere was overgeleverd; ook was ze, zoals wel gold voor veel mannen die zich op de borst klopten dat ze geneesheer waren, geen kwakzalver die patiënten voor veel geld wansmakelijke medicijnen voorschreef. Nee, Adelia had gestudeerd aan de vooraanstaande liberale, vooruitstrevende en internationaal befaamde School voor Geneeskunde in Salerno, die de Kerk tartte door vrouwen aan te nemen mits ze slim genoeg waren.

Omdat haar professoren hadden opgemerkt dat Adelia's verstand minstens even scherp was als dat van de knapste mannelijke student, of zelfs nog scherper, hadden ze haar een mannenopleiding gegeven die ze later had voltooid door met haar joodse stiefvader samen te werken op zijn autopsieafdeling.

Een unieke scholing dus, maar daar had ze nu weinig aan, want in zijn wijsheid – en wijsheid was het zeker – had de School voor Geneeskunde in Salerno besloten dat je vroedvrouwerij beter aan vroedvrouwen kon overlaten. Adelia zou de baby van vrouw Reed beter hebben kunnen maken, ze zou het kind postmortaal kunnen onderzoeken en achterhalen wat de doodsoorzaak was, maar ter wereld brengen kon ze het niet.

Ze overhandigde de kom water en een doek aan de dochter van de vrouw, liep de kamer door en pakte haar eigen baby op uit haar tenen mandje, ging op een hooibaal zitten, maakte de veters van haar lijfje los en begon het kind te voeden.

Adelia had een theorie over borstvoeding, zoals ze over vrijwel alles een theorie had: die diende vergezeld te gaan van kalme, blije gedachten. Meestal zat ze als ze het kind voedde in de deuropening van haar eigen rietgedekte huisje in Waterbeach en liet haar ogen en gedachten over het veenland van de Cam gaan. In het begin was het vlakke groen helemaal niet goed samengegaan met haar herinneringen aan het mediterrane panorama van haar geboorteland, met zijn gekartelde dramatiek afgetekend tegen een turkooizen zee. Maar ook vlakheid bezat zo zijn schoonheid, en geleidelijk aan had ze waardering gekregen voor de weidse luchten boven de talloze tinten van wilg en vlier, die de plaatselijke bewoners *carr* noemden, en voor de rijkdom aan wilde dieren die zich in verborgen rivieren ophielden.

'Bergen?' had Gyltha ooit gezegd. 'Dat lijkt mij helemaal niks. Die rotdingen staan alleen maar in de weg.'

Trouwens, dit was nu het thuisland van het kind in haar armen, en om die reden was het haar heel dierbaar.

Maar vandaag durfde Adelia niet omwille van haar baby haar ogen en haar gedachten te laten ronddwalen. Er moest nu een ander kind worden gered, en ze zou verdoemd zijn als ze het door haar eigen onwetendheid liet sterven. Of de moeder. Terwijl ze zich in stilte verontschuldigde tegenover het kleine wezentje in haar armen, deed Adelia bewust moeite om zich de lijken die ze had ontleed weer voor de geest te halen van moeders die zonder te zijn bevallen waren overleden.

Het waren meelijwekkende kadavers, maar als ze op de marmeren tafel in de grote snijzaal in Salerno waren neergelegd, beteugelde ze haar medeleven, zoals ze had geleerd bij alle doden te doen, om hun beter van dienst te kunnen zijn. Voor emotie was geen plaats in de kunst van het ontleden; alleen voor helder, getraind, onderzoekend redeneren.

Nu, hier in een mottig hutje aan de rand van de bewoonde wereld, deed ze dat weer; ze sloot zich af voor het lijden van de vrouw op het bed en dacht in plaats daarvan aan een landkaart van inwendige organen, posities, drukpunten, verschuivingen. 'Hmm.'

Bijna zonder zich bewust te zijn van wat ze deed haalde Adelia haar baby van haar linkerborst af, die nu was leeggedronken, en legde het kind aan de andere aan, nog steeds naarstig bezig de druk op de hersenen en de navelstreng te berekenen, waarom en wanneer er sprake zou zijn van verstikking, bloedverlies, verval... 'Hmm.'

'Hier, moes. Er komt iets.' De dochter leidde haar moeders handen naar de teugel die aan het hoofdeinde van het bed was gebonden.

Adelia legde haar kind weer in de mand, bedekte zich en liep naar het voeteneind van het bed. Er kwam inderdaad iets uit het lichaam van de moeder tevoorschijn; dat was echter niet het hoofdje van de baby, maar diens ruggetje.

Verdorie. Een stuitligging. Dat vermoeden had ze al, maar op het moment dat zij erbij was gehaald was de bevalling al aan de gang en was het te laat om haar hand naar binnen te steken en de foetus te draaien, gesteld dat ze had geweten hoe dat moest en er het lef voor had gehad.

'Moet je 't niet naar buiten trekken?' vroeg de dochter.

'Nog niet.' Ze had gezien dat er bij anderen onherstelbare schade was aangericht door in dit stadium te gaan trekken. In plaats daarvan richtte ze zich tot de moeder. 'Nú persen. Of je het nu wilt of niet, persen!'

Vrouw Reed knikte, stak een stuk van de teugel in haar mond, klemde die vast tussen haar kaken en begon te persen. Adelia gebaarde naar het meisje dat ze moest helpen het lichaam van de vrouw verder omlaag te trekken over het bed, zodat haar billen over de rand hingen en de zwaartekracht zijn werk kon doen.

'Hou haar benen recht. Bij de enkels, achter me – áchter me, goed zo. Goed gedaan, vrouwtje. Blijven persen.' Zijzelf zat op haar knieën, wat een goede houding was om te bevallen – en te bidden.

Help ons, God.

Ze wachtte tot de navel met de navelstreng eraan vast tevoorschijn kwam en raakte die laatste zachtjes aan: een krachtige hartenklop. Mooi zo, mooi zo.

Nu werd het menens.

Terwijl ze snel, maar behoedzaam te werk ging, stak ze haar hand in de holte en bevrijdde eerst het ene en toen het andere beentje, ze buigend bij de knietjes.

'Persen. Pers nou!'

O, mooi: er kwamen vanzelf, zonder dat eraan getrokken hoefde te worden, twee armpjes en een romp naar buiten, tot en met de achterkant van de nek. Terwijl ze het lijfje met haar ene hand ondersteunde, legde Adelia de andere op het ruggetje en voelde een trilling. Het kind leefde. Dat was heel belangrijk nu. Het zou nog maar heel even duren of het stikte. God, welke god je ook bent, wees nu met ons.

Dat was Hij niet. Vrouw Reed had geen kracht meer en het hoofdje van de baby zat nog binnen.

'Geef dat pakje eens aan, dát pakje.' Binnen een paar tellen had Adelia haar ontleedmes getrokken, dat ze altijd heel schoon hield.

'Welaan.' Ze legde de hand van de dochter op vrouw Reeds schaamstreek. 'Duwen!' Terwijl ze nog steeds de kleine romp ondersteunde, maakte ze een snee in het perineum van de moeder. Er glibberde iets weg, en omdat ze het mes nog in haar vingers had moest ze de baby in de kromming van haar elleboog opvangen.

De dochter riep: 'Ziezo, die is eruit!'

Baas Reed verscheen boven aan de ladder en voerde de geur van koeienmest met zich mee. 'Verduiveld, wat is 't geworden?'

Verbijsterd van opluchting zei Adelia: 'Het is een baby.' Lelijk, onder het bloed, glibberig, kikkerachtig, met net als in de baarmoeder de voetjes naar het hoofdje gericht, maar ongedeerd, en toen het kindje op zijn rug werd geklopt protesteerde het met veel geschreeuw tegen het leven in het algemeen en zijn verschijnen daarin in het bijzonder. Adelia vond het de allermooiste aanblik en het allermooiste geluid dat de wereld maar kon voortbrengen.

'Dat zal best, maar wat ís het?'

'O.' Adelia legde het mes neer en keerde het wonder om. Het was overduidelijk een jongetje. Ze herpakte zich. 'Ik denk dat het scrotum zo gezwollen is door een kneuzing en dat die wel zal afnemen.'

'Als dat niet gebeurt, zal het wel een getapte jongen worden, nietwaar?' zei baas Reed.

De navelstreng werd doorgeknipt, vrouw Reed werd gehecht en zo ver opgeknapt dat ze bezoek kon ontvangen, de baby werd in een schapenvacht gewikkeld en in zijn moeders armen gelegd.

'Zeg juffer, heb jij een naam waar we hem naar kunnen vernoemen?' wilde haar echtgenoot weten.

'Vesuvia Adelia Rachel Ortese Aguilar,' zei Adelia verontschuldigend. Er viel een stilte.

'En hij dan?' Baas Reed wees naar de lange gestalte van Mansur, die met de tweeling aan was komen lopen om het wonder te aanschouwen.

'Mansur bin Fayîî bin Nasab Al-Masaari Khayoun van Al Amarah.' Nog meer stilte.

Mansur, wiens omgang met Gyltha hem in staat stelde Engels te begrijpen, ook al kreeg hij weinig kans het te spreken, zei in het Arabisch: 'De prior komt eraan, ik heb zijn boot gezien. Laat ze de jongen maar Geoffrey noemen.'

'Is prior Geoffrey hier?' Adelia was in een ommezien de ladder af en rende naar het kleine houten platform dat als steiger dienstdeed – alle huizen in de veengebieden hadden toegang tot een van de talloze rivieren die door deze streek stroomden en zodra de kinderen die er woonden konden lopen leerden ze hoe ze met een coracle moesten manoeuvreren.

Geassisteerd door een roeier in livrei kwam een van de mensen op wie Adelia het meest gesteld was zijn sloep uit geklauterd. 'Hoe komt u hier nu terecht?' zei ze, hem omhelzend. 'Waarom bent u hier? Hoe maakt Ulf het?'

'Een lastpost, maar een slímme lastpost. Hij tiert welig.' Gyltha's kleinzoon, en, zoals men beweerde, óók die van de prior, was serieus aan de studie gezet op de priorijschool en zou daar pas vanaf mogen als er in de lente weer gezaaid werd.

'Wat ben ik blij u te zien.'

'Ik ben ook blij jou te zien. In Waterbeach vertelden ze me waar je naartoe was. Kennelijk moet de berg naar Mohammed komen.'

'Een berg bent u zeker!' zei Adelia, die achteruitstapte om hem op te nemen. De prior van de kanunnikabdij in Cambridge was haar eerste patiënt geweest, en op die manier ook haar eerste vriend in Engeland geworden; ze maakte zich zorgen om hem. 'U hebt u niet aan mijn dieet gehouden.'

'*Dum vivimus, vivamus*,' zei hij. 'Laten we van het leven genieten, zolang het duurt. Ik kan me wel vinden in de leer van de epicuristen.'

'Weet u hoe hoog het sterftecijfer onder hen is?'

Ze spraken snel, in klassiek Latijn, omdat dat hun makkelijk afging, maar de mannen in de sloep van de prior vroegen zich af waarom hun heer voor hen verborgen hield wat hij tegen een vrouw zei en – wonderlijker nog – hoe een vrouw het kon begrijpen.

'O, maar u komt heel gelegen,' zei Adelia. 'Precies op tijd om de eerste baby die ik op de wereld heb geholpen te dopen. Dat zal een troost zijn voor zijn ouders, hoewel het een gezond, fantastisch kind is.'

Adelia was er geen voorstander van kleine kinderen christelijk te dopen, zoals ze zich ook niet kon vinden in de barbaarse leerstellingen van de drie grote wereldreligies. Een god die het baby'tje dat boven lag niet in het Koninkrijk der Hemelen zou opnemen als het stierf voordat het met bepaalde woorden en met water was besprenkeld, was geen god waar zij iets mee te maken wilde hebben. Maar de ouders van het kind vonden die ceremonie van het grootste belang, al was het maar omdat de kleine dan in het ergste geval een christelijke begrafenis zou krijgen. Baas Reed had al op het punt gestaan om de armzalige rondtrekkende prietser te laten halen die deze streek onder zijn hoede had.

De familie Reed keek in stilte toe toen de beringde vingers het voorhoofd van het kind bevochtigden en een stem die even fluwelig was als de kledij van zijn bezitter hem welkom heette in het geloof en hem het eeuwige leven beloofde, en hem, Geoffrey, aanbeval 'in de naam van de Vader, de Zoon en de Heilige Geest, amen'.

'Mensen van de venen zeggen nooit dank je wel,' verontschuldigde Adelia zich toen ze, met haar eigen baby in haar armen, bij de prior in zijn sloep stapte, de hond Hoeder achter haar aan scharrelend, en Mansur alleen liet om in hun eigen roeiboot mee te varen. 'Maar ze vergeten nooit iets. Ze waren dankbaar, maar verbaasd. U was te veel voor hen – alsof de aartsengel Gabriël op een gouden straal uit de hemel was neergedaald.'

'*Non angeli, sed angli,* vrees ik,' zei prior Geoffrey, en hij was zozeer op Adelia gesteld dat hij, die al dertig jaar in Cambridgeshire woonde, het helemaal niet erg vond om zich door deze vrouw uit Zuid-Italië te laten vertellen hoe de mensen op de veengronden zich gedroegen.

Moet je haar nou zien, dacht hij: gekleed als een vogelverschrikker, met een hond in haar kielzog die zo afstotelijk is dat de bank waar hij op heeft gezeten meteen moet worden ontsmet. Met het scherpste verstand van haar generatie, haar bastaardkind in haar armen geklemd, zit ze hier zomaar blij te zijn dat ze in een hutje een apenkop op de wereld heeft gezet.

Niet voor het eerst vroeg hij zich af wie haar ouders zouden zijn, wat zij net zomin wist als hij. Ze was grootgebracht door een echtpaar uit Salerno, een jood en zijn christenvrouw, die haar verlaten op de rotshellingen van de Vesuvius hadden aangetroffen, maar haar haar had de donkerblonde kleur die je ook wel zag bij Grieken of Florentijnen. Niet dat iemand daar op dit moment iets van kon zien, want ze had het onder die vreselijke kap gestopt.

Ze is nog net zo eigenaardig als toen we elkaar voor het eerst op de weg naar Cambridge tegenkwamen, dacht prior Geoffrey. Ik kwam terug van de pelgrimage naar Canterbury; zij zat op een kar met een Arabier en een jood. Ik dacht dat ze hun lichtekooi was en had geen oog voor de maagdelijkheid van een gestudeerde. Maar toen ik begon te janken van pijn – god, wat ging ik tekeer, en god, wat een pijn! –, was zij, ook al verkeerde ik in het gezelschap van christenen, de enige barmhartige Samaritaan. Door me op die dag het leven te redden veranderde ze me – míj! – in een stamelende jonge kerel door met mijn meest intieme delen aan de gang te gaan alsof het niet meer waren dan ingewanden die zo de pan in konden. En toch vind ik haar nog steeds mooi.

Toen al had ze gehoor gegeven aan een oproep, waarvoor ze haar werk met de doden in Salerno in de steek had moeten laten om deel te gaan uitmaken van een clandestien team dat werd geleid door de jood Simon van Napels, die wilde laten uitzoeken wie de dood van kinderen uit Cambridge op zijn geweten had – een kwestie die de koning van Engeland hoog opnam, omdat die tot onlusten leidde en dientengevolge tot teruglopende belastinginkomsten.

Omdat dit Engeland was, en niet het vrijdenkende Salerno, was het noodzakelijk geweest dat Adelia's bediende, Mansur, zich als de dokter voordeed, terwijl Adelia zelf tijdens het onderzoek deed alsof ze zijn assistente was. Die arme, beste Simon – ook al was hij dan een jood geweest, de prior herdacht hem toch in zijn gebeden – was vermoord tijdens zijn zoektocht naar de moordenaar, en Adelia zelf had bijna het leven gelaten, maar de zaak was opgelost, het recht had zijn loop gekregen en de belastinginkomsten vloeiden weer naar de schatkist van de koning.

In feite waren Adelia's forensische vaardigheden in dezen van zo'n onschatbare waarde geweest dat koning Hendrik haar niet terug naar Salerno had willen laten gaan, voor het geval hij haar opnieuw nodig zou hebben. Typisch iets voor een koning om op zo'n schraperige en hebberige manier zijn dankbaarheid te tonen, dacht prior Geoffrey, ook al vond hij het prettig dat de vrouw op die manier in zijn buurt was gebleven.

Hoe erg vond ze die verbanning? Die leek bepaald niet op een beloning. De koning had niets gedaan – nou ja, hij was op dat moment ook in het buitenland geweest – toen de doktoren van Cambridge uit jaloezie op de succesvolle indringster Mansur en haar de stad uit hadden gejaagd, de wildernis van de veengronden in.

Zieke en lijdende mannen en vrouwen waren hen achternagegaan, en dat deden ze nog steeds; het maakte hun niet uit of ze werden behandeld door buitenlandse ketters, als ze er maar beter van werden.

God, ik vrees voor haar, bad prior Geoffrey in stilte. Haar vijanden zullen haar aan de schandpaal nagelen om haar vaardigheden, haar onwettige kind aangrijpen als bewijs dat ze immoreel is, en haar voor het hof van aartsdiakenen slepen om haar als zondares te laten veroordelen. En wat kan ik doen? Prior Geoffrey kreunde bij de gedachte aan de schuld die op hem rustte. Wat voor vriend ben ik voor haar geweest? En voor die Arabier van haar? Of voor Gyltha?

Totdat hijzelf op het randje van de dood had gebalanceerd en weer was teruggehaald door Adelia, had hij zich aan het uitgangspunt van de Kerk gehouden dat alleen de ziel ertoe deed, en niet het lichaam. Lichamelijke pijn? Die heeft God je gezonden, dus verdraag die maar. Onderzoek? Snijden in lijken? Experimenten? *Sic vos ardebitis in Gehenna* – daar zul je voor branden in de hel.

Maar Adelia bezat het ethos uit Salerno, en volgens die normen en waarden weigerden Arabische, joodse en zelfs christelijke geesten grenzen te stellen aan hun zoektocht naar kennis. Ze had hem streng toegesproken: 'Hoe kan het nou Gods bedoeling zijn om toe te kijken hoe er iemand verdrinkt, terwijl je hem door je hand uit te steken kunt redden? Uzelf dreigde te verdrinken in uw eigen urine. Had ik dan mijn armen over elkaar moeten slaan in plaats van de blaas verlichting te bieden? Nee, ik weet hoe dat moet, en ik deed het. En dat wist ik omdat ik het orgaan in kwestie had bestudeerd bij mannen die eraan waren overleden.'

Ze was destijds een vreemd kittig ding geweest, ongepolijst, merkwaardig non-achtig, behalve dan haar bijna botte eerlijkheid, haar intelligentie en haar afkeer van bijgeloof. Haar tijd in Engeland had haar tenminste íéts gebracht, bedacht hij: ze was vrouwelijker geworden, zachter, en natuurlijk had ze nu een baby – de uitkomst van een liefdesverhouding zo hartstochtelijk en onwelvoeglijk als die van Abelard en Heloïse.

Prior Geoffrey slaakte een zucht en wachtte tot Adelia zou vragen waarom zo'n drukbezet en belangrijk man als hij in de boot was gestapt om haar te gaan zoeken.

De naderende winter had de veengronden van blad ontdaan, waardoor de zon vrij spel kreeg op de rivier, zodat het water de grillige vormen van de naakte wilgen- en vliertakken langs de oever weerspiegelde. Adelia, die door alle opluchting en triomf op haar praatstoel zat, wees de onverstoorbare baby op haar schoot op de vogels die opvlogen vanonder de voorsteven van de sloep, herhaalde hun namen in het Engels, het Latijn en het Frans, en deed over het water heen een beroep op Mansur als ze de Arabische namen vergeten was.

Hoe oud zou mijn petekind nu zijn, vroeg de prior zich geamuseerd af. Acht maanden? Negen?

'Ze is nog een beetje te klein om zoveel talen te spreken,' zei hij.

'Daar kun je niet vroeg genoeg mee beginnen.'

Eindelijk dan toch keek Adelia op. 'Waar gaan we naartoe? Ik neem aan dat u niet dat hele eind bent gekomen alleen maar om een baby te dopen.'

'Het was een voorrecht, *Medica*,' zei prior Geoffrey. 'Het deed me denken aan een gezegende stal in Bethlehem. Maar inderdaad, daar was ik niet voor gekomen. Deze boodschapper' – hij wees naar een gestalte die, gehuld in een mantel, al die tijd roerloos op de voorsteven van de sloep had gestaan – 'is naar de priorij gekomen met een oproep voor je, en aangezien hij je op deze wateren niet zomaar had kunnen vinden, heb ik aangeboden hem naar je toe te brengen.'

Hij had bovendien beseft dat hij maar beter in de buurt kon zijn als de oproep werd overgebracht, want ze zou er niet aan willen gehoorzamen.

'Verdikkeme!' zei Adelia in onvervalst East Angliaans dialect. Evenals bij Mansur het geval was, werd haar Engelse woordenschat steeds uitgebreider door haar omgang met Gyltha. 'Wat nou weer?'

De boodschapper was een magere jonge knul en toen hij Adelia's dreigende blik zag, sloeg hij bijna achterover. Met open mond keek hij de prior aan voor bevestiging. 'Is dít vrouwe Adelia, heer?' Het was tenslotte een naam die aan adel deed denken; hij had waardigheid verwacht, zelfs schoonheid, het zwieren van een rok op marmer – niet deze slons met een hond en een baby.

Prior Geoffrey glimlachte. 'Inderdaad, dit is vrouwe Adelia.'

Goed dan. De jonge man maakte een buiging, sloeg zijn mantel terug om het wapen te laten zien dat op zijn tabbaard was geborduurd: twee klimmende herten en een gouden andreaskruis. Er werd haar een rol voorgehouden. 'Van mijn zeer eerbiedwaardige meester, heer bisschop van St. Albans.'

Adelia pakte de rol niet aan. Plotsklaps was al haar geanimeerdheid verdwenen. 'Wat wil die nou van me?' Ze zei het op een kille toon, waar de boodschapper niet aan gewend was; hulpeloos keek hij naar de prior.

Prior Geoffrey kwam tussenbeide; hij had een vergelijkbare rol gekregen. Nog steeds in het Latijn zei hij: 'Het schijnt dat meneer de bisschop je expertise wil inroepen, Adelia. Hij roept je op om naar Cambridge te komen – iets met een poging tot moord in Oxfordshire. Ik heb begrepen dat er behoorlijk wat politieke haken en ogen aan zitten.'

De boodschapper hield de rol nog steeds naar haar uitgestoken; Adelia nam hem nog steeds niet aan. Ze deed een beroep op haar vriend. 'Ik ga niet, Geoffrey. Ik heb er geen zin in.'

'Dat weet ik, mijn kind, maar daarom ben ik ook meegekomen. Ik ben bang dat je toch moet gaan.'

'Ik wil hem niet zien. Hier ben ik gelukkig. Gyltha, Mansur, Ulf en deze kleine...' Ze wiegde haar baby in zijn richting. 'Ik hou van de veengronden, ik hou van de mensen. Zeg niet dat ik moet gaan.'

Haar pleidooi roerde hem, maar hij pantserde zijn hart. 'Lieve kind, ik heb geen keus. Onze heer bisschop zegt dat het om een zaak gaat die de koning betreft. De koning! En daarom heb jij ook geen keus. Jij bent zijn geheime wapen.'

2

Cambridge, dat deel uitmaakte van het enorme diocees van St. Albans, had niet verwacht zijn bisschop al weer zo snel te zien. Anderhalf jaar geleden, na zijn aanstelling bij het diocees, had de stad groots voor hem uitgepakt, met alle pracht en praal die een man toekwamen wiens woord maar een heel klein beetje minder gewicht in de schaal legde dan dat van God, de paus en de aartsbisschop van Canterbury, en had hem uitgezwaaid toen hij vertrok voor een inwijdingsronde door zijn nieuwe diocees. Omdat dat zo uitgestrekt was, zoals alle Engelse diocezen, zou hij over die tocht meer dan twee jaar doen.

Maar hier was hij dan toch, voortijdig teruggekeerd, zonder de voorthotsende bagagekaravaan die hem had vergezeld toen hij vertrok, en terwijl ruiters in galop slechts een paar uur van tevoren waren komen waarschuwen dat hij eraan kwam.

Niettemin liep Cambridge voor hem uit. In groten getale. Sommige mensen lieten zich op hun knieën vallen of hielden hun kinderen omhoog om de zegen van de grote man in ontvangst te nemen; anderen renden naar zijn paard toe en stortten hun grieven voor hem uit, zodat hij ze kon oplossen.

Hij was populair, bisschop Rowley Picot. Een echte Cambridgenaar. Hij was op kruistocht geweest en was door de koning tot bisschop benoemd, niet door de paus. En dat was mooi, want koning Hendrik II stond hem nader en had meer directe macht dan het Vaticaan.

Evenmin was hij een man van het type gortdroge bisschop; hij stond erom bekend dat hij hield van de jacht, van lekker eten en drinken, en dat hij oog had voor de vrouwtjes, zoals men zei, maar dat alles had hij opgegeven sinds God hem op de schouder had getikt. En was hij niet degene die de kindermoordenaars voor het gerecht had gesleept die een tijdje geleden de stad hadden geterroriseerd?

Mansur en Adelia hadden, met de troosteloze boodschapper van de bisschop achter zich aan, per se naar de jaarmarkt van Cambridge gewild om Gyltha te zoeken, en nu ze haar hadden gevonden had Mansur haar opgetild, zodat ze over de hoofden van de mensenmenigte heen de voorbijtrekkende bisschop kon zien. 'Hij heeft zich opgedirkt als een kerstham, God zegene hem,' bracht Gyltha vanuit de hoogte verslag aan Adelia uit. 'Wil je de kleine niet laten kijken?'

'Nee,' zei Adelia, en ze drukte haar kind nog iets dichter tegen zich aan.

'Hij heeft een bisschopsstaf en alles bij zich,' ging Gyltha verder. 'Maar ik weet nog niet zo zeker of die pet hem wel staat.'

Voor haar geestesoog zag Adelia een welgedane gestalte met een mijter op zijn hoofd, die de hypocrisie en verstikking representeerde van een Kerk die zich niet alleen tegen haarzelf had gekeerd, maar ook tegen alles wat nodig was voor de bevordering van de geestelijke en lichamelijke gezondheid van de mensheid.

Ze voelde een hand op haar schouder. 'Komt u met me mee, meesteres? De heer bisschop verleent u audiëntie in zijn woning, maar eerst moet hij de drost ontvangen en de mis opdragen.'

Hij verleent ons audiëntie, mimede Gyltha terwijl Mansur haar weer op de grond zette. 'Chic hoor!'

'Eh...' De boodschapper van de bisschop – die Jacques bleek te heten – was nog steeds niet bijgekomen; Saracenen en viswijven waren niet het soort mensen met wie hij gewend was om te gaan. Lichtelijk wanhopig zei hij: 'Meesteres, ik meen dat mijn heer erop rekent alleen met u te spreken.'

'Deze meneer en mevrouw gaan met me mee,' liet Adelia hem weten. 'Anders kom ik niet.'

Ze raakte erdoor van slag om in Cambridge te zijn. De ergste momenten van haar leven – en de beste – hadden zich in deze stad afgespeeld; er spookten hier overal geesten rond wier gebeente in vrede rustte, terwijl andere nog steeds een god aanriepen die verkoos zich doof voor hen te houden.

'En de hond ook,' voegde ze eraan toe, en ze zag de arme boodschapper met zijn ogen rollen. Maar dat kon haar niet schelen; het was al mooi dát ze wilde komen. Toen ze onderweg bij haar huis was binnengewipt om voor hen allemaal geschikte winterkleding te pakken, had ze de moeite genomen om haar haar te wassen en haar mooiste jurk aan te trekken, ook al zag die er inmiddels enigszins aftands uit; verder dan dat wilde ze niet gaan.

De episcopale residentie – in elke stad van enige omvang in het diocees had de bisschop er een – bevond zich in de parochie St. Mary, en het was er nu een drukte van belang terwijl bedienden voorbereidingen troffen om het onverwacht bewoonbaar te maken.

Met de hond Hoeder achter zich aan werd het groepje naar een grote kamer op de bovenverdieping gedirigeerd, waar nu stoflakens van de zware, rijkversierde meubels werden getrokken. Een open deur aan de overkant van het vertrek bood een glimp van een slaapkamer met veel verguldsel en pleisterwerk, waar livreiknechten brokaten draperieën aan het hoofdeinde van een weelderig bed bevestigden.

Een van hen zag Mansur naar binnen kijken en liep de kamer door om de deur voor zijn neus dicht te doen. Hoeder tilde zijn poot op en pieste tegen de gewelfde deuropening.

'Braaf beessie,' zei Gyltha.

Adelia tilde de tenen mand met haar slapende baby erin op een kast met koperbeslag, pakte een kruk, maakte de veters van haar lijfje los en begon het kind te voeden. Wat een bijzonder kind, dacht ze, terwijl ze naar haar kleintje omlaagkeek: gewend aan de rust van de venen, en toch is ze helemaal niet bang, maar alleen belangstellend, te midden van de drukte van Cambridge.

'Ziezo,' zei Gyltha tegen haar. De twee vrouwen hadden tot nu toe geen gelegenheid gehad om onder vier ogen met elkaar te praten.

'Precies.'

'En wat wil die pief van je?'

Adelia haalde haar schouders op. 'Dat ik onderzoek doe naar een poging tot moord in Oxfordshire, zei prior Geoffrey.'

'Daar kom je toch je bed niet voor uit?'

'Op zich niet, nee, maar kennelijk is het op last van de koning.'

'Ach, verdikkeme,' zei Gyltha.

'Wat je zegt.' Hendrik Plantagenet was het ultieme opperbevel; je kon kermen wat je wilde, maar als je hem niet gehoorzaamde, waren de gevolgen voor jou.

Van tijd tot tijd nam Adelia het Hendrik II ontzettend kwalijk dat hij haar zo gevangenhield op het eiland dat Engeland was, zodat hij, sinds hij had ontdekt hoeveel talent ze ervoor had de geheimen van de doden te doorgronden, opnieuw van dat talent gebruik kon maken. Op andere momenten had ze daar helemaal geen last van.

Het was begonnen met een briefwisseling tussen de Engelse koning en zijn koninklijke bloedverwant Willem van Sicilië, waarin om hulp

29

werd gevraagd met een probleem in Cambridge dat alleen dankzij Salerno's onderzoekstraditie op te lossen zou zijn. Het was voor iedereen schrikken geweest toen Salerno er gehoor aan gaf door een meesteres in de kunst des doods te sturen in plaats van een meester, maar het was allemaal goed afgelopen – voor Hendrik II althans –, en wel zozeer dat er nog meer brieven heen en weer waren gegaan tussen hem en koning Willem, met het verzoek – en de inwilliging daarvan – om Adelia nog een poosje te houden waar ze was.

Haar was daarbij niets gevraagd, wat ze ervoer als een staaltje van de pure piraterij die de vorst zo typeerde. 'Ik ben geen ding!' had ze hem toegeroepen. 'U kunt me niet lenen, ik ben een menselijk wezen.'

'En ik ben een koning,' had Hendrik haar te verstaan gegeven. 'Als ik zeg dat je blijft, dan blijf je.'

Verdorie, hij had haar niet eens betááld voor wat ze allemaal had gedaan – haar niet gecompenseerd voor het gevaar, het verlies van dierbare vrienden. Tot het eind van haar dagen zou ze blijven rouwen om Simon van Napels, die wijze en vriendelijke man wiens gezelschap als dat van een tweede vader voor haar was geweest. En van haar hond – een veel minder scherp verdriet, maar niettemin verdriet.

Wat daar aan de andere kant tegen opwoog was dat ze haar dierbare Mansur bij zich had gehouden, dat ze van Engeland en zijn bewoners was gaan houden, dat ze vriendschap had gesloten met prior Geoffrey, Gyltha en Gyltha's kleinzoon, en – het mooiste van alles – dat ze haar baby had gekregen.

En ook al was Plantagenet een doortrapt, heetgebakerd en vrekkig varken, hij was wel een grote koning, een héél grote koning, en niet alleen omdat hij heerste over een rijk dat zich van de grens met Schotland uitstrekte tot aan de Pyreneeën. Door de twist tussen hem en de aartsbisschop van Canterbury, Thomas Becket, zou hij voorgoed verdoemd zijn, aangezien die was geëindigd met de moord op de aartsbisschop. Maar Hendrik had volgens Adelia groot gelijk gehad, en het was een ramp voor de wereld geweest dat de weigering van Becket, die joden haatte, zichzelf alleen maar verrijkte en aartsconservatief was, om ook maar enige hervormingen toe te staan in de al even conservatieve Engelse Kerk zijn koning de schrikbarende uitroep had ontlokt: 'Wie wil mij van deze oproerige priester verlossen?' – want onmiddellijk waren een paar van zijn ridders erop ingegaan, die zo hun eigen redenen hadden om Becket graag dood te zien. Ze waren het Kanaal overgestoken naar Canterbury en hadden een daad begaan die ertoe had geleid dat een dapper, maar dom en kortzichtig man tot heilige martelaar was uitgeroepen, terwijl de Kerk meteen alle excuus kreeg aangereikt om een koning te straffen die de macht ervan wilde ombuigen en zijn onderdanen meer recht wilde bieden, met wetten die eerlijker en menselijker waren dan waar ook ter wereld.

Ja, ze noemden Hendrik Plantagenet een duivel, en bij tijd en wijle dacht Adelia dat hij dat waarschijnlijk inderdaad was, maar ze wist ook dat zijn woeste blauwe ogen verder in de toekomst keken dan die van enig ander man. Hij was op de troon gekomen van een Engeland dat verscheurd en verarmd was door burgeroorlog en had het een veilige voorspoed gebracht waar andere landen jaloers op waren.

Men zei dat zijn gemalin en zijn zonen een wrok tegen hem koesterden en tegen hem samenzweerden, en ook daar kon Adelia zich wel iets bij voorstellen: hij was alle anderen zo ver vooruit, en was zo voortvarend, dat hun relatie met hem wel neer moest komen op, zoals het gezegde ging, je vasthouden aan een stijgbeugel terwijl hij te paard zat. Maar toen de Kerk tijdens haar zoektocht naar de moordenaar van de kinderen van Cambridge Adelia had willen veroordelen, had deze drukbezette koning toch maar mooi de tijd gevonden om tussenbeide te komen en haar vrij te pleiten.

Nou ja, hij kon ook niet anders, bedacht ze. Heb ik hem soms niet veel geld en moeite bespaard? Maar ik ben níét zijn onderdaan; ik ben Siciliaanse – hij heeft het recht niet om me te dwingen voor hem te werken.

En dat zou ook een volkomen redelijk sentiment zijn geweest, ware het niet dat Adelia soms het gevoel had dat het een voorrecht was om voor Hendrik II van Engeland te mogen werken.

Desondanks probeerde ze hem, omwille van de spijsvertering van haar kind, uit haar gedachten te bannen. Het probleem was dat het weidse vertrek dat haar omringde voor een Kerk stond die haar kwader maakte dan Hendrik ooit zou kunnen. Hier was niets te vinden wat niet op een steile en weelderige wijze van het geloof getuigde: de zware zetel van de bisschop, een gecapitonneerde, met goud ingelegde bidstoel waarin zijne excellentie kon knielen om soelaas te vinden bij de Christus die in armoede gestorven was, de lucht bezwangerd door wierook. Adelia vergeleek het met de kamer van prior Geoffrey in de priorij, die vele malen heiliger was door alles wat aan het aardse herinnerde: vis-

31

hengels in een hoek, de geur van lekker eten, een verfijnd bronzen Venus-beeldje dat hij had meegenomen uit Rome, de ingelijste brief van een pupil op wie hij trots was.

Ze beëindigde de voedsessie. Gyltha pakte het kind van haar over om het een boertje te laten doen, een handeling die beide vrouwen elkaar altijd betwistten, want er bestond geen bevredigender geluid dan die kleine oprisping. Het pas aangestoken komfoor had zijn warmte nog niet door de kamer verspreid, dus legde Gyltha nog een dekentje op de mand, waarna ze die in de schaduwen zette zodat de baby kon slapen. Vervolgens ging ze bij het komfoor staan en keek zelfgenoegzaam om zich heen. 'Moord, zei je? Het oude team en de tijden van weleer herleven.'

'Een póging tot moord,' bracht Adelia haar in herinnering. 'En nee, het is niet zoals vroeger.'

'Het zou anders de zinnen wel verzetten om weer eens op reis te gaan,' zei Gyltha. 'Beter dan de hele winter in die ellendige venen vernikkelen van de kou.'

· 'Je bent dol op de winter in de venen. En ik ook.' Adelia had leren schaatsen.

'Dat wil nog niet zeggen dat ik me ergens anders niet zou vermaken.' Gyltha mocht dan op leeftijd zijn, ze hield van avontuur. Ze wreef over haar rug en maakte een hoofdgebaar naar de mand. 'Wat zou meneer zeggen van je kleine schat?'

'Ik hoop van harte,' zei Adelia, 'dat hij niet vraagt wie de vader is.'

Gyltha gaf haar een knipoog. 'Tja, dat zou vervelend zijn. Maar dat doet hij vast niet. Waarom zit je je dan zo op te vreten?'

'Ik wil hier niet zijn, Gyltha. Bisschoppen, koningen – ze hebben geen enkel recht iets van me te vragen. Ik doe het toch niet.'

'Heb je iets te kiezen dan?'

Op de overloop buiten de kamer klonken voetstappen. Adelia knarsetandde, maar er kwam alleen maar een kleine priester binnen, met in de ene hand een brandende kaars en in de andere een leiboek. Nadat hij het licht hoog had opgeheven, beschreef hij er een boog mee en tuurde om beurten kippig naar alle gezichten.

'Ik ben vader Paton, de secretaris van zijne excellentie. En u bent...? Ja, ja.' Om het zeker te weten legde hij zijn boek op tafel, sloeg het open en hield de kaars erbij. 'Een Arabische man en twee vrouwen, jawel.' Hij keek op. 'Er wordt gezorgd voor vervoer, bijstand en proviand heen en weer naar Oxford, een wintermantel per persoon, brandstof, plus een shilling per dag verblijfgeld de man, totdat zijne excellentie tevreden is over het geleverde werk. Daarbuiten kunt u nergens op rekenen.'

Hij tuurde nog eens op zijn lei. 'Ah, ja, er is zijne excellentie verteld dat er een baby bij is en hij heeft zich bereid verklaard die zijn zegen te geven.' Hij wachtte op een teken van waardering. Toen dat niet kwam, zei hij: 'Het kind kan aan zijn zorgen worden toevertrouwd. Is het hier?'

Gyltha ging tussen hem en de mand in staan.

De priester zag niet wat voor gevaar hij liep; in plaats daarvan wierp hij nog maar eens een blik op zijn lei, en omdat hij er niet aan gewend was met vrouwen om te gaan, sprak hij Mansur aan. 'Er wordt hier gezegd dat u een soort dokter bent?'

Weer kwam er geen antwoord. Op de priester na was het doodstil in de kamer.

'Hier zijn uw instructies. De bedoeling is dat u de schuldige vindt die drie dagen geleden...' Hij controleerde de datum: 'Ja, het was de naamdag van Sinte-Leocadia... die dus drie dagen geleden een poging heeft gedaan Rosamunde Clifford van Wormhold Tower bij Oxford om te brengen. U zult bij deze taak de hulp nodig hebben van de nonnen van Godstow.' Met een knokige vinger tikte hij op de lei. 'Er dient op te worden gewezen dat wanneer voornoemde nonnen u om niet onderdak bieden in het klooster, uw betaling dienovereenkomstig zal worden verlaagd.'

Hij keek hen met samengeknepen ogen aan en kwam vervolgens weer ter zake. 'Alle inlichtingen dienen zodra ze zijn ingewonnen onmiddellijk aan zijne excellentie te worden doorgegeven – voor welk doel een boodschapper ter beschikking zal worden gesteld – en u brengt niemand anders op de hoogte van uw bevindingen, die op discrete wijze tot stand dienen te komen.'

Hij liet zijn blik over zijn boek gaan om te zien of er nog meer bijzonderheden in stonden, vond die niet en klapte het dicht. 'Binnen een uur zult u paarden en een vervoermiddel bij de deur aantreffen, en in de tussentijd wordt er voedsel toebereid, dat u kosteloos ter beschikking wordt gesteld.' Zijn neus krulde ervan, zo gul vond hij zichzelf.

Was dat alles? Nee, nog één ding. 'Ik kan me voorstellen dat de baby het onderzoek zal bemoeilijken, dus daarom heb ik een min aangenomen om er in uw afwezigheid voor te zorgen.' Hij leek er trots op dat hij hieraan had gedacht. 'Er is me te verstaan gegeven dat dat een penny per dag kost, en die zal in mindering worden gebracht op... Hé, hé, zet me neer!'

Zoals hij daar aan het rugpand van zijn superplie in Mansurs hand bungelde, zag hij eruit als een verrast jong katje.

Hij is nog heel jong, bedacht Adelia, al zal hij er op zijn veertigste nog precies zo uitzien. Als hij me niet zo bang maakte, zou ik met hem te doen hebben; hij zou zomaar mijn baby bij me hebben weggehaald.

Gyltha richtte zich tot het wriemelende katje. 'Luister jij eens even, jongeman,' zei ze, en ze boog zich naar voren om haar gezicht vlak voor het zijne te brengen, 'we zijn gekomen om bisschop Rowley te zien.'

'Nee, nee, dat is onmogelijk. Zijne excellentie vertrekt morgen naar Normandië en heeft voor die tijd nog een heleboel te doen.' Op de een of andere manier wist de priester ondanks zijn horizontale houding enige waardigheid op te brengen. 'Ik behartig zijn zaken...'

Maar de deur was opengegaan en in een zee van kaarslicht kwam er een stoet het vertrek binnen, met in het midden een gestalte die flonkerde alsof hij uit een verlucht handschrift kwam, majesteitelijk gekleed in purper en goud.

Gyltha heeft gelijk, dacht Adelia onmiddellijk; die mijter staat hem niet. Vervolgens nam ze de onderkinnen in ogenschouw, de doffe ogen; hij zag er heel anders uit dan de man die ze zich herinnerde. Nee, we vergissen ons, voegde ze er voor zichzelf aan toe. Hij staat hem wél.

Zijne excellentie de bisschop nam de situatie in ogenschouw. 'Zet hem neer, Mansur,' zei hij in het Arabisch.

Mansur liet zijn greep verslappen.

De twee pages die de sleep van het bisschopsgewaad droegen bogen zich naar opzij om naar het zootje ongeregeld te kijken dat vader Paton te grazen had genomen. Een witharige functionaris begon met zijn staf op de tegels te bonken.

Alleen de bisschop leek onbewogen. 'Goed, hofmeester,' zei hij. 'Goedenavond, meesteres Adelia. Goedenavond, Gyltha, je ziet er goed uit.'

'Jij ook, buur.'

'Hoe maakt Ulf het?'

'Die zit op school. Volgens de prior doet hij het fantastisch.'

De hofmeester knipperde met zijn ogen; dit was lèse-majesté. Hij keek toe toen zijn bisschop zich tot de Arabier wendde.

'Dokter Mansur, *as-salaam aleikum*.'

'*Wa aleikum as-salaam*.'

Het moest niet gekker worden. 'Mijn heer...'

'Laat het eten hier zo snel mogelijk opdienen, hofmeester, we hebben weinig tijd.'

Wij, dacht Adelia. Het episcopale 'wij'.

'Uw kledij, my lord... Zal ik uw kamerheer laten halen?'

'Paton helpt me wel met uitkleden.' De bisschop snoof, zocht naar de bron van een zekere geur, vond die en voegde eraan toe: 'Neem ook een kluif mee voor de hond.'

'Jawel, my lord.' De hofmeester bonjourde de andere bedienden de kamer uit.

De bisschop liep door naar de slaapkamer, met zijn secretaris achter zich aan, die hem uitlegde wat hij had gedaan – wat zíj hadden gedaan. 'Ik begrijp die tegenstand niet, my lord. Ik heb alleen maar regelingen getroffen op basis van de informatie die ik uit Oxford had gekregen.'

'En die is onderweg kennelijk enigszins verhaspeld,' merkte bisschop Rowley op.

'Maar ik heb er zo goed mogelijk gehoor aan gegeven – tot in de kleinste details. Ik snap niet...' De anderen vingen de ontboezemingen van een man die verkeerd was beoordeeld op door de open deur terwijl vader Paton zijn meester hielp zich te ontdoen van zijn mantel, opperkleed, rochet, pallium, handschoenen en mijter – de ene laag na de andere van geborduurde praal waar vele borduursters jaren mee bezig waren geweest, die allemaal werden afgepeld en uiterst zorgvuldig werden opgevouwen. Dat vergde de nodige tijd.

'Rosamunde Clifford?' vroeg Mansur aan Gyltha.

'Je weet best wie dat is, heiden. De mooie Rosamunde die zo wordt bezongen, de lieveling van de koning. Over de mooie Rosamunde bestaan heel wat liedjes.'

Ah, díé Rosamunde. Adelia herinnerde zich dat ze de minstreels op marktdagen voor een halve penny had horen zingen, en herinnerde zich hun deuntjes – sommige romantisch, maar de meeste dubbelzinnig.

Als hij me hiernaartoe heeft gehaald om me bezig te houden met het wel en wee van een vrouw van lichte zeden... Toen bracht ze zichzelf in herinnering dat ook zijzelf nu gerekend kon worden tot de klasse van vrouwen van lichte zeden.

'Nou, die is dus bijna vermoord,' zei Gyltha monter. 'Misschien dat koningin Eleanora heeft geprobeerd haar uit de weg te ruimen of zoiets, want die ziet groen van jaloezie.'

'Dat komt ook in de liedjes voor, hè?' vroeg Adelia.

'Ja, inderdaad.' Gyltha dacht even na. 'Nee, nu ik er nog eens over na-denk, kan het de koningin niet zijn geweest; het laatste wat ik heb ge-hoord is dat de koning haar gevangen had gezet.'

De machtigen en hun doen en laten waren een andere wereld. Tegen de tijd dat de verslagen van wat ze allemaal uitspookten tot de veenge-bieden doordrongen, klonken ze even romantisch en exotisch als my-then, alsof het niet om echte mensen ging en helemaal niets om het lijf had in vergelijking met de overstroming van een rivier of koeien die be-zweken aan de pest, of, in Adelia's geval, de geboorte van een baby.

Ooit was dat wel anders geweest. Tijdens de oorlog tussen Stephen en Matilda waren berichten over hun komen en gaan van het grootste be-lang, zodat je van tevoren wist wiens leger – dat van koning, koningin of baron – je oogst zou komen vertrappen, en er hopelijk aan zou weten te ontsnappen. Aangezien er vooral in de veengebieden veel was ver-trapt, was Gyltha in die tijd zeer politiek bewust geweest.

Maar die vreselijke tijden hadden een Plantagenet-heerser voortge-bracht als een koning uit een sprookje, die in Engeland voor vrede, wet-ten en voorspoed had gezorgd. Als er al oorlogen waren, vonden die plaats in het buitenland, gezegend zij de moeder Gods.

De gade met wie Hendrik de troon besteeg leek ook wel uit een sprookje afkomstig: ze was bijzonder kleurrijk. Dit was geen bedeesde maagdelijke prinses; Eleanora was de belangrijkste erfgename van Eu-ropa, een stralende figuur die hoogstpersoonlijk de scepter had ge-zwaaid over het hertogdom Aquitanië voordat ze met de volgzame en vrome koning Lodewijk van Frankrijk was getrouwd – een man bij wie ze zich zo stierlijk verveelde dat het huwelijk in een echtscheiding was geëindigd. Op dat moment was de negentienjarige Hendrik Plantage-net ten tonele verschenen om de mooie Eleanora, die dertig was, het hof te maken en met haar te trouwen, zodat hij het beheer kreeg over haar uitgebreide landerijen en zichzelf tot heerser maakte van een groter deel van Frankrijk dan dat van de wrokkige koning Lodewijk.

De verhalen over Eleanora waren talloos, en scandaleus: ze vergezelde Lodewijk op kruistocht met een groep amazones met ontblote borsten; ze had het bed gedeeld met haar oom, Raymond, prins van Antiochië; ze had zus gedaan, zo gedaan... Maar als haar kersverse Engelse onder-danen verwachtten geamuseerd te worden met schalkse wapenfeiten, werden ze teleurgesteld. In de ongeveer tien jaar die daarop volgden ging

36

Eleanora stilletjes op in de achtergrond; ze deed haar plicht van koningin en echtgenote door Hendrik vijf zonen en drie dochters te schenken.

Zoals van een gezonde koning verwacht kon worden, had Hendrik andere kinderen bij andere vrouwen – voor welke heerser gold dat niet? –, maar Eleanora leek daar niet mee te zitten, en ze liet zelfs de jonge Geoffrey, een van de bastaardkinderen die haar man bij een lichtekooi had verwekt, samen met de wettige kinderen grootbrengen aan het koninklijke hof.

Een gelukkig huwelijk dus, zoals huwelijken horen te zijn.

Totdat...

Wat had de verwijdering veroorzaakt? De komst van de jonge, lieftallige Rosamunde, de hoogstgeborene van Hendriks vrouwen? In elk geval nam zijn verhouding met haar legendarische proporties aan, stof voor liederen; hij aanbad haar, noemde haar *Rosa Mundi*, de Roos van de Wereld, had haar weggestopt in een toren vlak bij zijn jachtverblijf in Woodstock en had daaromheen een labyrint gebouwd, zodat niemand anders toegang tot haar zou hebben...

De arme Eleanora was nu in de vijftig en kon geen kinderen meer krijgen. Had de jaloezie van een vrouw van middelbare leeftijd haar woede ontketend? Want ze moest behoorlijk kwaad zijn geweest om haar oudste zoon die nog in leven was, de Jonge Hendrik, op te zetten tegen zijn vader. Er waren wel koninginnen voor veel minder gestorven. Het mocht eigenlijk nog een wonder heten dat haar man haar niet had geëxecuteerd in plaats van haar tot een niet al te oncomfortabele gevangenschap te veroordelen.

Nou ja, hoe heerlijk het ook was om je gedachten over dat soort dingen te laten gaan, het speelde zich allemaal ver weg af. De zonden waarom koningin Eleanora gevangen was genomen waren begaan in Aquitanië, of in Anjou, of de Vexin, een van die buitenlandse plekken waar het Koninklijk Huis van Plantagenet ook over heerste. De meeste Engelsen wisten niet precies in welke zin de koningin haar boekje te buiten was gegaan; in elk geval wist Gyltha dat niet. Het kon haar ook niet schelen, en Adelia evenmin.

Vanuit de slaapkamer klonk plots de kreet: 'Is het híér? Heeft ze het meegenomen híérnaartoe?' Nu de bisschop tot op zijn tuniek was uitgekleed, zag hij er jonger en slanker uit. Hij kwam in de deuropening staan, spiedde om zich heen en schreed met lange passen naar de mand op de tafel. 'Mijn god,' zei hij. 'Mijn god.'

Waag het niet, dacht Adelia. Waag het niet te vragen wiens kind het is.

Maar de bisschop staarde omlaag met het ontzag van de faraodochter die de kleine Mozes tussen het riet aantrof. 'Is dit hem? Mijn god, hij lijkt precies op mij.'

'Zij,' zei Gyltha. 'Zíj lijkt precies op jou.'

Echt iets voor het kerkelijke roddelcircuit, bedacht Adelia vals, om hem meteen te vertellen dat ze een kind van hem had gekregen zonder erbij te zeggen van welk geslacht het was.

'Een dochter.' Rowley pakte het kind op en hield haar de hoogte in. De baby knipperde slaperig met haar oogjes en kirde toen tegen hem. 'Elke dwaas kan een zoon krijgen,' zei hij, 'maar alleen een man krijgt een dochter.'

Dáárom hield ik nou zo van hem.

'En wie is dan de papa van dit lieve kleintje?' zei hij. 'Wie heeft ogen als korenbloemen zoals de hare, ja, precies die van haar vader? En van die schattige teentjes? Lekker-lekker-lekker. Vindt ze dat fijn? Ja, ze vindt het fijn.'

Adelia was zich er hulpeloos van bewust dat vader Paton het tafereel gadesloeg. Ze wilde tegen Rowley zeggen dat hij zichzelf verraadde; deze vreugde paste een bisschop niet. Maar waarschijnlijk was een secretaris ingewijd in alle geheimen van zijn meester – en het was nu trouwens toch te laat.

De bisschop keek op. 'Blijft ze zo kaal, of groeien die pluizen op haar hoofd nog aan? Hoe heet ze?'

'Allie,' zei Gyltha.

'Ali?'

'Almeisan.' Adelia deed voor het eerst – met tegenzin – haar mond open. 'Mansur heeft haar naam bedacht. Een *almeisan* is een ster.'

'Een Arabische naam.'

'Waarom niet?' Ze stond helemaal op scherp. 'Arabieren hebben de wereld de astronomie gebracht. Het is een prachtige naam, hij betekent "Zij die Licht Brengt".'

'Ik beweer ook niet dat hij niet mooi is. Alleen zou ik haar Ariadne hebben genoemd.'

'Nou, jij was er niet,' zei Adelia nukkig.

'Ariadne' was zijn koosnaampje voor haar geweest. Ze hadden elkaar ontmoet op dezelfde weg en op hetzelfde moment dat ze prior Geoffrey had leren kennen. Hoewel ze het destijds niet hadden beseft, hadden ze ook dezelfde missie; Rowley Picot was ogenschijnlijk een belastinginner van koning Hendrik, maar had in het geheim opdracht van zijn koninklijke meester gekregen om de schurk op te sporen die in Cambridge kinderen vermoordde en op die manier schade toebracht aan de koninklijke inkomsten. Tegen wil en dank hadden ze zich uiteindelijk samen over aanwijzingen gebogen. Net als Ariadne had ze hem naar het hol van het beest geleid. Net als Theseus had hij haar daaruit gered.

En vervolgens had hij haar, ook net als Theseus, alleen gelaten.

Ze wist dat ze niet eerlijk was; hij had haar gevraagd, haar gesméékt met hem te trouwen, maar inmiddels was hij bij de koning in de gunst gekomen en was hij kandidaat voor een promotie waarvoor hij een vrouw nodig had die zou zijn toegewijd aan hem, hun kinderen, zijn landerijen – een ouderwetse Engelse kasteelvrouwe, en geen vrouw die haar verplichtingen ten aanzien van zowel de levenden als de doden niet wilde of kon opgeven.

Maar wat ze hem niet kon vergeven was dat hij had gedaan wat ze hem gezegd had te doen: bij haar weggaan, vertrekken, het vergeten, het aanbod van de koning – een rijk bisdom – aanvaarden.

Moge God hem martelen, een brief zo nu en dan had er toch wel af gekund?

'Ziezo,' zei ze, 'je hebt haar gezien, en nu gaan we weer.'

'O ja?' Dat was Gyltha. 'Blijven we niet eten dan?'

'Nee.' Ze had van meet af aan gezocht naar een steen des aanstoots en nu had ze hem gevonden. 'Als iemand heeft geprobeerd Rosamunde Clifford iets aan te doen, dan spijt dat me wel, maar ik heb daar niets mee te maken.'

Ze liep de kamer door om de baby van hem aan te pakken. Daardoor kwamen ze zo dicht bij elkaar te staan dat ze de geur van wierook kon ruiken van de mis die hij had opgedragen, die ook hun kind omhulde. Zijn ogen waren niet langer die van Rowley, maar de ogen van een bisschop: heel vermoeid – hij had een zware reis achter de rug vanuit Oxford – en heel ernstig.

'Zelfs niet als dat tot een burgeroorlog leidt?' vroeg hij.

Het varkensvlees werd teruggestuurd, zodat de geur ervan de neus en spijswetten van dokter Mansur niet zou beledigen, maar er waren lampreien en snoek in gelei, vier verschillende soorten eend, kalfsvlees met blanc-manger, een keur aan knapperig goudkleurig brood, genoeg voor twintig man, en – of het Mansurs neusgaten nu behaagde of niet – voldoende wijn voor nog eens twintig man, geserveerd in prachtige glazen bokalen met reliëfversieringen.

Toen alles was neergezet op de bisschoppelijke tafel, werden de bedienden de kamer uit gestuurd. Vader Paton mocht blijven. Vanuit het stro onder de tafel klonk het geknerp van een hond die op een bot kluift.

'Hij moest haar wel opsluiten,' zei Rowley over zijn koning en koningin Eleanora. 'Ze hitste de jonge koning op tegen zijn vader.'

'Dat heb ik nooit goed begrepen,' zei Gyltha, kauwend op een eendenpoot. 'Waarom Hendrik die jongen naast hemzelf tot koning liet kronen, bedoel ik. Waarom de oude koning en de jonge koning nou samen regeren. Dat is vragen om moeilijkheden.'

'Hendrik was erg ziek geweest,' liet Rowley haar weten. 'Hij wilde zeker zijn van een vreedzame troonopvolging voor het geval hij kwam te overlijden. Hij zat niet te wachten op een nieuwe oorlog à la Stephen en Matilda.'

Gyltha huiverde. 'Daar zitten wij ook niet op te wachten.'

Het was een merkwaardige maaltijd. Bisschop Rowley zag zich genoodzaakt zijn zaak uiteen te zetten aan een huishoudster uit Cambridge en een Arabier, omdat de vrouw die die voor hem moest oplossen hem niet aan wilde kijken. Adelia zat er stilletjes bij, zonder te reageren, en at heel weinig.

Hij is een ander mens geworden, ging het door haar heen. Ik zie niets terug van de man die ik heb gekend. Verdorie, hoe kon hij nou zo makkelijk stoppen met van mij houden?

De secretaris, aan wie niemand aandacht besteedde, at alsof hij uitgehongerd was, hoewel zijn ogen voortdurend op zijn meester rustten, alsof hij gespitst was op eventueel nog meer voor een bisschop onwaardig gedrag.

Rowley legde uit welke omstandigheden hem ertoe hadden gebracht zich vanuit Oxford, een deel van zijn diocees, hierheen te haasten, en waarom hij de volgende dag zou doorreizen naar Normandië om een bezoek af te leggen aan de koning. Hij moest hem vertellen, voordat iemand anders dat deed, dat Rosamunde Clifford, de meest dierbare van alle koninklijke maîtresses, vergiftigde paddenstoelen te eten waren aangeboden.

'Paddenstoelen?' vroeg Gyltha. 'Dat moet dan zeker per ongeluk zijn geweest. Paddenstoelen zijn verraderlijke dingen, daar moet je mee oppassen.'

'Het was opzet,' zei de bisschop. 'Neem maar van mij aan, Gyltha, dat dit geen ongelukje was. Ze werd heel ziek. Daarom riepen ze me naar Wormhold, waar ze ziek lag; ze dachten niet dat ze nog beter zou worden. Dankzij Christus' genade gebeurde dat wel, maar de koning zal willen weten wie heeft geprobeerd haar te vergiftigen en ik wil, ik móét hem op het hart drukken dat zijn favoriete onderzoeker zich over de kwestie buigt' – hij was zo alert een buiging te maken voor Mansur, die het gebaar op zijn beurt met een buiging beantwoordde – 'samen met zijn assistent.' Een buiging in de richting van Adelia.

Ze was opgelucht dat hij ten overstaan van vader Paton de façade in stand hield dat Mansur degene was die over de voor een dergelijk onderzoek benodigde vaardigheden beschikte, en niet zij. Hij had zichzelf het risico op de hals gehaald van immoraliteit te worden beschuldigd door te zeggen dat Allie zijn kind was, maar hij nam haar in bescherming tegen de veel ernstiger aantijging van hekserij.

Gyltha, die genoot van haar rol als ondervraagster, zei: 'De koningin kan haar die paddenstoelen toch niet gestuurd hebben, nu ze in de boeien is geslagen?'

'Wás ze verdikkeme maar in de boeien geslagen.' Heel even was Rowley weer zijn oude heftige zelf, en de secretaris knipperde met zijn ogen. 'Dat stomme mens is twee weken geleden ontsnapt.'

'Heremijntijd,' zei Gyltha.

'Inderdaad: heremijntijd. Ze is voor het laatst gezien terwijl ze op weg was naar Engeland, en dat zou haar volgens iedereen, behalve mij dan, tijd genoeg geven om wel tien van Hendriks lichtekooien te vergiftigen.'

Hij boog zich over de tafel heen naar Adelia en maakte wat ruimte tussen hen vrij, waarbij hij zijn wijnbokaal en de hare omgooide. 'Jíj kent hem, je weet hoe opvliegend hij is. Jíj hebt hem gezien toen hij zichzelf niet langer in de hand had. Hij houdt van Rosamunde, hij houdt echt van haar. Stel nou dat hij begint te roepen dat Eleanora ter dood moet worden gebracht, zoals hij dat met Becket heeft gedaan? Dat zou hij natuurlijk niet menen, maar er is altijd wel een of andere gek die reden heeft om erop te reageren en die zal zeggen dat hij handelt in opdracht van de koning, zoals het met Becket ook is gegaan. En als hun moeder wordt geëxecuteerd, zullen álle jongens als een golf drek opstaan tegen hun vader.' Hij leunde achterover in zijn zetel. 'Dan breekt er geheid een burgeroorlog uit, overal. Daar zijn Stephen en Matilda nog niets bij.'

Mansur legde zijn hand beschermend op Gyltha's schouder. De stilte was woelig, alsof er een geluidloos gevecht plaatsvond en er stomme kreten van stervenden klonken. De geest van een vermoorde aartsbisschop rees op uit de stenen van Canterbury en schreed de kamer door.

Vader Paton staarde van het ene gezicht naar het andere, terwijl hij zich erover verwonderde dat zijn bisschop de assistente van een dokter met zoveel heftigheid aansprak, en niet de dokter zelf.

'Hééft ze het gedaan?' vroeg Adelia uiteindelijk.

'Nee.' Rowley veegde met een servet wat vet van zijn mouw en schonk zijn bokaal nog eens vol.

'Weet je het zeker?'

'Niet Eleanora – ik weet hoe ze in elkaar zit.'

O ja? Er bestond ongetwijfeld een tedere genegenheid tussen koningin en bisschop; toen de eerstgeboren zoon van Eleanora en Hendrik in zijn derde levensjaar was gestorven, had Eleanora gewild dat het zwaard van het kind naar Jeruzalem zou worden gebracht, zodat de kleine Willem in de dood als een heilige kruisvaarder zou worden beschouwd. Rowley was degene die de verschrikkelijke reis had ondernomen en het kleine zwaard op het hoogaltaar had gelegd – dus uiteráárd stond Eleanora welwillend tegenover Rowley.

Maar zoals het met alle koninklijke zaken ging, was koning Hendrik degene die het had geregeld; Hendrik was degene geweest die Rowley orders had gegeven, Hendrik was degene die de geheime informatie kreeg over wat er in het Heilige Land speelde die Rowley mee terug had genomen. O ja, Rowley Picot was eerder een agent van de koning geweest dan de zwaarddrager van de koningin.

Maar de bisschop, die bleef beweren dat hij echt een goede kijk op Eleanora's karakter had, voegde eraan toe: 'Als ze tegenover elkaar kwamen te staan, zou ze Rosamunde de strot afbijten... maar haar vergiftigen, dat is haar stijl niet.'

Adelia knikte. In het Arabisch zei ze: 'Ik snap nog steeds niet wat je van me wilt. Ik ben een dokter van de doden...'

'Jij kunt logisch nadenken,' zei de bisschop, ook in het Arabisch. 'Jij ziet dingen die anderen niet zien. Wie redde vorig jaar de joden van de aantijging van kindermoord? Wie wist de echte moordenaar op te sporen?'

'Daar kreeg ik hulp bij.' Die goeie Simon van Napels ook – de échte onderzoeker die speciaal voor dat doel met haar was meegekomen vanuit Salerno, en die er het leven bij had gelaten.

Mansur kwam, wat niets voor hem was, tussenbeide en wees naar Adelia: 'Ze mag niet weer in zo'n groot gevaar worden gebracht. Louter en alleen de wil van Allah heeft haar de vorige keer van de ondergang gered.'

Adelia schonk hem een glimlach vol genegenheid. Hij mocht het best aan Allah toeschrijven, als hij dat zo graag wilde. In werkelijkheid had ze het hol van de kindermoordenaar alleen weten te overleven omdat een hond Rowley er nog net op tijd naartoe had gebracht. Maar wat noch hij, noch God, noch Allah haar had weten te besparen, waren de herinneringen aan een nachtmerrie die nog steeds elke dag opspeelden, met zoveel scherpte alsof ze zich weer helemaal opnieuw voltrokken – en dan vaak met de jonge Allie in haar plaats.

'Natuurlijk komt ze niet weer in gevaar,' gaf de bisschop Mansur energiek te verstaan. 'Dit is een heel ander soort zaak. Er is hier geen sprake van moord, alleen maar van een klungelige poging daartoe. Degene die dit heeft geprobeerd, heeft allang de benen genomen. Maar snap je het dan niet?' Er viel weer een bokaal om toen hij met zijn vuist op tafel sloeg. 'Snap je het dan niet? Iedereen zal denken dat Eleanora haar wilde vergiftigen; zij haat Rosamunde en ze was bovendien mogelijk in de buurt. Trok Gyltha niet al meteen die conclusie? Zou niet iedereen die trekken?' Hij verlegde zijn blik van Mansur naar de vrouw tegenover hem. 'In Gods naam, Adelia, help me.'

Met een gebaar van haar kin in de richting van de deur stond Gyltha op en stootte Mansur aan, die knikte, ook opstond en de onwillige vader Paton in zijn nekvel greep. De twee die aan tafel achterbleven merkten hun vertrek niet op; de blik van de bisschop rustte op Adelia, de hare op haar samengevouwen handen.

Hou op met wrokken, hield ze zichzelf voor. Hij hééft me niet in de steek gelaten; ík was degene die niet wilde trouwen, ík drong erop aan elkaar niet meer te zien. Het is onlogisch om hem te verwijten dat hij zich aan die afspraak heeft gehouden.

Maar verdorie, er zou al die maanden toch íéts hebben moeten zijn – ten minste een erkenning van de baby.

'Kunnen God en jij een beetje met elkaar overweg?' vroeg ze.

'Ik dien Hem, mag ik hopen.' Ze hoorde geamuseerdheid in zijn stem.

43

'Goede werken?'

'Zoveel ik kan.'

Ze dacht: en we weten allebei – ja toch? – dat je God en Zijn werken, en mij en je dochter, de hele bups, eraan zou geven als je daarmee Hendrik Plantagenet zou kunnen dienen.

Zachtjes zei hij: 'Ik moet me hiervoor verontschuldigen, Adelia. Ik zou onze afspraak om elkaar niet meer te zien niet hebben verbroken als dit niet zo belangrijk was.'

Ze zei: 'Als Eleanora schuldig wordt bevonden, ga ik niet liegen; dan zeg ik dat ook.'

'Ja-a!' Dát was de Rowley zoals ze hem kende: de energie, de kreet die de wijn in zijn bokaal deed klotsen. Hier, heel even, was haar oude drieste minnaar weer terug. 'Je kon er geen weerstand aan bieden, hè? Neem je de baby met je mee? Ja, natuurlijk, je geeft vast nog borstvoeding. Het is anders wel raar om jou als melkleverancier te zien.'

Hij was opgestaan en deed de deur open om vader Paton te roepen. 'In mijn bagage zit een mandje paddenstoelen. Ga het halen en breng het hierheen.' Met een grijns wendde hij zich tot Adelia. 'Ik had zo gedacht dat je wel wat bewijs zou willen zien.'

'Duivel,' zei ze.

'Misschien wel, maar deze duivel is van plan zijn koning en zijn land te redden, óf ten onder te gaan bij zijn pogingen daartoe.'

'Of mij daarbij de dood in te jagen.' Hou op, dacht ze, klink toch niet zo als een vrouw wie onrecht is aangedaan; het was je eigen beslissing.

Hij haalde zijn schouders op. 'Jij bent veilig; niemand is eropuit om jóú te vergiftigen. Jij hebt Gyltha en Mansur – moge God degene bijstaan die jou aanraakt zolang zij in de buurt zijn –, en ik stuur bedienden mee. Ik neem aan dat dat mormel ook meegaat?'

'Ja,' zei ze. 'Hij heet Hoeder.'

'Weer een van de vondsten van de prior om te zorgen voor je veiligheid? Ik herinner me Wachter nog.'

Nog een wezen dat was gestorven om haar het leven te redden. Het vertrek was vol pijnlijke herinneringen – en van het gevaar die te delen.

'Paton is míjn waakhond,' zei hij losjesweg. 'Hij waakt over mijn deugdzaamheid als een kuisheidsgordel, verdorie. Wacht trouwens maar tot je het labyrint van de mooie Rosamunde ziet; dat is het grootste van de hele christelijke wereld. Wat zeg ik, wacht maar tot je Rosamunde zelf ziet; die is heel anders dan je zou verwachten. Om eerlijk te zijn...'

Ze onderbrak hem. 'Loopt die gevaar?'

'Het labyrint?'

'Je deugdzaamheid.'

Opeens sloeg hij een mildere toon aan. 'Gek genoeg niet. Toen jij me afwees dacht ik... maar God was mild en temperde de wind voor het geschoren lam.'

'En Hendrik zat verlegen om een voegzame bisschop.' Hou op, hou op.

'En de wereld zat verlegen om een dokter, niet om de zoveelste echtgenote,' zei hij, nog steeds vriendelijk. 'Dat zie ik nu wel in; ik heb erom gebeden om het zo te kunnen zien: in een huwelijk zou jij zijn weggekwijnd.'

Ja, já. Als ze in een huwelijk had toegestemd, zou hij het diocees hebben geweigerd dat de koning hem om politieke redenen zo graag had willen geven, maar voor haar had haar roeping meer prioriteit gehad. Die had ze dan moeten laten voor wat hij was, want hij had een vrouw nodig, geen dokter – en zeker niet een dokter van de doden.

Uiteindelijk, bedacht ze, waren we geen van beiden bereid om voor elkaar het ultieme offer te brengen.

Hij stond op, liep naar de baby en maakte met zijn duim een kruisteken op haar voorhoofdje. 'Moge God je zegenen, mijn dochter.' Hij draaide zich om. 'Moge God jou ook zegenen, meesteres,' zei hij. 'Moge God jullie allebei behouden en moge de vrede van Jezus Christus bestand zijn tegen de Ruiters van de Apocalyps,' – hij slaakte een zucht – 'want ik hoor de hoeven al trappelen.'

Vader Paton kwam binnen met een mand en overhandigde die aan zijn broodheer, die vervolgens een gebaar maakte dat hij weer kon vertrekken.

Adelia zat Rowley nog steeds aan te staren. Te midden van de overvloedige rijkdom van deze kamer en de verwarring die ze voelde terwijl schimmen uit het verleden waren gekomen en gegaan, had één ding dat er had moeten zijn – dat waar dit allemaal om begonnen was – ontbroken; maar ze had er zojuist een geur van opgevangen, helder en koud: heiligheid – wel de laatste eigenschap die ze had verwacht bij hem te zullen aantreffen. Haar minnaar van weleer was een man van God geworden.

Hij nam plaats op de stoel naast de hare om haar op de hoogte te brengen van de details rond de aanslag op Rosamunde, waarbij hij de mand voor haar neerzette, zodat ze de inhoud ervan kon onderzoeken. Vroeger zou hij niet naast haar hebben kunnen zitten zonder haar aan te raken; nu was het alsof ze naast een kluizenaar zat.

Rosamunde hield van gevulde paddenstoelen, vertelde hij haar; dat was alom bekend. Een luie bediende, die naar buiten was gegaan om ze voor haar meesteres te zoeken, had er een paar gekregen van een onbekende vrouw, een oud besje, en had ze mee terug genomen zonder nog moeite te doen om er meer te gaan plukken.

'Rosamunde at ze niet allemaal op, er was een gedeelte apart gehouden voor later, en toen ik bij haar was heb ik dat restant meegenomen. Het leek me dat jij wel zou kunnen zeggen uit welke streek ze afkomstig zijn of zoiets – je hebt verstand van paddenstoelen, toch?'

Jazeker, ze had verstand van paddenstoelen. Gehoorzaam begon Adelia ze, terwijl hij verder vertelde, om te keren met haar mes.

Het was een mooie verzameling, ook al waren ze nu lichtelijk verpieterd geraakt: boleten die de Engelsen *Slippery Jack* noemden, oesterzwammen, eekhoorntjesbrood, champignonachtigen, kantharellen. Allemaal bijzonder smakelijk, maar heel uiteenlopend; sommige van deze soorten groeiden alleen op kalkgrond, andere onder naaldbomen, weer andere op open velden en nog weer andere in loofbossen.

Of het nu opzet was of niet, degene die deze had verzameld, had zijn net wijd uitgespreid en ervoor opgepast een mandje vol te plukken waarvan je zo kon zien dat het van één bepaalde locatie kwam.

'Zoals ik al zei, was het opzet,' zei de bisschop. 'Dat oude besje, wie het ook geweest moge zijn, zei het er met zoveel woorden bij: ze waren bestemd voor lady Rosamunde, en voor niemand anders. Dat vrouwtje is daarna niet meer gezien. Geen spoor van haar te vinden. Ze heeft er een paar schadelijke paddenstoelen tussen gedaan, zie je wel, in de hoop dat die het arme mens zouden vergiftigen, en het is alleen aan Gods genade te danken dat...'

'Ze is dood, Rowley,' zei Adelia.

'Wat?!'

'Als Rosamunde net zulke paddenstoelen heeft gegeten als deze, is ze dood.'

'Nee, dat zei ik toch? Ze is hersteld. Toen ik bij haar wegging, was ze al een heel stuk opgeknapt.'

'Ja, dat weet ik.' Opeens had Adelia met hem te doen. Als ze had kunnen veranderen wat ze wilde gaan zeggen, had ze dat ook gedaan. 'Maar zo gaat dat, vrees ik.' Ze spietste de dodelijke paddenstoel aan haar mes en hief dat op. 'Voor deze geldt dat wie ervan eet eerst een poosje beter lijkt te worden.'

De paddenstoel zag er onschuldig uit met zijn witte plaatjes, al was de hoed nu bruinig verkleurd, maar dat had niets afgedaan aan zijn onaangename geur. 'Deze noemen ze de groene knolamaniet. Hij groeit overal; ik heb ze gezien in Italië, op Sicilië, in Frankrijk, hier in Engeland. Ik heb gezien wat hij kan aanrichten, ik heb met lijken gewerkt van mensen die ervan hadden gegeten – te veel lijken. Hij is altijd, altíjd dodelijk.'

'Nee,' zei hij. 'Dat kan niet waar zijn.'

'Het spijt me wel, het spijt me echt, maar als ze er hier eentje van heeft gegeten, zelfs maar een heel klein stukje...' Hij moest het weten. 'Eerst misselijkheid en diarree, buikpijn, en dan een dag of twee waarop het beter met haar leek te gaan. Maar ondertussen heeft het gif een aanslag gedaan op haar lever en nieren. Er bestaat geen enkele remedie tegen, Rowley. Ik ben bang dat ze is overleden.'

3

Er kon nu geen sprake meer van zijn dat de bisschop de oversteek zou maken vanuit Engeland naar Normandië om een geagiteerde koning te sussen. De beminde van de koning was dood en de koning zou zelf naar Engeland komen, als een duivel die aan komt suizen om te verwoesten en te brandschatten; misschien dat hij in zijn woede zijn eigen vrouw wel zou vermoorden, als hij haar kon vinden.

Dus 's ochtends vroeg reed de bisschop ook uit – nóg een duivel die werd losgelaten op de wereld –, om de koning voor te zijn, om de koningin te zoeken en haar weg te voeren, om ter plekke aanwezig te zijn, om de ware schuldige te vinden, om te kunnen zeggen: Mijn heer, bedwing uw hand; dít is de moordenaar van Rosamunde.

Om een armageddon te vermijden.

Met de bisschop gingen mannen mee die geschikt waren voor deze missie; het was maar een armzalig stelletje als je het vergeleek met het gebruikelijke gevolg van de heer bisschop: twee krijgslieden, een dienaar, een secretaris, een boodschapper, een wagen, rijpaarden en verse paarden. Ook een Arabische dokter, een hond, twee vrouwen en een baby – jammer dan als ze het tempo niet konden bijhouden.

Maar ze hielden het tempo wel bij. Nét. Hun wagen, het 'vervoer' waar vader Paton het over had gehad, was prachtig bewerkt met snijwerk, afgedekt tegen de weersinvloeden met paars oliedoek, met binnen bijpassende kussens tussen het stro, maar hij was niet bedoeld om er hard mee te rijden. Toen ze er drie uur in hadden voortgehotst, merkte Gyltha op dat als ze nog langer in dat rotding moest zitten, haar tanden nog uit haar mond zouden rammelen en de baby er een hersenschudding van zou krijgen.

Dus stapten ze over op paarden; de kleine Allie werd als een rups in een cocon in een gevoerde zadeltas gezet; Hoeder, de hond, werd minder zachtzinnig in de andere geduwd. De wissel vond snel plaats om de bisschop bij te houden, die niet op hen bleef wachten.

Jacques, de boodschapper, werd vooruitgestuurd om het bisschoppelijk paleis in St. Albans in orde te maken voor hun korte overnachting, en vervolgens, de dag daarop, naar de Barleycorn in Aylesbury om hetzelfde te doen.

Het was koud, en naarmate ze verder naar het westen kwamen werd het nog kouder, alsof ze de ijzige adem van Hendrik Plantagenet in hun nek voelden en die steeds dichterbij kwam.

De Barleycorn bereikten ze niet, omdat het die dag begon te sneeuwen. In plaats daarvan sloegen ze af naar de richel van de Icknield Way, waar het terrein vanwege de door bomen omzoomde lanen en de kalkgrond onder de hoeven van hun paarden makkelijker begaanbaar was, en ze dus sneller opschoten. Op deze hooggelegen paden waren geen herbergen, en de bisschop wilde geen tijd verliezen door af te stappen en er een te gaan zoeken. 'We slaan wel een bivak op,' zei hij.

Toen hij hen uiteindelijk liet afstijgen, protesteerden Adelia's spieren terwijl ze probeerde van haar paard te komen. Ze keek zorgelijk naar Gyltha, die er ook moeite mee had. 'Red je het?' Hoewel de vrouwen uit de venen zo taai als leer waren, was ze wél grootmoeder en mocht ze aanspraak maken op een betere behandeling dan deze.

'Op plekken die ik niet nader zal benoemen ben ik helemaal beurs.'

'Ik ook.' En het stak alsof die met zuur werden gebet.

De enige die er nog beroerder uitzag dan zij was vader Paton, die het grootste deel van de rit al kreunend zijn copieuze ontbijt in St. Albans had opgegeven. 'Je had niet zo moeten schrokken,' gaf Gyltha hem te verstaan.

Baby Allie was onderweg echter niets naars overkomen; zoals ze daar knus in haar zadeltas lag, leek ze het wel naar haar zin te hebben gehad, ook al was ze in haast gevoed op momenten dat bisschop Rowley een pauze had toegestaan om van paarden te wisselen.

Terwijl ze haar met zich meedroegen, trokken de twee vrouwen zich terug in de wagen, waar ze hun wonden behandelden met zalven uit Adelia's medicijnkist. 'Die vreetzak krijgt er mooi niks van,' merkte Gyltha wrokkig op over vader Paton. Ze kon hem inmiddels niet meer luchten.

'En Mansur dan? Hij is dit ook niet gewend.'

'Die doerak...' Gyltha mocht altijd graag verhullen dat ze genoegen schiep in de Arabier en van hem hield. 'Hem zou nog geen onvertogen woord over de lippen komen als z'n gat in brand stond.'

En dat was waar; Mansur was zo stoïcijns dat je welhaast van onaandoenlijkheid kon spreken. Doordat hij als kleine jongen was verkocht aan Byzantijnse monniken, die de schoonheid van zijn sopraanzangstem hadden behouden door hem te castreren, had hij wel geleerd dat je met klagen niet ver kwam.

In al die jaren sinds hij een toevlucht had gevonden bij Adelia's adoptiefouders en haar beschermer en vriend was geworden, had Adelia hem nog nooit een gemelijke opmerking horen maken. Niet dat hij trouwens in gezelschap van vreemden nou zoveel zei; de Engelsen vonden hem en zijn Arabische kledij al exotisch genoeg zonder dat ze ook nog eens de kinderlijke piepstem uit de mond hoorden komen van een man van een meter tachtig lang met het gezicht van een adelaar.

Oswald en Aelwyn, de krijgslieden, en Walt, de dienaar, voelden zich niet op hun gemak bij Mansur en dichtten hem kennelijk occulte krachten toe. Adelia behandelden ze als een stuk vuil, ook al lieten ze dat wel uit hun hoofd zodra Rowley het kon zien. Aanvankelijk had ze hun onbeleefde gedrag geweten aan de ontberingen van de reis, maar geleidelijk aan sprong het zo in het oog dat je er niet meer omheen kon. Tenzij de bisschop of Mansur in de buurt was, werd ze geen enkele maal een paard op of af geholpen, en de keren dat ze het bos in liep om gehoor te geven aan de roep der natuur gingen vergezeld van laag, beledigend gefluit. Ze hoorde Hoeder een paar keer kermen alsof hij geschopt werd.

Gyltha en zij hadden ook geen dameszadels gekregen. Rowley had die wel besteld, maar op de een of andere manier waren ze inderhaast vergeten, zodat de vrouwen wel genoodzaakt waren in schrijlingse zit te rijden, wat een dame niet paste – hoewel Adelia het eerlijk gezegd liever had, omdat ze van mening was dat dameszadels slecht waren voor je rug. Desondanks was het een grove nalatigheid, en ze vermoedde dat er opzet in het spel was.

Voor kerkdienaren als deze mannen was ze een lichtekooi, natuurlijk; ofwel de snol van de bisschop, ofwel die van de Saraceen, of misschien wel van allebei. In hun ogen was het ook zonder dat ze een sloerie met zich meevoerden al erg genoeg om met slecht weer het land door te jakkeren teneinde de begrafenis bij te wonen van een bijzit van de koning.

Waarom is ze met ons mee?

Joost mag het weten. Ze heeft een scherp verstand, zeggen ze.

Eerder een slimme pruim. Is dat de bastaard van onze heer?

Het zou ieders kind kunnen zijn.

50

Die uitwisseling had plaatsgevonden terwijl zij binnen gehoorsafstand was.

Verdorie, dit zou hem schaden; Rowley was tegen de wensen van de Kerk in door Hendrik II aangesteld, want de Kerk wilde zelf iemand benoemen op de post van St. Albans en hoopte nog steeds op een aanleiding om de kandidaat van de koning de laan uit te sturen. De wetenschap dat hij de vader was van een onwettig kind zou koren op de molen van zijn vijanden zijn.

De Kerk kon de pot op, dacht Adelia. Onze verhouding was al afgelopen voordat hij bisschop werd. De pot op met dat onmogelijke celibaat dat de mensen er werd opgelegd. De pot op met die schijnheiligheid – in de christelijke wereld wemelde het van de priesters die zich aan allerlei zonden te buiten gingen. En hoevelen van hén werden er veroordeeld?

En de pot op met die vrouwenhaat; dat was een ontering van de helft van de wereldbevolking, zodat degenen die weigerden om zich op te laten sluiten in de kerkelijke schaapskooi veroordeeld konden worden als lichtekooien, ketters en heksen.

En jullie kunnen ook de pot op, dacht ze over de mannen van de bisschop. Zijn jullie zelf soms het toonbeeld van onschuld? Zijn al júllie kinderen dan binnen een huwelijk geboren? Wie van júllie is zich te buiten gegaan aan een vrouw in plaats van voor de wet met haar te trouwen?

En jij kunt ook de pot op, bisschop Rowley, omdat je me in deze situatie brengt.

En toen, omdat ze bezig was Allie te voeden, vervloekte ze hen allemaal nog eens dubbel omdat ze haar kwaad genoeg maakten om te vinden dat ze de pot op konden.

Vader Paton ontsnapte aan haar verwensingen; ook al was hij niet bijster sympathiek, hij behandelde haar tenminste wel zoals hij alle anderen behandelde: als een seksloze en onfortuinlijke kostenpost.

De boodschapper, Jacques, een onhandige, ietwat te grote jongeman met grote oren, leek haar vriendelijker tegemoet te treden dan de anderen, maar de bisschop liet hem een heleboel boodschappen doen en voorbereidingen treffen, dus zag ze hem maar weinig.

Zonder dat duidelijk te zien was dat er iets veranderde, ging de Icknield Way over in de Ridgeway. Het werd zo koud dat zowel de energie van de mensen als die van de paarden eronder te lijden kreeg, maar ze naderden nu in elk geval de Theems en de abdij van Godstow, die zich op een van de eilandjes bevond.

Jacques voegde zich weer bij het gezelschap; als een witte beer op een paard kwam hij tussen de bomen tevoorschijn. Hij schudde de sneeuw van zich af en maakte een buiging voor Rowley. 'Moeder-overste Edyve laat u groeten, heer, en laat weten dat ze u en uw gezelschap graag zal ontvangen wanneer u maar wilt. Ik moest ook nog zeggen dat ze verwacht dat het lichaam van vrouwe Rosamunde vandaag over de rivier naar het klooster zal worden gebracht.'

Met moeite bracht Rowley uit: 'Dus ze is dood?'

'Dat denk ik wel, my lord, want de nonnen zijn van plan haar te begraven.'

Zijn bisschop keek hem dreigend aan. 'Ga naar ze terug. Zeg maar dat we vanavond aankomen en dat ik een Saraceense dokter bij me heb om het lichaam van vrouwe Rosamunde te onderzoeken en te bepalen op welke manier ze is gestorven.' Hij wendde zich tot Adelia en zei in het Latijn: 'Je wilt het lichaam toch zien, of niet soms?'

'Dat lijkt me wel.' Hoewel ze niet zeker wist wat het haar zou kunnen vertellen.

De boodschapper nam lang genoeg pauze om brood, kaas en een kruik bier in zijn zadeltas te stoppen voordat hij weer op pad ging.

'Moet je niet eerst wat rusten?' vroeg Adelia hem.

'Maak u maar geen zorgen om mij, meesteres. Ik slaap in het zadel.'

Kon zij dat maar. Het kostte heel wat moeite om er alleen al op te blijven zitten. De mantels waar vader Paton voor had gezorgd waren van de allergoedkoopste wol en zij, Gyltha en Mansur zouden te paard zijn doodgevroren als ze hun ruige mantels van beverbont niet hadden meegenomen. In de veengronden wemelde het van de bevers en de mantels waren geschenken van een dankbare jager wiens longontsteking Adelia met succes had behandeld.

Die middag daalden de reizigers af uit de heuvels naar het dorpje Thame en de weg die naar Oxford leidde. Het begon donker te worden en het sneeuwde nog steeds, maar de bisschop zei: 'Nu is het niet ver meer. We gaan verder bij lantaarnlicht.'

Het was een vreselijke rit; de paarden, ook al bleven ze in beweging, moesten dekkleden op. Het duurde niet lang of ze kregen ook hoofdbanden om die hun ogen met een gordijn van sliertjes bedekten; meestal werden dergelijke banden gebruikt om vliegen te weren, maar nu dienden ze om te voorkomen dat de dieren verblind raakten door de dikke sneeuwvlokken die door de lucht dwarrelden en zich aan hun wimpers vasthechtten.

Ze hadden niet meer dan een meter zicht. Als de weg niet tussen hagen door had gelopen, zouden ze, lantaarns of niet, zijn verdwaald en zijn geëindigd in een veld of rivier. Toen de hagen bij een kruising ophielden, moest Rowley het gezelschap halt laten houden totdat ze de juiste afslag vonden, wat inhield dat de mannen die moesten zoeken, ondertussen steeds naar elkaar roepend voor het geval een van hen afdwaalde – een fout die hem bij deze kou het leven zou hebben gekost.

Zowel omwille van de baby als voor hun eigen bestwil moesten de vrouwen de wagen weer in, en daar blijven. Vader Paton was daar al in gestapt, klagend dat als hij in de kou zou blijven hij straks zijn secretariële schrijfhand niet meer zou kunnen gebruiken.

Ze haakten een van de lantaarns aan de boog boven hun hoofd en begonnen stro op te hopen om een bed te maken, waarna ze Allie tussen zich in namen om haar met hun lichamen warm te houden. De kou spietste als naalden naar binnen door de ogen waarmee de huif aan de steunen vastzat, zo ijzig dat hij de geur van stro overstemde, en zelfs die van de hond aan hun voeten.

Ze gingen in wandeltempo voort – Mansur leidde de paarden –, maar vanwege de diepe kuilen in de weg die schuilgingen onder de sneeuw schokte en kantelde de wagen telkens zo abrupt dat hun botten ervan rammelden en rusten onmogelijk was. In elk geval maakten hun zorgen om wat de anderen buiten te verduren hadden het onmogelijk om te slapen.

Vol bewondering zei Gyltha over Rowley: 'Hij weet ook niet van ophouden, hè?'

'Nee.' Hij was een man die een moordenaar achterna had gejaagd door de woestijnen van Outremer. Een Engelse sneeuwstorm kon hem niet tegenhouden. Maar destijds was hij jonger geweest, bedacht Adelia. Ze zei: 'Zit maar niet over hem in; hij bekommert zich ook niet om...' De wagen maakte een zwieper en met haar rechterhand pakte ze een steun vast en met haar linker haar baby, zodat ze niet van de ene kant naar de andere werden geslingerd. De lantaarn beschreef een boog van honderdtachtig graden, en Gyltha sprong op om de kaars te snuiten, zodat de huif niet in brand zou vliegen.

'... om ons,' maakte Adelia haar zin af.

In het donker konden ze vader Paton in een hoekje horen bidden om verlossing, terwijl buiten schrille Arabische verwensingen neerregenden over de paarden die weigerden de kar te trekken. Er moest er wel eentje bij zitten die effect had, want na nog een knarsende ruk reed de wagen verder.

'Weet je,' klonk Gyltha's stem, alsof ze een gesprek voortzette, 'Rowley, die herinnert zich nog de oorlog tussen Matilda en Stephen. Vergeleken met mij is hij een broekie, maar toen werd hij geboren en zijn ouders hebben die tijd net als ik doorstaan. Koning Stephen stierf in zijn bed een natuurlijke dood. En koningin Matilda, die is nog steeds niet kapot te krijgen. Maar de oorlog tussen hen... zag er voor ons gewone mensen heel anders uit. Wij stierven vele doden. Het was net of... net of we in de lucht werden gegooid en daar zonder enig houvast bleven hangen. Er gold God noch gebod. Mijn vader werd op een dag van zijn velden gesleurd om een kasteel te bouwen voor Hugh Bigod. Nooit meer teruggezien. Pas na drie jaar hoorden we dat hij een steen op z'n kop had gekregen; hij was zo plat als een dubbeltje. Zonder hem verhongerden we bijna.'

Adelia hoorde haar diep ademhalen, en het klonk zwaarder dan een zucht. Eenvoudige zinnen, dacht ze, maar wat een leed gaat erachter schuil.

Gyltha zei: 'We moesten onze Em verliezen. Ze was ouder dan ik, een jaar of elf. Er kwamen huursoldaten langs en mijn moeder rende met mijn broers en mij de venen in om zich te verstoppen, maar Em kregen ze te pakken. Ze schreeuwde de longen uit haar ijf toen ze met haar weggaloppeerden, ik hoor het nóg. We zijn er nooit achter gekomen wat er precies gebeurd is, maar ze was de zoveelste die niet meer terugkwam.'

Adelia had Gyltha wel eerder horen praten over de oorlog, die dertien jaar had geduurd, maar alleen in algemene zin en nog nooit zoals nu: als getuige van de chaos riep de oude vrouw spookbeelden op die haar nog steeds kwelden. Het leenstelsel mocht dan zwaar zijn voor degenen die onderaan stonden, maar het bood hun wel bescherming; Adelia, die zowel beschermd als bevoorrecht was opgegroeid, kreeg nu te horen wat er gebeurde wanneer de orde der dingen het begaf en de beschaving met zich meesleurde de afgrond in.

'Bidden had ook al geen zin; God luisterde toch niet.'

De mensen hadden zich overgegeven aan hun laagste instincten, vertelde Gyltha. De dorpsjongens, die best fatsoenlijk waren als ze in de hand werden gehouden, zagen die controle verdwijnen en werden zelf dieven en verkrachters. 'Hendrik Plantagenet mag dan een rare kwiebus zijn, maar toen hij koning werd kwam daar eindelijk een einde aan, snap je. Er kwam een einde aan; we kregen weer vaste grond onder onze voeten. De gewassen groeiden weer net als vroeger, de zon kwam 's ochtends op en ging 's avonds weer onder, precies zoals het hoorde.'

'Ik snap het,' zei Adelia.

'Maar jij hebt geen idee van hoe het was, niet echt,' vervolgde Gyltha. 'Rowley wel. Zijn vader en moeder waren doodgewone mensen en ze hebben hetzelfde meegemaakt als ik. Hij zal bergen verzetten om te voorkomen dat zoiets weer gebeurt. Daar doet hij alles aan, zodat mijn Ulf, God zegene hem, met een gevulde maag naar school kan gaan zonder dat iemand die openrijt. Een beetje reizen? Een paar sneeuwvlokken? Wat stelt dat nou helemaal voor?'

'Ik heb alleen maar aan mezelf gedacht, hè?' zei Adelia.

'En aan de baby,' zei Gyltha, die haar hand naar het kind uitstak om haar een klopje te geven. 'En ook best wel aan meneer, denk ik zo. Ikzelf ben bereid overal te gaan waar hij gaat en om hem te helpen waar ik maar kan.'

Ze had hun onderneming op een dusdanig plan gebracht dat Adelia zich schaamde en keihard geconfronteerd werd met haar eigen wrok. Maar zelfs nu kon ze geen geloof hechten aan de redenen waarom ze deden wat ze nu deden, maar als de bisschop, die dat wel deed, het bij het rechte eind had en ze daarmee een burgeroorlog konden voorkomen, dan zou zij ook bereid moeten zijn zich ervoor in te zetten.

En dat doe ik ook, bedacht ze met een grimas. Ulf zit veilig op school, Gyltha en Mansur en mijn kind zijn bij me. Ik ben blij dat bisschop Rowley het een beetje kan vinden met een God die zijn lustgevoelens heeft weggenomen. Waar zou ik anders moeten zijn?

Ze sloot haar ogen en deed haar best in de situatie te berusten.

Een volgende harde schok maakte haar wakker. Ze hadden halt gehouden. Het doek werd opgetild, zodat er een vlaag akelige kou naar binnen woei, en er verscheen een blauw gezicht met een baard van ijspegels. Ze herkende het als het gezicht van de boodschapper; ze hadden hem ingehaald. 'Zijn we er?'

'Bijna, meesteres.' Jacques klonk opgewonden. 'Meneer de bisschop vraagt of u naar buiten wilt komen om even iets te bekijken.'

Het sneeuwde niet meer. De maan stond aan een hemel vol sterren en scheen neer op een landschap dat bijna even prachtig was. De bisschop en de rest van zijn gezelschap stonden met Mansur aan de voet van een smalle, gebogen stenen brug, waarvan de balustrade zich strak aftekende in de sneeuw. Geruis van water dat door de helling aan de linkerkant aan het zicht werd onttrokken deed vermoeden dat daar een waterkering of een molen was; rechts glansde het gladde oppervlak van een rivier. De bomen leken wel witte wachters.

Toen Adelia naar buiten kwam, wees Rowley achter haar. Ze keek achterom en zag een paar cottages. 'Dat is het dorp Wolvercote,' zei hij. Hij draaide haar om, zodat ze nu de brug over keek, waar de sterren aan het zicht werden onttrokken door een samenstel van daken. 'De abdij van Godstow.' Ergens tussen de gebouwen vandaan leek een vaag licht te schijnen, hoewel alle ramen aan hun kant donker waren.

Maar datgene waar ze naar moest kijken bevond zich midden op de brug. Het eerste wat ze zag was een gezadeld paard, dat zich niet verroerde; zijn hoofd en teugels hingen omlaag, zijn ene been was gebogen. Walt, de dienaar, stond bij het hoofd op de paardenhals te kloppen. Zijn stem klonk schril en ruziezoekerig door de stilte: 'Wie heeft dit gedaan? Het is een best beest, dit. Wie heeft het gedaan?' Hij wond zich meer op over het paard dan over de dode man die er met zijn gezicht omlaag languit in de sneeuw naast lag.

'Beroving en moord op de Hoofdweg van de Koning,' zei Rowley bedaard, waarbij zijn adem opwolkte als rook. 'Puur toeval, en het heeft niets te maken met onze missie, maar ik denk dat je toch beter even kunt kijken, omdat dode lichamen jouw specialiteit zijn. Maar wel een beetje snel graag, dat is alles.'

Hij had alle anderen op afstand gehouden, zoals ze hem had geleerd; alleen de voetafdrukken van de dienaar en die van hemzelf liepen door de sneeuw naar de brug, en alleen de zijne kwamen terug. 'Ik moest zeker weten dat die kerel dood was,' zei hij. 'Neem Mansur voor de vorm maar mee.' Met stemverheffing zei hij: 'Heer Mansur kan sporen lezen op de grond. Hij spreekt maar weinig Engels, dus zal vrouwe Adelia voor hem tolken.'

Adelia bleef even staan waar ze stond, met Mansur naast zich. 'Weet je hoe laat het is?' vroeg ze in het Arabisch.

'Moet je horen.'

Ze bevrijdde haar hoofd uit haar sjaal. Vanaf de andere kant van de brug, ver weg maar helder, klonk boven het woelige water uit een enkele lieflijke vrouwenstem, hoog en monotoon. Het geluid viel stil en werd beantwoord door de gedisciplineerde respons van andere stemmen.

Ze hoorde geklingel van de liturgische klok: een antifoon. De nonnen van Godstow waren hun bed uit gekomen om de vigilie te zingen.

Het moest om en nabij vier uur in de ochtend zijn.

Mansur zei: 'Was de boodschapper hier niet al eerder? Misschien dat hij iets heeft gezien.'

'Wanneer was je hier, Jacques? Dat wil de dokter graag weten.'

'Bij daglicht, meesteres. Toen lag die arme ziel hier niet.' De jonge man was verongelijkt en aangedaan. 'Ik heb de boodschap van meneer de bisschop aan de heilige zusters overgebracht en ben regelrecht over de brug teruggereden om me weer bij jullie te voegen. Ik was bij jullie terug voordat de maan opkwam, toch, my lord?'

Rowley knikte.

'Wanneer is het gestopt met sneeuwen?' Zover ze het lichaam kon zien, lagen er maar een paar vlokjes op.

'Drie uur geleden.'

'Blijf hier.'

Mansur pakte een lantaarn op en samen liepen ze naar het lichaam, waarnaast ze neerknielden. 'Moge Allah hem genadig zijn,' zei Mansur.

Zoals haar stiefvader haar had geleerd, nam Adelia even de tijd om te bidden voor de geest van de overleden man die nu haar cliënt was: 'Laat je vlees en botten me vertellen wat je stem me niet kan mededelen.'

Hij lag met zijn gezicht omlaag, te netjes voor iemand die van een paard gevallen was, met zijn benen recht en zijn armen boven zijn hoofd uitgespreid, zijn mantel en tuniek over de achterkant van zijn bovenbenen. Zijn hoofddeksel was evenals zijn kleren gemaakt van een goede kwaliteit wol, al was het enigszins sleets, en lag een stukje verderop; de schitterende fazantenveer waarmee het was getooid was geknakt.

Ze knikte Mansur toe. Voorzichtig lichtte die het golvende bruine haar in de nek op om de huid aan te raken. Hij schudde zijn hoofd. Samen met Adelia had hij genoeg lijken gezien om te weten dat het tijdstip waarop de dood was ingetreden onmogelijk in te schatten was; het lichaam was ijskoud – het was bevroren zodra het leven eruit was geweken en zou lang genoeg bevroren blijven om de natuurlijke processen te vertragen.

'Hmm.'

Vaardig met elkaar samenwerkend keerden ze het lichaam om. Twee halfgesloten bruine ogen keken ongeïnteresseerd naar de lucht, en Mansur moest de bevroren oogleden met kracht neerdrukken.

Hij was jong: twintig, eenentwintig, misschien jonger. De zware pijl in zijn borst was afkomstig uit een kruisboog en was diep doorgedrongen; waarschijnlijk was hij er nog dieper in gegaan door de val die de staart eraf had gebroken. Mansur hield de lantaarn zo vast dat Adelia de wond kon onderzoeken; er zat bloed omheen, maar op de sneeuw die vrijkwam toen het lichaam was omgedraaid, zaten maar een paar vegen.

Ze leidde Mansurs hand met de lantaarn naar de nek van het lichaam. 'Hmm.'

Aan een riem, die was voorzien van een verweerde zilveren gesp met een wapen erin gegraveerd, zat een schede met het zwaard er nog in. Hetzelfde wapen was geborduurd op een wijd openstaande, lege beurs.

'Kom mee, dokter. Dat kun je allemaal wel doen wanneer we hem naar het klooster hebben gebracht,' riep Rowley.

'Hou je rustig,' voegde Adelia hem in het Arabisch toe. Hij had haar het hele eind vanuit Cambridge hiernaartoe gejaagd; nu kon hij verdorie weleens even wachten. Hier klopte iets niet; misschien dat Rowley daarom had gewild dat ze de man onderzocht, omdat een deel van zijn brein niet-kloppende zaken registreerde, ook al was een ander deel daarvan op een heel andere moord gespitst.

Er klonk een benauwde smeekbede van Walt, de dienaar. 'Deze arme ziel is er beroerd aan toe, heer. Er valt niets aan te doen. Hij moet uit zijn lijden worden verlost.'

'Dokter?'

'Wacht even, wil je?' Geërgerd stond ze op en liep naar het paard en de dienaar, met ondertussen haar blik op de grond gericht. 'Wat is er aan de hand?'

'Hij is kreupel. Een of andere onverlaat heeft zijn pees doorgesneden.' Walt wees naar een snee in het paardenbeen vlak boven het spronggewricht. 'Ziet u? Dat is met opzet gedaan, wat ik je brom.'

De sneeuw zag op deze plek zwartrood en maakte duidelijk dat het dier had moeten worstelen om op zijn drie niet-gewonde benen overeind te komen.

'Is er nog iets aan te doen?' Het enige wat ze van paarden wist was wat de voor- en wat de achterkant was.

'Hij is kreupel gemáákt.' Dat hij domme vragen moest beantwoorden van een vrouw van haar geringe statuur maakte Walt nog kwaaier.

Adelia keerde terug naar Mansur. 'Het dier moet worden gedood.'

'Niet hier,' zei die. 'Dan blokkeert het karkas de brug.' En bruggen waren van vitaal belang; als je die niet repareerde of ze buiten gebruik stelde, was dat een vijandige handeling die de plaatselijke economie zo in moeilijkheden bracht dat de wet zware sancties oplegde aan degene die een dergelijke daad pleegde.

'Waar staan jullie in vredesnaam zo over te oreren?' Rowley was naar hen toe gekomen.

'Er klopt hier iets niet,' liet Adelia hem weten.

'Ja, iemand heeft deze arme ziel beroofd en omgebracht. Dat zie ik ook wel. Laten we hem opladen en verdergaan.'

'Nee, er is meer aan de hand.'

'En wat dan wel?'

'Geef me wat tijd,' beet ze hem toe, en vervolgens, toen ze besefte dat ze de schijn moest ophouden: 'De dokter heeft tijd nodig.'

De bisschop blies zijn wangen bol. 'Heer, waarom heb ik haar mee-genomen? Geef daar maar eens antwoord op. Heel goed, laten we dan tenminste voor zijn paard zorgen.'

Adelia wilde per se vooropgaan en liep langzaam langs Walt en het kreupele dier heen naar de andere kant van de brug, terwijl Mansur de lantaarn naast haar zo vasthield dat het licht bij elke stap die ze zette op de grond viel.

Alles wat niet wit was, was zwart: laarzensporen, hoefafdrukken, in een te grote wirwar om ze uit elkaar te kunnen houden. Er was heel wat drukte geweest op de plek waar de brug uitkwam op de weg bij het grote poorthuis van het klooster. Een heleboel bloed.

Mansur wees.

'Ah, mooi zo,' zei ze. In de schaduw van zware eikentakken die over de kloostermuur hingen, leidden duidelijke afdrukken naar de andere toe – en schreven daarmee een verhaal voor iemand die ze kon lezen. 'Hmm. Interessant.'

Achter haar probeerden de bisschop en de dienaar het schokkerig voorthinkende paard dat ze meeleidden tot bedaren te brengen, terwijl ze overlegden waar ze het zouden doden. Zouden de nonnen het karkas willen hebben? Paardenvlees was erg lekker. Maar met dit weer zou het moeilijk te slachten en te villen zijn; het was beter zijn keel door te snijden onder de bomen, waar de kloostermuur afboog naar een bos. 'Dan kunnen ze het later gaan ophalen als ze het willen hebben.'

'Ik betwijfel of er dan nog veel van over zal zijn, my lord.' Niet alleen mensen hielden immers van paardenvlees.

Walt bevrijdde het dier van zijn tuig. Aan het zadel zat een door oliedoek beschermde rol vastgemaakt. 'Ho-ho, schoonheid, ho-ho.' Terwijl hij het paard liefdevol toesprak, leidde hij het naar de bomen.

'Kunnen we het lichaam daar ook verbergen?' wilde Adelia weten.

'Als we dat doen, blijft daar ook niet veel van over,' zei Mansur.

Rowley kwam naar hen toe. 'Schieten jullie tweeën nou eens een beetje op. Straks veranderen we allemaal nog in ijspegels.'

Adelia, die de hele rit vanuit Cambridge had gerild van de kou, was zich daar nu niet langer van bewust. 'We willen niet dat het lichaam ontdekt wordt, my lord.'

De bisschop deed zijn best zijn geduld te bewaren. 'Het is al ontdekt, meesteres. Wíj hebben het ontdekt.'

'We willen niet dat de moordenaar het vindt.'

Rowley schraapte zijn keel. 'Bedoel je dat we het hem niet moeten vertellen? Hij weet het toch wel, Adelia. Hij heeft die vent een pijl in zijn borst geschoten. Hij komt heus niet controleren of die doel heeft getroffen.'

'Jawel, dat doet hij wel. Dat zou je zelf ook hebben kunnen zien als je niet zo'n haast had.' Ze stootte Mansur aan. 'Doe alsof je instructies geeft.'

Nu Rowley tussen hen in stond, Mansur in het Arabisch zijn bevindingen rapporteerde en Adelia, aan zijn andere kant, deed alsof ze die vertaalde, vertelden ze hem het verhaal van de moord zoals dat door de sporen in de sneeuw tot hen was gekomen.

'Over het tijdstip hebben we geen zekerheid. Het enige wat we kunnen zeggen is dat het geweest moet zijn nádat het was gestopt met sneeuwen. Maar goed, in elk geval zo laat op de avond dat er niemand meer rondliep. Ze wachtten op hem, vlak bij de poorten.'

'Ze?'

'Twee mannen.' Rowley werd de schaduw van de eik in getrokken. In de sneeuw waren nog net voetafdrukken zichtbaar. 'Zie je? De ene draagt schoenen met spijkers; bij het andere schoeisel zitten dwarse strepen over de zolen, misschien klompen met repen stof eromheen. Ze zijn hier te paard naartoe gekomen en hebben hun paarden daar tussen die bomen geleid, waar Walt heen is. Ze zijn te voet teruggekomen en zijn hier gaan staan. Terwijl ze wachtten hebben ze iets gegeten.' Adelia raapte een kruimel van het een of ander op van de grond, en toen nog een. 'Kaas.' Ze hield de kruimels onder de neus van de bisschop.

Hij deinsde terug. 'Wat jij zegt, meesteres.'

Toen de vigilie was afgelopen, werd het in het klooster weer stil. Van diep tussen de bomen van het bos klonk Walts gebed: 'En moge de Heer je ziel genade betonen, als je die tenminste hebt.'

Een langgerekte kreet, als een fluittoon, toen een doffe dreun. Stilte.

Walt kwam weer tevoorschijn, terwijl hij met zijn ene hand zijn dolk afveegde aan zijn mantel en met de andere zijn ogen. 'Verdorie, dat soort klusjes bevalt me niks.'

De bisschop klopte hem op zijn schouder en stuurde hem naar de anderen aan de overkant van de brug. Tegen Adelia en Mansur zei hij: 'Dus ze wisten dat hij kwam?'

'Ja. Ze hebben hier op hem gewacht.' Zelfs de meest wanhopige rover bleef niet staan wachten in de hoop dat hij in de kleine uurtjes van een vriesnacht een voorbijganger zou tegenkomen.

Ze moesten zich gelukkig hebben geprezen dat de sneeuwstorm was overgetrokken, zonder te beseffen dat ze in de sneeuw die daarna was blijven liggen voor Vesuvia Adelia Rachel Ortes Aguilar, *medica* van de befaamde School voor Geneeskunde in Salerno, deskundige op het gebied van dood en doodsoorzaken, die toevallig voorbijkwam en ze ontcijferde, sporen hadden achtergelaten van hun schuld.

Waar ze nog spijt van zouden krijgen als haren op hun hoofd.

Het was een koud oponthoud geweest; ze hadden met hun voeten moeten stampen om warm te blijven. In gedachten wachtte Adelia samen met hen, knabbelend op een stukje denkbeeldige kaas. Misschien hadden ze wel geluisterd naar hoe de nonnen de completen hadden gezongen voordat ze naar bed gingen, om drie uur later weer om te staan om de vigilie te zingen. Buiten dat moest het op een enkele uilenroep na, of misschien de kreet van een vos, stil zijn geweest.

Daar komt hij aan, de ruiter. Op de weg die van de rivier naar het klooster leidt, het hoefgetrappel van zijn paard gedempt door de sneeuw die eerder is gevallen, maar in de stilte nog steeds hoorbaar.

Hij nadert de poorten, mindert vaart – is hij van plan naar binnen te gaan? Maar Schurk Nummer Een is naar voren gestapt, de kruisboog gespannen en in de aanslag. Ziet de ruiter hem? Roept hij hem iets toe?

Herkent hij de man? Waarschijnlijk niet; de schaduwen zijn hier donker. Hoe dan ook, de pijl is afgeschoten en steekt al diep in zijn borst.

Het paard steigert, zodat zijn berijder achterovervalt, waarmee hij de staart van de pijl breekt. Schurk Nummer Twee grijpt de teugels, leidt het verschrikte paard naar de bomen en maakt het daar vast.

'Hij ligt stervend op de grond, een pijl uit een kruisboog is bijna altijd dodelijk, waar hij je ook treft,' zei Adelia, 'maar ze speelden op zeker. Een van hen – wie het ook was, hij had grote handen – kneep hem de keel dicht toen hij op de grond lag.'

'God zij genadig,' zei de bisschop.

'Ja, maar nu komt het interessante,' liet Adelia hem weten, alsof wat ze tot nu toe had verteld nog niet veel voorstelde. 'Op dát moment slepen ze hem naar het midden van de brug. Zie je? De neuzen van zijn laarzen maken groeven in de sneeuw. Ze gooien zijn hoed naast hem neer – lieve god, wat zijn ze stom. Dachten ze nou echt dat een man die van zijn rijdier valt er zo netjes bij zou liggen, met zijn benen naast elkaar en zijn mantel omlaaggeslagen? Dat heb je gezien, toch? En vervolgens, dáárna, brengen ze zijn paard naar de brug en snijden zijn been door.'

'Ze brengen hem niet naar de bomen,' verklaarde Mansur. 'En het paard ook niet. Als ze dat hadden gedaan, waren ze geen van tweeën gevonden, niet voor de lente, en tegen die tijd zou niemand meer kunnen zien wat hun was overkomen. Maar nee, ze slepen hem naar de plek waar de eerste die 's ochtends de brug zou oversteken hem zou vinden en alarm zou slaan.'

'Waarmee ze zichzelf niet zoveel tijd gaven om weg te komen als zou hebben gekund.' De bisschop dacht na. 'Ik snap het. Dat is... heel opmerkelijk.'

'Dít is nog eens opmerkelijk,' zei Adelia. Ze waren weer naar het lichaam toe gegaan. Onder aan de brug, waar de anderen bij elkaar stonden, had iemand een komfoor geïmproviseerd en een vuurtje aangestoken. De gezichten, die er in het licht van de dansende vlammen spookachtig uitzagen, waren hoopvol in hun richting gekeerd.

'Hebben jullie nog lang nodig?' riep Gyltha hun toe. 'De kleine moet gevoed worden en we pikken het af van de kou.'

Adelia negeerde haar. Zij voelde de kou nog niet. 'Twee mannen,' zei ze. 'En aan hun schoeisel te zien zijn ze arm. Twee mannen doden onze ruiter. Ze hebben weliswaar het geld uit zijn beurs gehaald, maar de beurs zelf, een mooi ding, met zijn familiewapen erop, laten ze liggen. Ze laten zijn laarzen ongemoeid, zijn mantel, de zilveren gesp, zijn mooie paard. Wat voor dief doet zoiets?'

'Misschien werden ze gestoord,' opperde Rowley.

'Door wie dan? Niet door ons. Ze waren allang weg voordat wij eraan kwamen. Ze hadden tijd zat om die arme man van alles te beroven wat hij had, maar dat deden ze niet. Waarom, Rowley?'

De bisschop liet er zijn gedachten even over gaan. 'Ze willen dat hij gevonden wordt.'

Adelia knikte. 'Voor hen is dat van groot belang.'

'Ze willen dat hij herkend zal worden.'

Adelia's adem vormde een wolkje van voldoening. 'Precies. Het moet bekend raken wie hij is en dat hij dood is.'

'Ik snap het.' Rowley liet het tot zich doordringen. 'Vandaar dat je voorstelt om zijn lichaam te verbergen. Maar dat staat me helemaal niet aan.'

'Maar op die manier komen ze terug, Rowley,' zei Adelia, en voor het eerst raakte ze hem aan – een rukje aan zijn mouw. 'Ze hebben alle mogelijke moeite gedaan om de wereld duidelijk te maken dat deze arme jongeman dood is. Ze komen vast terug om uit te zoeken waarom niemand daarvan op de hoogte is. Wij kunnen op ze wachten.'

Mansur knikte. 'Als de een of andere demon baat heeft bij zijn dood, zal Allah hem in het verderf storten.'

Adelia gaf weer een rukje aan de mouw van de bisschop. 'Maar dat zal niet gebeuren als de jongen alleen maar weg lijkt te zijn gegaan, gewoon is verdwenen.'

Rowley wist niet wat hij ervan moest denken. 'Er zit thuis vast wel iemand op hem te wachten en zich zorgen te maken.'

'Als dat zo is, zal die willen dat zijn moordenaars worden gevonden.'

'Hij zou een fatsoenlijke begrafenis moeten krijgen.'

'Nog niet.'

Terwijl hij zijn arm bevrijdde uit haar greep, stapte de bisschop van haar weg. Adelia keek hem na toen hij naar de leuning van de brug liep en zich eroverheen boog om naar het kolkende water te kijken, dat er in het maanlicht wit uitzag.

Hij vindt het vreselijk wanneer ik zo doe, bedacht ze. Hij was bereid om van de vrouw te houden, maar niet van de dokter. Toch was de dokter degene die hij had meegevraagd, dus moest hij de gevolgen daarvan onder ogen zien. Ik heb een plicht tegenover die dode jongeman en die ben ik níét van plan te verzaken.

Nu kreeg ze het koud.

'Goed dan.' Hij draaide zich om. 'Je hebt geluk dat Godstow over een ijshuis beschikt. Daar staat het om bekend.'

Het lichaam werd in zijn mantel gerold en ze zochten 's mans bezittingen bij elkaar. De bisschop van St. Albans verzamelde zijn mannen om zich heen om hun te vertellen wat dokter Mansur te weten was gekomen door de tekenen in de sneeuw te lezen.

'Met Gods genade mogen we hopen die moordenaars te pakken. Tot die tijd mag niemand van jullie – en dan bedoel ik echt niemand – iets zeggen over wat we vannacht hebben gezien. We houden zijn lichaam eerbiedig, maar stilletjes verborgen om te kijken wie ervoor terugkomt – en moge God genade hebben met hun ziel, want wij hebben die niet.'

Hij deed er goed aan het zo te brengen. Rowley had op kruistocht in Outremer gevochten en had gemerkt dat mannen beter reageerden als ze wisten waarom hun bevelhebber bepaalde bevelen gaf dan wanneer ze die bevelen zonder achtergrond kregen. Hij wist de kring die om hem heen stond een instemmend gemompel te ontlokken, waarbij vooral de boodschapper vol vuur instemde; hij en de anderen hadden een groot deel van hun leven op de weg doorgebracht en ze beschouwden de ruiter op de brug als als een van de hunnen die het slachtoffer was geworden van boeven die de hoofdwegen onveilig maakten. Als barmhartige Samaritanen waren ze te laat gekomen om de reiziger het leven te redden, maar ze konden toch in elk geval zorgen dat zijn moordenaars werden berecht.

Alleen vader Patons frons deed vermoeden dat hij zat uit te rekenen hoeveel het lichaam de bisschoppelijke beurs zou kosten.

Nadat ze hun hoofddeksels hadden afgenomen, pakten de mannen het lichaam op en laadden het in de wagen. Terwijl iedereen ernaast liep en ze hun paarden voortleidden aan de hand, staken ze de brug over naar het klooster van Godstow.

4

De abdij van Godstow, met de omringende terreinen en velden, was in feite een groot eiland dat was gevormd door de kronkelingen van de bovenstroom van de Theems en zijn zijrivieren. Hoewel de portier die de poorten voor de reizigers ontgrendelde een man was, evenals de paardenknecht en de stalknecht die zich over hun paarden ontfermden, werd het eiland geregeerd door vrouwen.

Als het hun zou worden gevraagd, zouden de vierentwintig nonnen en hun vrouwelijke gunstelingen vol vuur hebben beweerd dat God de Heer hen had opgeroepen om terug te treden uit de wereld, maar hun tevreden uitstraling deed eerder vermoeden dat de wens van de Heer toevallig precies met de hunne was samengevallen. Sommigen ware weduwen in goeden doen die Gods oproep hadden gekregen aan het graf van hun man en zich naar Godstow hadden gehaast om er gehoor aan te geven voordat ze opnieuw konden worden uitgehuwelijkt. Anderen waren maagden die, toen ze de man te zien kregen die voor hen was uitgekozen, ineens zoveel voor kuisheid waren gaan voelen dat ze met bruidsschat en al in plaats van te trouwen het klooster in waren gegaan. Daar konden ze efficiënt en met vrije hand een aanzienlijk, groeiend leengoed beheren, zonder dat een man zich ermee bemoeide.

De enige mannen waar ze mee te maken hadden waren Sint-Benedictus, aan wiens leefregels ze waren onderworpen en die al zeshonderdvijftig jaar dood was; de paus, die een heel eind weg zat; de aartsbisschop van Canterbury, voor wie veelal hetzelfde gold; en een onderzoekende aartsdiaken, die omdat ze hun boeken en hun gedrag keurig op orde hielden niet over hen kon klagen.

O ja, en de bisschop van St. Albans.

Godstow was zo rijk dat het twéé kerken bezat. De ene, weggedoken achter de westmuur van de abdij, was klein en fungeerde als privékapel voor de nonnen. De andere, die veel groter was, stond in het oosten, bij de weg, en was gebouwd als plaats van verering voor de mensen uit de omringende dorpen.

In feite was de abdij een dorp op zich, waarin de heilige zusters hun eigen grondgebied hadden, en daar voerde de portier de reizigers naartoe. Een meid met een juk slaakte een kreetje toen ze hen zag en maakte toen een kleine buiging, waarbij ze wat melk uit de emmers morste. De lantaarn van de portier scheen over weggetjes, binnenhoven en toen plotseling de versierde pilaren van een kruisgang, waar de luiken opengingen en als bleke klaprozen witgemutste hoofden tevoorschijn kwamen die langs de hele rij fluisterden: 'Bisschop, bisschop.'

Rowley Picot – met zijn forse gestalte, energiek en doelgericht, zo onmiskenbaar mannelijk – was als een haan die opeens opduikt te midden van een vredige ren met kippen die het heel goed zonder hem hadden weten te stellen.

De groep werd ontvangen door de priores, die nog bezig was haar sluier vast te spelden en hun verzocht in de kapittelzaal te wachten, waar de moeder-overste hen te woord zou staan. Neem ondertussen rustig een verfrissing. Hadden de dames iets nodig? En de baby, wat een lief knulletje, wat konden ze voor hem doen?

De kapittelzaal ontleende zijn schoonheid grotendeels aan de zwier van onversierde houten steunpalen en bogen. Kaarslicht viel over een tegelvloer die was bestrooid met vers stro en werd weerspiegeld door een lange geboende tafel en stoelen. Naast de geur van appelhoutblokken in de haard hing er een geur van heiligheid en bijenwas – en nu ook, dankzij Hoeder, de stank van een onsmakelijke hond.

Rowley beende heen en weer door het vertrek, geërgerd omdat hij moest wachten, maar voor het eerst sinds ze op weg waren gegaan kon Adelia de kleine Allie voeden in de rustige atmosfeer die ze verdiende. Vanwege de band tussen de abdij en Rosamunde Clifford was ze bang geworden dat het er wanordelijk aan toe zou gaan, dat de nonnen laks waren en de kantjes ervanaf liepen. Ze had nog steeds slechte herinneringen aan het klooster van Sint-Radegunde in Cambridge, de enige andere Engelse zusterschap waar ze tot nu toe mee in aanraking was gekomen: een plek vol problemen, waar uiteindelijk een van de medeplichtigen aan de kindermoord was ontmaskerd. Maar hier in Godstow hing een sfeer van veiligheid, opgeruimdheid en discipline, en was alles zoals het moest zijn.

Ze doezelde weg bij het slaapverwekkende gemompel van vader Paton toen hij de berekeningen in zijn leiboek noteerde. 'Voor kaas en bier onderweg... droogvoer voor de paarden...'

Op een knikje van Gyltha kwam ze overeind. Er was een kleine, stokoude non binnengekomen, leunend op een wandelstok met een ivoren knop. Rowley stak zijn hand uit en met veel gekraak boog de non zich eroverheen om de bisschopsring aan zijn vinger te kussen. Iedereen boog.

De abdis nam plaats aan het hoofd van de tafel, waarbij ze omstandig haar stok tegen haar stoel zette, vouwde haar handen en luisterde.

Algauw werd Adelia duidelijk dat een groot deel van Godstows voorspoed aan dit kleine wijfje te danken was. Moeder Edyve spreidde de niet bijster nieuwsgierige kalmte tentoon van oudere mensen die alles al eens hebben meegemaakt en het nu voor de tweede keer zien gebeuren. Deze jonge bisschop – een broekie in vergelijking met haar – kon haar niet van haar stuk brengen, hoewel hij was gearriveerd met een Saraceen, twee vrouwen, een baby en een lelijke hond onder zijn gevolg, en haar vertelde dat hij vlak voor haar poort een vermoorde man had aangetroffen.

Zelfs het feit dat de bisschop het lichaam in haar ijshuis wilde verbergen hoorde ze bedaard aan. 'Dus jullie hopen de moordenaar te vinden?' vroeg ze.

'Moordenaars, abdis,' siste de bisschop ongeduldig. Hij deed nogmaals het verhaal over de bewijzen die dokter Mansur en zijn assistente hadden gevonden.

Adelia vermoedde dat moeder Edyve het de eerste keer waarschijnlijk al begrepen had; ze nam alleen maar meer tijd om na te denken. De ogen met hun gerimpelde oogleden, verzonken in een gezicht dat eruitzag als geplooid kalfsleer, sloten zich terwijl ze luisterde; haar dooraderde handen werden weerspiegeld in het oppervlak van de geboende tafel.

Rowley besloot met: 'We zijn er zeker van dat er mensen rondlopen die graag zien dat de dood van deze jongeman en zijn naam wijd en zijd bekend raken; als er alleen maar stilte volgt, komen ze misschien terug om uit te zoeken waarom.'

'Het is dus een valstrik.' Ze zei het zonder nadruk.

'Een valstrik is nodig om recht te doen geschieden,' drong Rowley aan. 'En u bent de enige die ervan weet, abdis.'

Hij vraagt niet weinig van haar, vond Adelia. Een lichaam verbergen waar niet om is gerouwd en dat niet is begraven druist vast in tegen de wet en is hoe dan ook onchristelijk.

Anderzijds had deze vrouw, volgens wat Rowley haar had verteld, ervoor gezorgd dat in de dertien jaar van de burgeroorlog zowel haar klooster als haar nonnen ongedeerd waren gebleven, terwijl die toch voor een groot deel juist in deze streek had gewoed, wat deed vermoeden dat er toch op een gegeven moment met de regels van de mensen, en zelfs van God, de hand moest zijn gelicht.

Moeder Edyve opende haar ogen. 'Ik kan u dit wel vertellen, my lord: de brug is van ons. Het is de plicht van ons klooster om die als bouwwerk te onderhouden en de vrede ervan te verzekeren, en bij uitbreiding dus ook om degenen te vangen die er moorden op plegen.'

'Dus u stemt toe?' Rowley kon zijn oren niet geloven; hij had op weerstand gerekend.

'Maar,' zei de abdis, nog steeds afstandelijk, alsof hij niets had gezegd, 'u zult de hulp nodig hebben van mijn dochter-priores.' Vanonder haar scapulier haalde moeder Edyve aan haar riem de grootste chatelaine tevoorschijn die Adelia ooit had gezien; het mocht wel een wonder heten dat het gewicht ervan haar niet omvertrok. Tussen de zware sleutels die eraan hingen zat een klein belletje. Daar klingelde ze mee.

De priores die hen als eerste had begroet kwam binnen. 'Ja, moeder?'

Nu ze hen zo naast elkaar zag, merkte Adelia op dat priores Havis hetzelfde platte gezicht had, en hoewel dat minder gerimpeld was, leek het net als dat van de abdis van kalfsleer te zijn gemaakt. 'Dochter-priores' was dus geen vroom eufemisme; Edyve had toen ze de sluier aannam haar kind met haar meegenomen naar Godstow.

'Meneer de bisschop heeft iets bij zich wat in het ijshuis moet worden opgeborgen, priores. Tijdens de lauden zal het daar in het geheim worden opgeslagen.' Er werd een sleutel losgemaakt van de grote ijzeren ring, en overhandigd. 'Tot nader order mag er niemand iets over bekend worden.'

'Jawel, moeder.' Priores Havis maakte een buiging voor haar bisschop, vervolgens voor haar moeder, en verliet het vertrek. Geen verrassing. Geen vragen. Het ijshuis van Godstow, besloot Adelia, moest in de tijd dat het bestond wel meer geborgen hebben dan stukken vlees alleen. Schatten? Mensen die waren ontsnapt? Gezien de ligging – tussen de stad Wallingford, die voor koningin Matilda was geweest, en Oxford Castle, waar de vlag van koning Stephen had gewapperd – hadden wellicht beide moeten worden verstopt.

Allie begon onrustig te worden en Gyltha, die haar vasthield, keek vragend eerst naar Adelia en toen naar de grond.

Adelia knikte; die was schoon genoeg. Allie werd neergezet om te kruipen, een exercitie die ze weigerde uit te voeren, want ze sleepte zich liever op haar bips vooruit. Met een vermoeid gebaar posteerde de hond Hoeder zich zo dat hij zich aan zijn oren kon laten trekken.

Rowley bedankte de abdis niet eens voor haar medewerking; hij was overgestapt op een kwestie die hij belangrijker achtte. 'En verder, mevrouw, hoe zit het met Rosamunde Clifford?'

'Ja, lady Rosamunde.' Ze zei het heel afstandelijk, maar de handen van moeder Edyve klemden zich iets vaster in elkaar. 'Er wordt beweerd dat de koningin haar heeft vergiftigd.'

'Daar was ik al bang voor.'

'En ík ben bang dat er oorlog van komt.'

Er viel een stilte. De abdis en de bisschop zaten nu helemaal op dezelfde lijn, alsof ze een onverkwikkelijk geheim deelden. Wederom moesten degenen die de burgeroorlog hadden meegemaakt denken aan de roffelende paardenhoeven van ruiters, wat voor zoveel turbulentie zorgde dat Adelia neiging kreeg om haar baby op te pakken. In plaats daarvan hield ze haar goed in de gaten voor het geval het kind zich in de richting van het komfoor begaf.

'Is haar lichaam al gearriveerd?' vroeg Rowley abrupt.

'Nee.'

'Ik dacht dat dat al geregeld was; het zou hiernaartoe worden gebracht om te worden begraven.' Hij klonk verwijtend: dit was een fout van de abdis. Elke andere bisschop, bedacht Adelia, zou een klooster hebben aangeraden dat weigerde om een beruchte vrouw op zijn terrein ter aarde te bestellen.

Moeder Edyve keek omlaag langs de zijkant van haar stoel. Allie probeerde zich op te trekken aan een van de poten. Adelia stond op om haar weg te halen, maar de abdis hield haar met een waarschuwende vinger tegen, waarna ze zonder van gezichtsuitdrukking te veranderen het belletje van haar chatelaine haalde en het aan het kind gaf.

Jij weet hoe baby's zijn, dacht Adelia, getroost.

'Onze orde heeft in het verleden veel aan lady Rosamunde te danken gehad.' De stem van moeder Edyve tjilpte als een vogeltje in de verte. 'We voelen ons verplicht haar lichaam te begraven en alle diensten te houden voor haar zielenheil. Zo was het afgesproken, maar haar huishoudster, vrouw Dakers, weigert het lichaam aan ons vrij te geven.'

'Hoe dat zo?'

'Dat zou ik niet kunnen zeggen, maar zonder haar toestemming is het moeilijk iets aan de situatie te veranderen.'

'Maar waarom in godsnaam?'

Iets – misschien een glimpje geamuseerdheid – verstoorde gedurende een fractie van een seconde de onbeweeglijkheid van het gezicht van de abdis. Vanaf de vloer naast haar stoel klonk geklingel terwijl Allie haar nieuwe speeltje onderzocht. 'Had u Wormhold Tower niet bezocht toen de vrouwe ziek lag, my lord?'

'Daar weet u van. Uw priores... Havis heeft me daarvoor uit Oxford laten komen.'

'En jullie zijn toen allebei door het labyrint om de toren heen geleid?'

'Bij de ingang kwam ons een halfgaar mens tegemoet om dat te doen, ja.' Rowleys vingers roffelden op de tafel; sinds hij het vertrek binnen was gekomen, was hij nog niet gaan zitten.

'Vrouw Dakers.' Alweer dat vleugje geamuseerdheid, als een heel lichte rimpeling op een vijver. 'Ik begrijp wel dat ze niemand wil toelaten sinds haar meesteres is overleden. My lord, als zij u niet door het labyrint leidt, is er vrees ik geen andere manier om toegang tot de toren te krijgen.'

'Die krijg ik wel. Bij God, daar zal ik wel voor zorgen. Zolang ik hier bisschop ben, blijft er geen lichaam onbegraven...' Hij deed er het zwijgen toe en moest toen lachen; hij had immers zelf zo'n lichaam door de poorten naar binnen gebracht.

Hij maakt het weer goed, bedacht Adelia, terwijl ze smolt en met hem meeglimlachte, door te laten blijken dat hij de ongerijmdheid van het hele gebeuren inziet. Ze sloeg hem gade terwijl hij zich voor zijn gedrag tegenover de abdis verontschuldigde en haar bedankte voor haar welwillendheid – maar zag toen dat de non haar bleke oude ogen had afgewend en dat ze keek hoe zíj naar hém keek.

De abdis kwam weer ter zake. 'Vrouw Drakers' gehechtheid aan haar meesteres was...' – ze dacht zorgvuldig over het bijvoeglijk naamwoord na – '... ontzagwekkend. De onfortuinlijke dienares die ervoor verantwoordelijk was dat de dodelijke paddenstoelen werden binnengebracht is uit de toren weggevlucht omdat ze vreesde voor haar leven en heeft bij ons haar toevlucht gezocht.'

'Is ze hier? Mooi. Ik wil haar graag ondervragen.' Hij corrigeerde zichzelf: 'Met uw permissie, mevrouw, zou ik haar graag wat vragen stellen.'

De abdis neeg haar hoofd.

'En als ik nog wat meer misbruik mag maken van uw vriendelijkheid,' vervolgde Rowley, 'zou ik graag een deel van mijn gezelschap hier laten terwijl dokter Mansur en zijn assistente me naar Wormhold Tower vergezellen om te kijken wat er gedaan kan worden. Zoals ik al zei, beschikt de dokter hier over onderzoeksvaardigheden die ons in staat kunnen stellen...'

Nog niet. Niet vandaag. In godsnaam, Rowley, we hebben een heel eind gereisd.

Adelia schraapte haar keel en ving Gyltha's blik. Gyltha stootte Mansur aan, die naast haar stond. Mansur keek van de een naar de ander, en nam toen voor het eerst het woord, in het Engels. 'Uw dokter adviseert eerst rust.' Hij voegde eraan toe: 'My lord.'

'Naar de hel met rust,' zei Rowley, maar hij keek daarbij Adelia aan, die hem moest volgen waar hij ging, want waarom was ze anders hier?

Ze schudde haar hoofd. We hebben rust nodig, Rowley. Jij ook.

De ogen van de abdis hadden de uitwisseling gevolgd, en als ze daar verder niets uit had opgemaakt – wat waarschijnlijk wel zo was –, had ze in elk geval begrepen dat de zaak beklonken was. 'Wanneer u zich hebt ontdaan van het lichaam van die onfortuinlijke meneer, zal Havis u naar uw onderkomen brengen,' zei ze.

Het was nog steeds heel donker en heel koud. De nonnen psalmodieerden in hun kapel de lauden en wie er verder een taak had voerde die uit binnen het gebouwencomplex, uit het zicht van de hoofdpoorten waardoor een overdekte wagen met een dode man erin zojuist naar binnen was geleid.

Walt en de krijgers hielden er de wacht bij. Ze stonden met hun voeten te stampen en met hun armen te zwaaien om warm te blijven en trokken zich helemaal niets aan van de portier van het klooster, die zich naar buiten had gebogen uit een raam op de benedenverdieping van het poortgebouw. Priores Havis gaf hem op scherpe toon te verstaan dat hij zijn hoofd naar binnen moest trekken, de luiken moest sluiten en zich met zijn eigen zaken moest bemoeien. 'Hou je gedeisd, Fitchet.'

'Doe ik dat dan soms niet?' Fitchet was gebelgd. 'Hou ik me niet altijd gedeisd?' Het luik sloeg dicht.

'Dat doet hij inderdaad,' zei Havis. 'Meestal dan.' Met de lantaarn hoog geheven schreed ze voor hen uit door de sneeuw.

Walt leidde de paarden achter haar aan, met de bisschop, Oswald en Aelwyn naast hem, terwijl Adelia en Mansur boven hen zaten op de bok van de wagen.

Rowley, tot wie het was doorgedrongen dat hij haar had vermoeid, zou Adelia wel in de kamer hebben willen achtergelaten die voor haar, Gyltha en de baby in gereedheid was gebracht in het gastenverblijf, maar deze dode jongeman was háár verantwoordelijkheid. Ook al had ze er goede redenen voor, toch werd er op haar verzoek schandelijk met zijn lichaam omgegaan; ze achtte het haar plicht het zo veel mogelijk eerbied te betonen.

Ze volgden de muur die de uitgestrekte gebouwen en tuinen van het klooster omringde, en uiteindelijk het bos in leidde waar het dode paard van de dode man lag.

Het geruis van water dat ze vanaf de brug hadden gehoord klonk nu luid; ze waren dicht bij een rivier, ofwel de Theems zelf, ofwel een snelle stroom die erop uitkwam, die de lucht nog kouder maakte. Het lawaai werd oorverdovend.

Mansur wees; Adelia en hij zaten hoog genoeg op de wagen om over de muur heen te kijken en, toen een open plek tussen de bomen dat mogelijk maakte, over het water zelf. Daar was hun brug, en aan de overkant stond een watermolen.

De Arabier zei iets, maar Adelia kon hem niet verstaan. Misschien dat de molen in duisternis gehuld was geweest toen ze op de brug hadden gestaan, zodat ze hem niet hadden gezien. Nu scheen er licht door de kleine raampjes in de romp ervan, en het grote waterrad wentelde door de sterke stroom.

Ze kwamen naderbij; de priores had halt gehouden bij een groot stenen bouwsel dat één geheel vormde met de muur aan de zijkant ervan, en maakte de deur open. In het licht van de lantaarn van de non bleek het binnen leeg te zijn, afgezien van een ladder en wat gereedschap. De vloer was bedekt met steen, maar het grootste deel van het oppervlak werd ingenomen door een grote gebogen vorm van ijzer met handgrepen eraan, als het deksel van een enorme pot.

Priores Havis stapte achteruit. 'Er zijn twee man voor nodig om dat op te tillen.' Ze had dezelfde emotieloze stem als haar moeder.

Aelwyn en Oswald spanden zich in om het deksel op te tillen, waarna er een zwart gat tevoorschijn kwam waaruit een voelbare kilte opsteeg, plus een geur van stro en bevroren vlees.

De bisschop had de lantaarn van de priores overgepakt en zat op zijn knieën naast het gat. 'Wie heeft dit gebouwd?'

'Dat weten we niet, my lord. We hebben het ontdekt en in stand gehouden. Moeder-overste vermoedt dat het zich hier al lang voor onze stichting bevond.'

'De Romeinen misschien?' Rowley was geïntrigeerd. De ladder werd gebracht en op zijn plek gezet, zodat hij kon afdalen. Zijn stem klonk galmend op; hij stelde nog steeds vragen. De non beantwoordde ze onverschillig.

Ja, de ligging zo ver van de slagerij van het klooster was inderdaad ongemakkelijk, maar mogelijk hadden de bouwers het ijshuis hier gesitueerd om dicht bij een deel van de rivier met een omwalling te zijn, zodat het vertrek niet te lijden zou hebben van erosie, terwijl de nabijheid van stromend water toch voor koelte zorgde.

Ja, het klooster pekelde en zoutte nog steeds de meeste dieren na de slacht van Sint-Michiel, want zelfs Godstow kon hen allemaal niet de hele winter voeden, terwijl ze door een deel van de karkassen in te vriezen toch af en toe tot in de lente, of soms nog wel langer, over vers vlees konden beschikken.

Ja, natuurlijk, de molenvijver aan de overkant van de weg bevror alleen in strenge winters, maar alle winters waren tegenwoordig streng en de laatste vorstperiode was uitzonderlijk geweest en had hun voldoende ijsblokken opgeleverd om er tot aan de zomer mee toe te kunnen. Jawel, my lord zou een afvoer zien die het smeltwater weg liet stromen.

'Fantastisch.'

Adelia schraapte nadrukkelijk haar keel. Rowleys hoofd kwam tevoorschijn. 'Wat is er?'

'De plechtigheid, my lord.'

'Ah, natuurlijk.'

Het lichaam werd op de platte stenen gelegd.

De lijkstijfheid was verdwenen, zag Adelia belangstellend, maar dat zou wel komen door de relatieve warmte van het stro-omhulsel en de beschutting van de wagen; beneden in dat ijshol zou die terugkeren.

De vaste, krachtige stem van de bisschop van St. Albans vulde het huisje. '*Domine, Iesu Christe, Rex gloriae...*' Red de zielen van alle gelovigen die zijn verscheiden van de gesel van de hel en de diepe kuil... en laat hen ook niet in het duister vallen, maar moge de tekendrager, Sint-Michiel, hen naar het heilige licht leiden dat U hebt beloofd...'

Adelia voegde er in stilte haar eigen requimgebed aan toe: *En moge degenen die je liefhebben me vergeven wat we doen.*

Ze ging voor het lichaam uit de kuil in en voegde zich bij Oswald en de bisschop. Erbinnen was het afschuwelijk, net of je in een gigantisch bakstenen ei zat dat overal was geïsoleerd door een dikke laag gevlochten stro, waartegen nog meer vlechtwerk de ijsblokken omvatte. Aan haken hingen lendenstukken van rund, lam, hert en varken, wit van de rijp, zo dicht bij elkaar dat ze er niet tussendoor kon lopen zonder er met haar schouders langs te strijken. Ze vond een vrij plekje en rechtte haar rug, waarop haar kap verstrikt raakte in de klauwen van wilde vogels die aan hun eigen galgen waren opgehangen.

Klappertandend – en niet alleen van de kou – stuurden zij en de anderen de voeten van de dode man terwijl Aelwyn en Walt hem neerlieten. Samen legden ze hem neer onder de vogels, zodanig dat als er iets naar beneden zou druipen, dat niet op zijn gezicht zou vallen.

'Het spijt me wel. Het spijt me zo.' Toen de anderen het gat uit waren geklommen, bleef zij nog even bij de dode man achter om hem een belofte te doen. 'Of we je moordenaars nu te pakken krijgen of niet, we zullen je hier niet lang achterlaten.'

Het duurde bijna te lang voor haar; ze had het zo koud gekregen dat ze de ladder niet meer op kwam; Mansur moest haar naar buiten hijsen.

De abdis stelde haar woning ter beschikking aan Rowley, met de opmerking dat ze dat maar al te graag deed; het steile trapje naar de voordeur was een obstakel voor haar geworden. En gezien hij voor God haar superieur was, kon ze niet minder doen, hoewel hij op die manier toegang kreeg tot de binnenhof met zijn klooster, kapel, refter en nonnenslaapzaal, waar mannen anders 's nachts nooit mochten komen. Nadat ze een blik op vader Paton had geworpen en had besloten dat hij evenmin een seksuele bedreiging vormde, deelde ze de secretaris in bij zijn meester.

Jacques, Walt, Oswald en Aelwyn werden ondergebracht in de vertrekken van de mannelijke bedienden.

Mansur kreeg een aangename kamer toegewezen in het mannengastenverblijf. Gyltha, Adelia, de baby en de hond kwamen in een al niet minder prettig vertrek in de vrouwenvleugel naast de kerk. Aan de buitenkant liep er een hoekig trapje naar de privédeur van elke gasten-kamer, zodat de vrouwen, aangezien ze zich op de bovenste verdieping bevonden, uitzicht naar het westen hadden op de weg naar Oxford en op de akkers van de abdij die hellend afliepen naar de Theems.

'Eendendons,' zei Gyltha, terwijl ze een groot bed aan een nader on-derzoek onderwierp. 'Zonder vlooien.' Ze zette haar onderzoek voort. 'En de een of andere heilige heeft er hete stenen in gestopt om het voor te verwarmen.'

Adelia wilde niets liever dan gaan liggen en slapen, en een poosje de-den ze dat alle drie ook.

Ze werden wakker van het gelui van klokken, waarvan er eentje zo hard beierde alsof het vlak bij hun hoofd was en de kan van het lam-petstel in de kom op tafel deed trillen.

Meteen paraat om op de vlucht te slaan pakte Adelia Allie op van haar plekje tussen Gyltha en haar in. 'Is er brand?'

Gyltha spitste haar oren. De zware slagen waren afkomstig uit de kerktoren vlak bij hen en werden vergezeld door het gelui van andere klokken, blikkeriger en veel verder weg. 'Het is zondag,' zei ze.

'Ach, verdikkeme. Nee toch?'

Maar de beleefdheid en Adelia's besef dat ze bij de abdis in het krijt stonden vroegen van hen dat ze de ochtenddienst zouden bijwonen waartoe Godstow zijn bewoners nu opriep.

En meer nog dan alleen zijn bewoners. De kerk in de buitenste hof stond open voor iedereen, zowel leken als religieuzen – maar natuurlijk niet voor heidenen en honden waar een luchtje aan zat, zodat Mansur en Hoeder op bed konden blijven liggen – en vandaag moest iedereen die zich op loopafstand bevond door de sneeuw ploeteren om er te ko-men. De dorpelingen van Wolvercote kwamen in groten getale de brug over, aangezien de ambachtsheer hun eigen kerk tot een ruïne had laten vervallen.

Ze kwamen natuurlijk voor de bisschop; die was even wonderdadig als een engel die uit de hemel was neergedaald. Een blik op zijn mantel en mijter alleen al was de tienden die iedereen moest betalen ruim-schoots waard; hij kon misschien de hoest van de kleine genezen, en in elk geval kon hij zijn zegen uitspreken over het winterzaaigoed. Diverse armzalig uitziende melkkoeien en een hinkende ezel waren al buiten aan de watertrog vastgebonden om te wachten tot hij aandacht aan ze zou besteden.

De geestelijken kwamen binnen via hun eigen aparte ingang en namen hun plaatsen in op de illustere koorstoelen onder het al even illustere gewelfde waaierdak.

Vanwege zijn tonsuur zat vader Paton naast de kapelaan van de nonnen, een muisachtig mannetje, tegenover de rijen nonnen tussen wier in het zwart geklede gelederen zich twee giechelige jonge vrouwen met witte sluiers bevonden; zij vonden vader Paton heel grappig.

De meeste bisschoppen grijpen hun preek aan om met een waarschuwende vinger te zwaaien naar zonde in het algemeen, vaak in Normandisch Frans, hun moedertaal, of in het Latijn, vanuit het de gedachte dat hoe minder de congregatie ervan snapte, hoe meer ontzag het hun zou inboezemen. Maar Rowleys preek was anders, en gesteld in een Engels dat zijn kudde kon begrijpen. 'Sommigen zeggen dat de arme lady Rosamunde is gestorven door toedoen van koningin Eleanora, maar dat is kwaadsprekerij en gelogen, en jullie zullen onze Heer verplichten door er geen geloof aan te hechten.'

Hij kwam van de kansel af om heen en weer te benen door de kerk, om te oreren en te donderen. Hij was hier om uit te zoeken wat of wie Rosamundes dood had veroorzaakt, zei hij. 'Want ik weet heel zeker dat de mensen in deze contreien veel van haar hielden. Misschien was het een ongeluk, misschien niet, maar als het dat niet was, dan zal zowel de koning als de koningin ervoor zorgen dat de schurk gestraft wordt volgens de wet. Ondertussen is het zaak dat we allemaal onze mening voor ons houden en de kostbare vrede van Onze Heer Jezus Christus bewaren.'

Vervolgens knielde hij neer op de stenen vloer en het stro om te bidden, en iedereen die in de kerk was volgde zijn voorbeeld.

Ze houden van hem, ging het door Adelia heen. Zomaar ineens houden ze van hem. Komt dat door de vertoning die hij ten beste geeft? Nee, dat heeft hij achter zich gelaten. Mij heeft hij ook ver achter zich gelaten.

Maar toen ze overeind kwamen, stelde één man een vraag; het was de molenaar van de andere kant van de brug, te oordelen naar de spookachtige witheid van zijn huid, waarin het meel diep was doorgedrongen. 'Meester, ze zeggen dat de koningin met de koning overhoopligt. Daar komen toch geen moeilijkheden van?'

Zijn vraag werd ontvangen met een bezorgd gemompel. De burgeroorlog waarin een koning tegen een koningin had gestreden lag nog maar een generatie terug; niemand hier zat op nog zo'n strijd te wachten.

Rowley wendde zich naar de man toe. 'Wie is je vrouw?'

'Zij hier.' De man wees met zijn duim naar de welgedane vrouw die naast hem stond.

'Geen verkeerde keus, meester Miller, zoals iedereen kan zien. Maar ga me niet vertellen dat jij in de loop der jaren nooit eens met haar overhoop hebt gelegen, of zij met jou. Jullie zijn toch ook niet slaags geraakt? Ga er maar van uit dat het met koningen en koninginnen niet anders is.'

Terwijl er gelach losbarstte, keerde hij terug naar zijn zetel.

Een van de witgesluierde meisjes zong ter ere van de bisschop het responsorium, en wel zo mooi dat Adelia, die meestal doof was voor muziek, tijdens de antwoorden van de congregatie ongeduldig wachtte tot zij weer aan de beurt was.

Het was daarom leuk om diezelfde jonge vrouw aan te treffen op de grote hof buiten, waar ze, nadat de geestelijken naar buiten waren gestapt, op haar wachtte. 'Mag ik naar de baby komen kijken? Ik ben dol op kleintjes.'

'Natuurlijk. En gefeliciteerd met je stem, het is een genot om ernaar te luisteren.'

'Dank je wel. Ik ben Emma Bloat.'

'Adelia Aguilar.'

Ze liepen samen op, of liever gezegd: Adelia liep en Emma danste op en neer. Ze was vijftien en was ergens heel opgewonden over. Adelia hoopte maar dat het niet de bisschop was. 'Ben je oblate?'

'O, nee. De kleine Priscilla is degene die de sluier aanneemt. Ik ga trouwen.'

'Wat leuk.'

'Ja, hè? Aardse liefde...' Van pure levensvreugde draaide Emma een rondje om haar as. 'God moet die wel net zo verheven vinden als hemels liefde, toch, ondanks wat zuster Mold beweert, want waarom geeft Hij ons anders zo'n fijn gevoel?' Ze klopte op de plek waar haar hart zat.

'"Je kunt beter trouwen dan branden,"' citeerde Adelia.

'Mm-mm. Maar hoe kan Sint-Paulus dat nou hebben geweten, vraag ik me af. Hij deed geen van beide.'

Ze was een verfrissend kind en ze hield van baby's – althans, ze hield van Allie, met wie ze langer bereid was kiekeboe te spelen dan Adelia voor mogelijk had gehouden zonder dat je last kreeg van hersensverwe-king. Het zag ernaar uit dat het meisje een bevoorrechte positie be-kleedde, want ze werd niet teruggeroepen om mee te doen met de mid-dagroutine van de zusters. Rijkdom of status, vroeg Adelia zich af, of allebei?

Emma toonde niet meer nieuwsgierigheid naar deze toevloed van vreemdelingen naar het klooster dan wanneer ze speelgoed waren ge-weest om haar te amuseren, hoewel ze wel graag wilde dat ze nieuws-gierig waren naar haar. 'Je mag me rustig vragen stellen over mijn aan-staande echtgenoot. Vraag maar, vraag maar.'

Kennelijk was hij een knappe man, o, zó knap, galant, dolverliefd op haar, een schrijver van romantische gedichten waarbij alles wat Paris Helena mocht hebben toegezonden verbleekte.

Gyltha trok haar wenkbrauwen op naar Adelia, die in antwoord de hare optrok; hier was inderdaad sprake van groot geluk, en bij gearran-geerde huwelijken was dat meestal ver te zoeken. Want gearrangeerd was het; Emma's vader, vertelde ze hun, was een wijnkoopman in Ox-ford en voorzag het klooster van zijn beste rijnwijn om te betalen voor haar opvoeding tot echtgenote van een edelman. Hij was degene die hen bij elkaar had gebracht.

Toen ze dat vertelde moest Emma, die bij het raam stond, zo hard la-chen dat ze zich aan de raamstijl moest vastgrijpen.

'Dus je aanstaande is een heer?' vroeg Gyltha met een grijns.

Het gelach viel stil en het meisje draaide zich om om uit het raam te kijken alsof het uitzicht haar iets kon vertellen, en Adelia zag dat wan-neer haar jeugdige uitgelatenheid zou verdwijnen, daar schoonheid voor in de plaats zou komen.

'De heer van mijn hart,' zei Emma.

Het viel voor de reizigers nog niet mee om bij elkaar te komen voor be-sprekingen en plannenmakerij. Hoe tolerant Godstow ook was, een Sa-raceen werd op de binnenhof niet geduld. En het was al even ongepast dat de bisschop bezoekjes zou afleggen aan de vrouwenvertrekken. Er was alleen de kerk, en zelfs daar was altijd bij het hoofdaltaar een non aanwezig, die bij God bemiddelde voor de zielen van degenen die voor dat voorrecht hadden betaald. Maar er was een zijkapel die was gewijd aan Sinte-Maria, die 's nachts verlaten was, maar wel door kaarsen werd verlicht – alweer een gift van de doden opdat de Heilige Moeder hen zou gedenken – en de abdis had haar toestemming gegeven om die als trefpunt te gebruiken, zolang ze er maar hun mond over hielden.

De grote congregatie van overdag had geen warmte achtergelaten. De fel brandende kaarsen op de schrijn schonken maar in een omtrek van een kleine meter licht en warmte, zodat de spitsboogvormige ruimte eromheen in ijzige schaduw was gehuld. Toen Adelia door een zijdeur binnenkwam, zag ze een forse gestalte voor het altaar knielen, met zijn hoofd in zijn monnikskap gebogen en zijn vingers zo stijf met elkaar vervlochten dat ze wel kale knoken leken.

Rowley stond op toen de vrouwen binnenkwamen. Hij zag er vermoeid uit. 'Wat zijn jullie laat.'

'Ik moest de baby voeden,' verklaarde Adelia.

Vanuit het hoofdgedeelte van de kerk klonk de monotone dreun van een non die de herdenkingen uit het kloosterregister voorlas. Ze volgde de tekst naar de letter. '*Erbarmen, Heer, zegen en erken de ziel van Thomas van Sandford, die voor dit klooster voor een boomgaard zorgde in St. Giles, Oxford, en die uit dit leven werd weggerukt op de dag na Sint-Michielsdag in het jaar Onzes Heren 1143. Zoete Jezus, ontferm U genadig over de ziel van Maud Halegod, die drie zilveren marken schonk...*'

'Heeft de bediende van Rosamunde je iets verteld?' fluisterde Adelia.

'Die?' De bisschop nam niet de moeite zijn stem te dempen. 'Dat mens is niet goed bij haar hoofd. Ik zou nog meer uit die ellendige ezels loskrijgen die ik de hele middag heb staan zegenen. Ik zweer het je, ze bleef maar blaten als een schaap.'

'Misschien heb je haar bang gemaakt.' In vol ornaat was hij ontzagwekkend.

'Natuurlijk heb ik haar niet bang gemaakt. Ik ben juist heel charmant geweest. Maar die vrouw heeft ze niet allemaal op een rijtje, dat kan ik je wel vertellen. Kijk jij maar of je haar nog iets zinnigs weet te ontfutselen.'

'Dat zal ik zeker doen.'

Gyltha had in een kast een stapeltje knielkussentjes gevonden en legde die zo in een kring dat het kaarslicht erop viel; stuk voor stuk waren ze voorzien van het blazoen van een edele familie die wanneer ze in de kerk kwamen hun knieën niet wilden vuilmaken.

'Knielkussentjes zijn een slimme vinding,' zei Adelia, terwijl ze er eentje onder het mandje van de slapende Allie legde, zodat het niet direct op de stenen stond. Hoeder installeerde zich op een ander exemplaar. 'Waarom zorgden de rijken niet voor knielkussentjes voor de armen? Dan zouden ze langer herdacht worden.'

'De rijken willen niet dat wij ons gemak ervan nemen,' zei Gyltha. 'Dat is niet goed voor ons. Dan krijgen we het te hoog in onze bol. Waar is die ouwe Arabier?'

'De boodschapper is hem gaan halen.'

Mansur kwam eraan, en moest bukken om de zijdeur door te kunnen. Hij was in een mantel gewikkeld, en Jacques volgde in zijn kielzog.

'Goed,' zei Rowley. 'Je kunt gaan, Jacques.'

'Eh...' De jonge man schuifelde wat heen en weer omdat hij het daar niet mee eens was.

Adelia kreeg met hem te doen. Boodschappers hadden maar een weinig benijdenswaardige en eenzame baan, zoals ze steeds maar kriskras door het land moesten rijden met een paard als enig gezelschap. Hun meesters vroegen veel van hen: brieven die snel moesten worden afgeleverd, antwoorden die nog sneller mee terug genomen moesten worden, waarbij slecht weer, valpartijen, moeilijk terrein of verdwalen niet als excuus werden aanvaard; en verder werden ze er altijd van verdacht hun tijd en geld in kroegen te verkwisten.

Rowley, bedacht ze, viel deze jongen wel erg hard; er was geen enkele reden waarom de jonge man niet bij hun discussies zou mogen worden betrokken. Ze vermoedde dat Jacques' zonde lag in het feit dat hij, hoewel hij de sobere livrei van St. Albans droeg, zijn gebrek aan lichaamslengte compenseerde door verhoogde laarzen te dragen en een pluim op zijn hoed te steken. Dat deed op zijn beurt weer vermoeden dat hij de trend volgde die was geïntroduceerd door koningin Eleanora en haar hofhouding, waarbij zowel mannen als vrouwen aan mode deden – iets wat de jongere generatie prachtig vond, maar wat door afgeleefde mannen als Rowley, Walt en Oswald, die als materiaal voor kleding altijd ofwel leer, ofwel maliën hadden gekozen, werd veroordeeld.

Walt had de boodschapper wel 'een stengel selderie met de wortels er nog aan' genoemd, waar hij inderdaad wel iets van weg had, en Rowley had tegen Adelia gebromd dat hij bang was dat zijn boodschapper een 'kasplantje' was, en 'geen gedegen, simpel ouderwets Normandisch Engelsman', twee kwalificaties die hij voorbehield aan mannen die hij als verwijfd beschouwde. 'Ik zal hem moeten wegsturen; die jongen gebruikt zelfs reukwater. Ik kan het niet gebruiken dat mijn missiven worden afgeleverd door een fatje.'

En dat, dacht Adelia, uit de mond van een man wiens ceremoniële gewaden oogverblindend waren, en die zeker een halfuur moesten hebben gevergd om aan te trekken.

Ze besloot tussenbeide te komen: 'Nemen we morgen meester Jacques met ons mee naar Rosamundes toren?'

'Natuurlijk nemen we hem mee.' Rowley was nog steeds prikkelbaar. 'Wie weet moet ik wel een boodschap versturen.'

'Dan weet hij dus net zoveel als wij, my lord. Dat doet hij toch al, en vijf breinen zijn beter dan vier.'

'Nou, goed dan.'

Vanaf het altaar achter het scherm dat hen scheidde, ging het gemompelde gebed voor de doden almaar door, zoals het de hele nacht door zou gaan, waarbij de nonnen elkaar aflosten: '... *Uw genade, de ziel van Thomas Hookeday, schutmeester van deze parochie, voor zijn gift van zes penny's...*'

Rowley haalde de rol tevoorschijn die aan het zadel had gehangen van de dode man op de brug. 'Ik heb nog geen tijd gehad om hiernaar te kijken.' Hij gespte de riempjes los en legde hem op de grond om hem uit te rollen. Terwijl Jacques achter hen bleef staan, ging het viertal eromheen zitten om te kijken wat erin zat.

Dat was niet veel. Een leren zak met bier. Een halve kaas en een brood, netjes in doek gewikkeld. Een jachthoorn – een vreemd instrument voor een man die zonder gezelschap van honden reisde. Een extra jas die was afgezet met bont, verrassend klein voor een forse man – wederom zorgvuldig opgevouwen.

Waar de jonge man ook naar op weg was geweest, hij moest erop hebben gerekend daar eten en onderdak te vinden, want met het brood en de kaas zou hij niet ver zijn gekomen.

En er zat een brief bij. Die leek onder de flap tussen de gespen van de leren riemen waarmee de rol dicht werd gehouden te zijn gestoken.

Rowley pakte hem op, streek hem glad en las hem voor:

Aan Talbot van Kidlington, Dat de Heer en Zijn engelen je moge zegenen op deze Dag die je binnenvoert in het Mandom en je moge af houden van het Pad der Zonde en alles wat onrechtmatig is is de Diepste Hoop van je toegengn neef Wlm Warin, rechtskundige, die je hierbij stuurt: 2 zilvrn marken als een voorschot op je Erfenis, waarvan de rest kan worden Opgeëist wanneer wij elkaar ontmoeten. Ge-

schreven op de dag des Heren de 16e voor de Calendae van Januari, te mijnen kantore naast de St. Michael bij de Noordpoort van Oxford.

Hij keek op. 'Nou, daar heb je het al. Nu weten we hoe ons lichaam heet.'

Adelia knikte langzaam. 'Mm-mm.'

'Wat is daar mis mee? Die jongen heeft een naam, een eenentwintigste verjaardag en een toegenegen neef met een adres. Genoeg materiaal voor jou om mee aan de slag te kunnen. Maar wat hij niet heeft zijn die twee zilveren marken. Ik stel me zo voor dat de dieven die hebben afgepakt.'

Het viel Adelia op dat hij 'jij' zei; dit zou háár zaak worden, niet die van de bisschop. 'Vind je het niet vreemd?' vroeg ze. 'Als het familiewapen op zijn beurs ons al niet zou vertellen wie hij was, doet die brief dat wel. We krijgen bijna te véél informatie. Welke toegenegen schrijver noemt zijn neef nou "Talbot van Kidlington", in plaats van gewoon "Talbot"?'

Rowley haalde zijn schouders op. 'Het is heel gewoon om zo'n aanspreekvorm te gebruiken.'

Adelia pakte de brief van hem over. 'En hij is op vellum geschreven. Duur voor zo'n kort, persoonlijk berichtje. Waarom heeft meester Warin geen lompenpapier gebruikt?'

'Alle juristen gebruiken vellum of perkament. Ze vinden papier *infra dignitatem.*'

Maar Adelia was nog niet klaar. 'En het is verkreukeld, zomaar tussen de gespen gestoken. Moet je zien, het is aan eentje blijven haken. Zo gaat niemand met vellum om; dat kan altijd worden afgeschraapt om nogmaals dienst te doen.'

'Misschien had die knul haast toen hij het kreeg en propte hij het snel weg. Of zou hij kwaad zijn geweest omdat hij meer verwachtte dan twee marken? Of het kon hem geen bal schelen dat het vellum was. En' – de bisschop begon zijn geduld te verliezen – 'op dit moment geldt dat ook voor mij. Waar wil je heen, meesteres?'

Adelia dacht even na.

Of het lichaam in het ijshuis nou dat van Talbot van Kidlington was of niet, toen het nog had geleefd had het toebehoord aan een keurig man; dat had zijn kleding haar wel duidelijk gemaakt, en het bleek ook uit de zorg waarmee hij zijn spullen in de rol aan zijn zadel had geborgen. Mensen die zo netjes waren – en Adelia behoorde daar zelf ook toe – propten niet zomaar een document dat op vellum was geschreven losjes in een opening, zoals met dit document was gebeurd.

'Ik denk niet dat hij deze brief ooit heeft gezien,' zei ze. 'Volgens mij hebben de mannen die hem hebben gedood hem in de rol gestopt.'

'In godsnaam,' beet Rowley haar toe. 'Je maakt het veel te ingewikkeld. Adelia, schurken op hoofdwegen stellen hun slachtoffers geen correspondentie ter hand. Wat wil je nou zeggen? Is dat een list om ons van het spoor af te leiden? Is Talbot van Kidlington soms Talbot van Kidlington niet? Behoren de riem en de beurs soms toe aan heel iemand anders?'

'Ik weet het niet.' Maar er klopte iets niet aan de brief.

Er werden regelingen getroffen voor de tocht van de volgende dag. Adelia zou de bisschop, de boodschapper en de dienaar rivieropwaarts vergezellen; ze zouden via het jaagpad naar de toren van Rosamunde rijden, terwijl Mansur en de twee krijgers over het water zouden gaan, met een extra sloep waarop ze het lichaam mee terug konden nemen.

Terwijl de discussie verderging, nam Adelia de gelegenheid te baat om de blazoenen op al de knielkussentjes te bekijken. Geen ervan kwam overeen met de voorstelling op de beurs of riem van de jongeman.

Rowley was in gesprek met Gyltha. '... jij moet hier blijven, meesteres. We kunnen de baby niet met ons meenemen.'

Adelia keek op. 'Ik laat haar niet achter.'

Hij zei: 'Je zult wel moeten, want het wordt geen familie-uitje.' Hij pakte Mansur bij de arm. 'Kom maar mee, vriend, laten we eens kijken wat het klooster aan boten ter beschikking heeft.' Ze gingen naar buiten en de boodschapper liep achter hen aan.

'Ik laat haar niet achter!' riep Adelia hem na, waardoor de recitatie van namen achter het scherm even stokte. Ze wendde zich tot Gyltha. 'Hoe durft hij? Dat doe ik niet.'

Gyltha drukte op Adelia's schouders om haar weer omlaag op het knielkussentje te krijgen en ging vervolgens naast haar zitten. 'Hij heeft gelijk.'

'Dat heeft hij niet. Stel nou dat we vast komen te zitten in de sneeuw, of door iets anders? Ze moet gevoed worden.'

'Dan vind ik wel een oplossing.' Gyltha pakte Adelia's hand en klopte er zachtjes op. 'Het wordt tijd, wijfie,' zei ze. 'Tijd dat ze eens behoorlijk wordt gespeend. Jij droogt op; dat weet jij en dat weet de kleine.'

Adelia hoorde de waarheid aan; Gyltha vertelde haar nooit iets anders. In feite was het spenen al een paar weken aan de gang, omdat haar moedermelk afnam; beide vrouwen kauwden geregeld eten tot pap en vulden die aan met koeienmelk om hem in Allies gretige mondje te lepelen.

Ook al was borstvoeding, die Adelia toen ze nog geen kind had een groot ongemak had geleken, met lekkende borsten en zo, een van de natuurlijke genoegens van het leven gebleken, het was ook een prima excuus geweest om haar kind altijd bij haar te hebben. Want hoewel het moederschap haar vreugde bracht, had het haar ook belast met een verscheurende bezorgdheid waar ze niet op had gerekend, alsof haar zintuigen waren overgegaan op het lichaam van haar dochter, en bij uitbreiding op alle kinderen. Adelia, die ooit iedereen die nog niet de jaren des onderscheids had bereikt als een volstrekt vreemd wezen had beschouwd, en ook als zodanig had behandeld, stond nu open voor hun verdriet, hun minste of geringste pijntje en mogelijk ongerief.

Allie had van dergelijke emoties weinig last; ze was een stevige baby, en geleidelijk aan was Adelia zich ervan bewust geworden dat haar angst haarzelf gold: het twee dagen oude wezentje dat bijna dertig jaar geleden door een onbekende ouder was achtergelaten op een rotshelling in de Italiaanse Campania. In haar jeugd had het geen rol gespeeld; het gebeuren werd zelfs wel amusant gevonden, in die zin dat het echtpaar dat haar had gevonden een gebeurtenis had herdacht die zij alle drie als fortuinlijk beschouwden door een van haar namen Vesuvia te laten luiden. De kinderloze, liefdevolle, slimme en excentrieke signor en signora Aguilar, allebei artsen die waren opgeleid in de liberale traditie van Salerno's grote School voor Geneeskunde – hij een jood, zij een katholieke christen –, hadden in Adelia niet alleen een beminde dochter gevonden, maar ook een brein dat zelfs hun intelligentie te boven ging, en hadden haar dienovereenkomstig grootgebracht. Nee, verlating had geen rol gespeeld. In feite bleek die de grootste gift die de echte, onbekende, wanhopige, treurende of veronachtzamende moeder haar kind maar had kunnen geven.

Totdat dat kind zelf een baby had gekregen.

Toen begon het op te spelen. Een angst als een tyfoon die maar niet stopte met razen – niet alleen de angst dat Allie zou doodgaan, maar ook angst dat zijzelf zou komen te overlijden en het kind dan alleen zou moeten achterlaten zonder de genade die haarzelf was betoond. Ze zouden beter samen kunnen sterven.

O god, als de vergiftiger niet tevreden was met alleen maar Rosamundes dood... of als de moordenaars op de brug ergens onderweg stonden te wachten... of als Godstow opeens in brand zou vliegen...

Dit was een obsessie, en Adelia was nog net verstandig genoeg om te beseffen dat als die aanhield, hij zowel haarzelf als Allie zou schaden.

'Het is tijd,' zei Gyltha nogmaals, en als Gyltha, de allerbetrouwbaarste vrouw die er maar bestond, dat zei, dan was dat zo.

Maar Adelia voelde zich wrokkig over het gemak waarmee Rowley een scheiding eiste die haar pijn zou doen, en die haar ook – hoe ongefundeerd ook – vrees zou inboezemen. 'Het is niet aan hem om tegen mij te zeggen dat ik haar moet achterlaten. Ik vind het vreselijk om haar niet mee te nemen, vreselijk.'

Gyltha haalde haar schouders op. 'Het is ook zíjn kind.'

'Dat zou je anders niet zeggen.'

De stem van de boodschapper klonk vanaf de deur. 'Mijn excuses, meesteres, maar meneer vraagt of u Bertha wil ondervragen.'

'Bertha?'

'De bediende van lady Rosamunde, meesteres. Die van de paddenstoelen.'

'Ah, ja.'

Afgezien van de niet-aflatende gebeden voor de doden in de kerk en de canonieke uren was het klooster nu gesloten, zodat het in een volstrekte, maanloze duisternis was gedompeld. Het lichtkompas van Jacques' lantaarn verlichtte alleen de onderkant van muren en een paar meter van het met sneeuw omzoomde pad toen hij de twee vrouwen voorging naar hun vertrekken. Daar kuste Adelia haar baby welterusten en liet haar door Gyltha naar bed brengen.

De boodschapper en zij gingen met z'n tweeën op weg en verlieten de buitenste hof voor open terrein. Een zwakke geur deed vermoeden dat er ergens vlakbij moestuinen waren, die nu zouden rotten door de vorst.

'Waar breng je me naartoe?' In het donker klonk haar stem ruzieachtig.

'Naar de koeienschuur, vrees ik, meesteres,' antwoordde Jacques verontschuldigend. 'Daar heeft die meid zich verstopt. De abdis had haar naar de keukens gestuurd, maar de kokkinnen weigerden met haar samen te werken, omdat lady Rosamunde door haar toedoen het gif had binnengekregen. De nonnen hebben geprobeerd met haar te praten, maar ze zeggen dat er moeilijk een zinnig woord uit die arme ziel los te krijgen is, en ze is doodsbang voor de komst van de huishoudster van de lady.'

De boodschapper kletste verder, omdat hij graag wilde bewijzen dat hij het waard was om opgenomen te worden in de merkwaardige kring van intimi van de bisschop die op onderzoek uitgingen.

'Nog even over het blazoen op de beurs van die arme jongeman, meesteres. Misschien hebt u er iets aan om eens met zuster Lancelyne te praten; zij houdt het archief en het register van het klooster bij en beschikt over een overzicht van alle emblemen van alle families die ooit giften hebben geschonken. Misschien dat...'

Hij had zijn tijd goed benut. Het was een eigenschap van boodschappers om zich in te likken bij de bedienden van de huishoudens die hij bezocht; op die manier kreeg hij beter te eten en te drinken voordat hij weer moest vertrekken.

Ze kwamen weer tussen de muren. Adelia's laarzen spetterden door de brij van wat overdag druk begane weggetjes moesten zijn. Haar neus registreerde dat ze langs een bakhuis kwamen, toen een keuken, een wasserij – allemaal stil en onzichtbaar in het donker.

Nog meer open land. Nog meer brij, maar hier en daar voetstappen in een sneeuwbank waar iemand van het pad was gegaan.

Dreiging.

Het kwam op haar af, ongezien. Er was geen aanleiding toe, maar het gevoel was zo sterk dat ze in elkaar dook en stil bleef staan terwijl het over haar heen kwam, alsof ze weer terug was in de steegjes van Salerno en een schaduw had gezien van een man met een mes.

De boodschapper bleef ook staan. 'Wat is er, meesteres?'

'Ik weet het niet. Niets.' De voetstappen in de sneeuw waren ongetwijfeld doodgewone voetstappen waar een verklaring voor bestond, maar voor haar wezen ze, omdat ze moest terugdenken aan die op de brug, in de richting van de dood.

Ze dwong zichzelf ertoe om verder te ploeteren.

De scherpe geur van heet ijzer en een vleugje achtergebleven warmte in de lucht vertelden haar dat ze langs een smidse kwamen, waarvan het vuur voor de nacht was afgedekt. Toen een stal en de geur van paardenmest, die toen ze verder liepen veranderde in die van koeienmest – ze waren bij de koeienschuur aangekomen.

Jacques maakte een van de dubbele deuren open, waardoor een breed, ondergespat gangpad tussen in hokjes verdeelde stallen zichtbaar werd, die grotendeels leeg waren. Overal overleefden maar weinig dieren de slacht van Sint-Michielsdag – er was nooit genoeg voer om de kuddes de winter door te helpen –, maar verderop op het gangpad scheen de lantaarn op de aangekoekte achterwerken en staarten van de koeien die in leven waren gelaten om in de winter voor melk te zorgen.

'Waar is ze?'

'Ze zeiden dat ze hier was. Bertha,' riep Jacques. 'Bertha!'

Van ergens uit de duisternis helemaal aan het eind van de schuur klonken een kreetje en geritsel van stro, alsof er een heel grote muis wegschoot naar zijn hol.

Jacques liep met het licht het gangpad op en liet de lantaarn in het laatste hokje schijnen, waarna hij hem aan een haak aan een balk boven hun hoofd hing. 'Volgens mij zit ze daar, meesteres.' Hij stapte achteruit, zodat Adelia naar binnen kon kijken.

Tegen de achterwand van het hokje lag een grote hoop stro. Adelia richtte zich daartoe. 'Bertha? Ik kom je geen kwaad doen. Wil je alsjeblieft met me praten?'

Ze moest het een paar keer herhalen voordat de hoop in beweging kwam en er een gezicht tussenuit piepte, omlijst door stro. In het licht dat er van bovenaf op viel dacht Adelia eerst dat het een varkenssnuit was, maar toen zag ze dat het toebehoorde aan een meisje met een dusdanige wipneus dat je alleen de neusgaten zag, zodat het op een snuit leek. Kleine, bijna wimperloze ogen keken Adelia strak aan. De brede mond bewoog en bracht een hoog geluid voort. 'Niemijfou,' zo klonk het. 'Niemijfou, niemijfou.'

Adelia wendde zich tot Jacques. 'Is ze Frans?'

'Zover ik weet niet, meesteres. Ik denk dat ze bedoelt dat het niet haar fout was.'

Het geblaat veranderde. 'Zorregdazzemenietepakkekrijg.'

'"Zorg dat ze me niet te pakken krijgt,"' vertaalde Jacques.

'Vrouw Dakers?' vroeg Adelia.

Doodsbang dook Bertha in elkaar. 'Zemakemuisvamme.'

'"Dan maakt ze een muis van me,"' zei Jacques behulpzaam.

Beschamend genoeg drong de gedachte zich op dat het in het geval van dit kind niet veel van de krachten van de vrouw zou vergen om haar in een dier te veranderen.

'Emmevangeinnenval.' Bertha was nu niet meer zo bang en begon enig vertrouwen in hen te stellen; ze kwam verder naar voren, zodat haar dunne nek en lichaam zichtbaar werden onder een hoofd en haar met dezelfde kleur als het stro eromheen. Haar blik bleef rusten op Adelia's hals.

'"En me vangen in een val,"' zei Jacques.

Adelia raakte al wat gewend aan Bertha's manier van praten. Ze maakte zich ook kwaad, zoals altijd als er op toverkunsten werd gezinspeeld, ontzet dat dit meisje bang was gemaakt met duister bijgeloof. 'Ga eens rechtop zitten,' zei ze.

De varkensachtige oogjes knipperden en Bertha kwam meteen overeind, waarbij het stro van haar af viel; ze was eraan gewend gekoeioneerd te worden.

'Ziezo,' zei Adelia, zachter nu. 'Niemand geeft jou de schuld van wat er is gebeurd, maar je moet me wel vertellen hoe het zo heeft kunnen gebeuren.'

Bertha boog zich naar voren en wees naar Adelia's halsketting. 'Wadisda voor moois?'

'Dat is een kruis. Heb je dat nog nooit gezien?'

'Lady Ros heb er ook zo eentje, maar niet zo mooi. Wasdat voor? Tovenarij?' Dit sloeg alles. Had niemand dit meisje soms iets verteld over het christendom?

Adelia zei: 'Zodra ik gelegenheid heb zal ik voor jou ook een kruisje kopen en je uitleggen wat het precies is. Maar nu moet je míj een paar dingen uitleggen. Zou je dat willen doen?'

Bertha knikte, haar blik nog steeds gefixeerd op het zilveren kruisje.

Ze gingen van start. Voor Adelia was het zwaar en vermoeiend zwoegen, want Bertha herhaalde keer op keer haar ontwijkende uitspraken en zei maar steeds dat het haar fout niet was, voordat haar enige informatie van belang kon worden ontfutseld. Het meisje was zo onnozel, zo lichtgelovig dat Adelia Rosamunde niet hoog aansloeg – geen enkele bediende zou zo verstoken mogen blijven van enige scholing. De móóie Rosamunde, dacht ze; nou, de manier waarop ze dit arme kind had verwaarloosd had helemaal niets moois.

Haar leeftijd viel moeilijk te schatten; Bertha wist zelf niet hoe oud ze was. Ergens tussen de zestien en de twintig, vermoedde Adelia; ze was half uitgehongerd en zo slecht op de hoogte van hoe de wereld in elkaar zat als een mol die altijd onder de grond had geleefd. Jacques had zon-

der dat ze het in de gaten had gehad een melkkrukje tegen haar achter-
benen geschoven, zodat ze kon gaan zitten om op gelijke hoogte met
Bertha te komen. Hij bleef vlak achter haar in de schaduw staan en zei
geen woord.

Vanaf het moment dat ze had vernomen dat Rosamunde dood was,
had Adelia gemeend dat haar zoektocht zou uitlopen op de ontdekking
van een verhaal over een droef incident. Maar zo was het niet. Naarmate
Bertha meer zelfvertrouwen kreeg en Adelia haar beter begon te begrijpen, toonde het verhaal dat zich aftekende aan dat Bertha medeplichtig
was geweest, ook al had ze dat niet geweten, aan vooropgezette moord.

Op de fatale dag, zei ze, was ze naar het bos rondom Wormhold
Tower gegaan om hout te sprokkelen, en niet om paddenstoelen te zoeken, en ze had een slee achter zich aan getrokken om daar de dode takken op te stapelen die ze met een haak naar zich toe kon trekken.
Omdat ze de laagste in rang was van al Rosamundes bedienden, was het
toch al een akelige ochtend voor haar. Vrouw Dakers had haar een af-
rammeling gegeven omdat ze een pot had laten vallen en had haar te
verstaan gegeven dat lady Rosamunde schoon genoeg van haar had en
van plan was geweest haar weg te sturen. Aangezien Bertha geen familie had waar ze naartoe kon, zou dat betekend hebben dat ze over het
platteland zou moeten gaan rondzwerven om haar kostje bij elkaar te
bedelen.

'Ze is een draak,' fluisterde Bertha, terwijl ze om zich heen spiedde of
vrouw Dakers niet toevallig met klapperende vleugels was komen bin-
nenvliegen en op een van de balken in de koeienschuur was neergestre-
ken. 'Draak Dakers, noemen wij haar.'

Mismoedig had Bertha zoveel brandstof vergaard – draak Dakers'
toorn vrezend voor als ze dat niet zou doen – dat toen ze het gebundel-
de hout eenmaal op de slee had gebonden, die onmogelijk te trekken
bleek, waarna ze op de grond was gaan zitten en haar wanhoop had uit-
geschreeuwd tegen de bomen.

'En toen kwam zíj er ineens aan.'

'Wie kwam eraan?'

'Zíj. Die ouwe vrouw.'

'Had je haar ooit eerder gezien?'

'Tuurlijk niet!' Die vraag beschouwde Bertha als een belediging. 'Ze
kwam niet bij ons uit de streek. Ze was de tweede kokkin van koningin
Eleanora. De koningín. Reisde overal met haar mee.'

'Zei ze dat tegen je, dat ze voor koningin Eleanora werkte?'

'Dat zei ze, ja.'

'Hoe zag die oude vrouw eruit?'

'Als een ouwe vrouw.'

Adelia haalde adem en probeerde het nog eens. 'Hoe oud? Beschrijf haar eens. Ging ze goed gekleed? Of droeg ze vodden? Wat voor soort gezicht had ze, wat voor soort stem?'

Maar Bertha, die zowel tekortschoot in observatievermogen als in vocabulaire, was niet in staat die vragen te beantwoorden. 'Ze was lillijk, maar wel aardig,' zei ze. Het was de enige beschrijving die ze kon geven, want vriendelijkheid was in Bertha's leven zo zeldzaam dat het een opmerkelijke eigenschap was.

'In welke zin was ze vriendelijk?'

'Ze gaf me die paddenstoelen, ommers? Toverdingen, zouden het zijn. Ze zei dat ikke daardoor' – op Bertha's onfortuinlijke neus verschenen rimpels terwijl ze haar best deed om zich de uitdrukking te binnen te brengen – 'bij lady Rosamunde in een goed blaadje zou komen.'

'Zei ze dat je bazin gunstig over je zou gaan denken?'

'Da' zei ze, ja.'

Het duurde even, maar uiteindelijk wisten ze een deel van het gesprek dat in het bos tussen Bertha en de oude vrouw had plaatsgevonden te reconstrueren.

Zo doe ik het ook bij mijn vrouwe koningin Eleanora, had de oude vrouw gezegd. *Ik trakteer haar op deze paddenstoelen hier en dan kom ik bij haar in een goed blaadje te staan.*

Gretig had Bertha gevraagd of de paddenstoelen ook effect hadden op minder hoog verheven bazinnen.

O jawel, zelfs nog meer.

Dus als je bazin van plan was je weg te sturen, dan doet ze dat niet?

Je wegsturen? De kans is groter dat ze je promotie geeft.

Toen had de oude vrouw eraan toegevoegd: *Ik zal je vertellen wat ik ga doen, mijn hartje. Je smoeltje staat me aan, dus ik geef jou mijn paddenstoelen om ze klaar te maken voor je bazin. Die houdt daar toch zo van?*

Ze is er verzot op.

Nou, alsjeblieft dan. Als je deze voor haar klaarmaakt, zul je beloond worden. Maar je moet het wel nu meteen doen.

Vol verbazing vroeg Adelia zich even af of dit een sprookje was dat

Bertha had verzonnen om haar eigen aandeel in het gebeuren weg te poetsen. Maar toen liet ze die gedachte weer varen; er zou vast niemand ooit de moeite hebben genomen om Bertha sprookjes te vertellen waarin mysterieuze oude vrouwtjes jonge meisjes aanboden wat ze het liefst van alles wilden – of wat voor sprookjes dan ook. Bertha was trouwens niet in staat wat dan ook te verzinnen.

Dus die dag in het bos had Bertha gretig de mand met paddenstoelen op het hout op haar slee gebonden, en ze had ze allebei met zich mee teruggesleept naar Wormhold Tower.

Daar was het vrijwel uitgestorven. Dat, vond Adelia, was een veelzeggend detail. Vrouw Dakers was die dag naar een personeelsbeurs in Oxford gegaan om een nieuwe kokkin te zoeken – het leek wel of kokkinnen nooit lang tegen haar kritiek bestand bleven en om de haverklap vertrokken. De rest van het personeel had zichzelf nu de huishoudster hen niet in de gaten hield een vrije dag gegund, zodat de mooie Rosamunde vrijwel alleen was.

In een lege keuken was Bertha aan het werk getogen. De hoeveelheid paddenstoelen was genoeg om er twee keer van te eten en Bertha had ze verdeeld om een deel te bewaren voor de volgende dag. De helft had ze in een steelpannetje gedaan met wat boter, een snufje zout, een beetje wilde knoflook en wat peterselie; ze had ze op het vuur gebakken tot het vocht eruit kwam en was vervolgens met de schotel naar de bovenkamer gegaan, waar Rosamunde aan haar tafel een brief had zitten schrijven.

'Ze kon schrijven, weet u,' zei Bertha vol ontzag.

'En at ze de paddenstoelen op?'

'Ze werkte ze meteen naar binnen.' Het meisje knikte. 'Gulzig.'

De magie had gewerkt. Lady Rosamunde had – en dat was iets heel bijzonders – Bertha een glimlach geschonken, haar bedankt en tegen haar gezegd dat ze een braaf meisje was.

Later had ze krampen gekregen...

Nog steeds, ontdekte Adelia, verdacht Bertha het oude besje in het bos niet van verraad. 'Ongelukje,' zei ze. 'Dat oudje kon er ook niks aan doen. Er was per ongeluk een verkeerde paddenstoel in die mand terechtgekomen.'

Het had geen zin om daartegen in te gaan, maar een fout was er niet gemaakt; tussen de paddenstoelen die Bertha had bewaard en die Rowley Adelia had laten zien, zaten net zoveel groene knolamanieten als andere soorten; ze waren er zorgvuldig mee vermengd.

Maar Bertha weigerde kwaad te denken van iemand die aardig tegen haar was geweest. "'t Was niet haar fout en ook de mijne niet. Ongelukje.'

Adelia schoof naar achteren op haar krukje om haar gedachten hierover te laten gaan. Ongetwijfeld was het moord; alleen Bertha kon geloven dat het een ongeluk was; alleen Bertha kon denken dat koninklijke bedienden door het bos dwaalden om iedereen die ze tegenkwamen toverpaddenstoelen cadeau te doen. Dit alles moest zorgvuldig beraamd zijn: de oude vrouw, wie ze ook mocht zijn, had een web gesponnen om die ene vlieg te vangen die Bertha was, op die ene dag waarop de draak van Rosamunde, Dakers, niet aan de zijde van haar bazin was geweest.

Wat deed vermoeden dat de oude vrouw op de hoogte was geweest van het reilen en zeilen van Rosamundes huishouden, bedacht Adelia. Iémand wilde Rosamunde dood hebben, en wilde dat de koningin met haar dood in verband zou worden gebracht. Maar als Eleanora hier inderdaad opdracht toe had gegeven, dan zou ze niet gauw een oude vrouw hebben uitgekozen die haar naam had genoemd. Nee, het was Eleanora niet geweest. Wie het ook had gedaan, diegene had een nog grotere hekel aan de koningin dan aan Rosamunde. Of hij of zij wilde misschien alleen haar echtgenoot tegen haar opzetten, zodat er een strijd in Engeland zou losbarsten. En dat zou nog best eens kunnen gebeuren ook.

Het was stil geworden in de schuur. Bertha's gemompel dat zij er niets aan kon doen was weggestorven, zodat alleen het gekauw van de koeien en het verschuiven van het hooi als ze nog meer uit hun troggen trokken nog te horen waren.

'In godsnaam,' vroeg Adelia Bertha wanhopig. 'Heb je dan helemaal níéts vreemds aan die oude vrouw opgemerkt?'

Bertha dacht na en schudde haar hoofd. Toen leek er toch iets in haar op te komen. 'Ze rook lekker,' zei ze.

'Rook ze lekker? Hoe lekker dan?'

'Lekker.' Het meisje kroop nu naar voren, met haar neus snuffelend als een spitsmuis. 'Net as u.'

'Rook ze net zoals ik?'

Bertha knikte.

Zeep. Goede zeep met een lekker luchtje, de enige luxe die Adelia zichzelf toestond en die ze nog maar twee uur geleden had gebruikt om het vuil van haar reizen van zich af te wassen. Eenmaal per jaar kreeg ze er stukken van toegestuurd, gemaakt van loog, olijfolie en bloemenessences, door haar stiefmoeder in Rome – in een van haar brieven had Adelia geklaagd over de zeep in Engeland, waar zeep werd gemaakt op basis van rundertalg, waardoor mensen die zich ermee wasten roken alsof ze zó de oven in konden.

'Rook ze naar bloemen?' vroeg ze. 'Naar rozen? Lavendel? Kamille?' Maar ze wist dat het geen zin had; zelfs als Bertha met deze planten bekend zou zijn, zou ze ze toch alleen maar kennen bij plaatselijke namen die Adelia vreemd waren.

Toch was het een aanknopingspunt. Een doodgewone vrouw die paddenstoelen zocht in een bos zou nooit naar geparfumeerde zeep ruiken, als ze al zeep gebruikte.

Terwijl ze opstond zei Adelia: 'Als je iemand tegenkomt die net zo ruikt als zij, wil je me dan waarschuwen?'

Bertha knikte. Haar blik was strak gericht op het kruisje om Adelia's hals, alsof het, ook al kende ze de betekenis ervan niet, haar nog steeds hoop schonk.

Maar waar zou zij op kunnen hopen, dat arme kind?

Met een zucht maakte Adelia het kettinkje los en liet het met het kruisje in Bertha's vieze handje vallen, waarna ze haar vingers eromheen vouwde. 'Hou jij dit maar, tot ik er eentje speciaal voor jou kan kopen,' zei ze.

Het ging haar aan het hart om dit te doen, niet vanwege de symboliek van het kruisje – Adelia had met te veel religies kennisgemaakt om al haar geloof in slechts één daarvan te stellen –, maar omdat ze het had gekregen van Margaret, haar oude min, een ware christen, die tijdens de reis naar Engeland was overleden.

Maar ik heb liefde gekend. Ik heb mijn kind, mijn werk, mijn vrienden, dacht Adelia.

Bertha, die niets van dat alles bezat, klemde het kruisje vast en dook er met een kreetje van plezier mee terug in het stro.

Toen ze door het donker terugliepen, zei Jacques: 'Gelooft u dat dat varkentje echt uw truffel voor u kan vinden, meesteres?'

'Dat kon nog weleens moeilijk worden,' moest Adelia toegeven, 'maar Bertha's neus is waarschijnlijk de beste detector die we hebben. Als ze de geur van die oude vrouw ooit weer ruikt, zal het zijn bij iemand die buitenlandse zeep gebruikt en ons kan vertellen waar die vandaan komt, en de leverancier zou ons op zijn beurt een lijst met klanten kunnen geven.'

'Slim bedacht.' De stem van de boodschapper was vol bewondering.

Na een poosje zei hij: 'Denk u dat de koningin er echt bij betrokken was?'

'Iemand wil graag dat wij dat denken.'

5

O p de helling boven een zachtglooiende vallei hielden vier ruiters uit Godstow die vergezeld werden door een hond de teugels in en lieten hun blik gaan naar het hoofdgebouw en de bij-
gebouwen die de top van de tegenoverliggende heuvel bekroonden.

Na een stilte maakte Adelia de ietwat domme opmerking: 'Hoe moeten daar in vredesnaam kooplieden doorheen dringen?'

'In mijn tijd lukte dat je met een bosje bloemen en een glimlach,' zei
de bisschop.

De mannen links en rechts van haar snoven.

'Ik bedoel de doolhof,' zei ze.

Rowley knipoogde. 'Ik ook.'

Nog meer gesnuif.

Lieve help, schuine grappen. Niet dat ze hun dat kwalijk kon nemen;
van hieraf zag Wormhold Tower en omgeving eruit als... nou ja, als iets
onbetamelijks. Een hoge, slanke toren met een strakke koepel erop – het
geheel leek nog meer op een penis doordat er een smal looppad omheen
liep – rees op uit de omringende doolhof die volgens mannen vrouwelijk schaamhaar verbeeldde. De omtrek ervan leek wel op de heuveltop
te zijn gekrabbeld door een ondeugende adolescente reus – een graffito
die zich aftekende tegen de lucht.

De bisschop had hen hier in een handgalop naartoe gebracht, bang
dat slecht weer hen zou belemmeren, maar nu de toren in zicht was,
maakte hij zich daar niet langer zorgen om, en door de opluchting die
dat gaf wist hij een goeie schuine mop wel te waarderen.

Het was in feite een makkelijke rit geweest naar het noorden, met de
rivier als jaagpad die vanaf Godstow doorliep tot minder dan een halve
mijl van de toren vandaan. Zo makkelijk zelfs dat Adelia er nieuwe
kracht uit putte en haar eigen angst dat het weer haar zou verhinderen
terug te keren naar haar kind van zich af had gezet.

De roeiers die ze waren tegengekomen hadden hen gewaarschuwd dat
er nog meer sneeuw aan zat te komen, maar daar was geen spoor van te

zien. Het was een wolkeloze dag, en hoewel de zon de sneeuw die de afgelopen nacht was gevallen nog niet had doen smelten, was het onmogelijk geweest om níét te genieten van het landschap dat als witte was
lag uitgespreid om te drogen aan een helderblauwe lucht.

Verder naar het zuiden, op de rivier waar ze net vandaan waren gekomen, kwamen Mansur en de twee krijgers van de bisschop, samen met
wat mannen van Godstow, aan met een sloep waarop het lichaam van
Rosamunde teruggebracht zou worden naar het klooster – als bisschop
Rowley het eenmaal zou hebben opgespoord.

Maar om te beginnen moesten ze door de doolhof heen zien te komen die de drempel van de dode vrouw bewaakte – een vooruitzicht
waarbij de oude Adam in Adelia's metgezellen zich deed gelden.

'Ik zei het je toch?' zei Rowley tegen Adelia, maar met een knipoog
naar Walt. 'Heb ik niet gezegd dat het de grootste kuisheidsgordel van
de hele christenheid was?'

Hij probeerde haar te provoceren. Geen aandacht aan schenken.
'Maar ik had niet gedacht dat hij zó groot zou zijn,' zei ze, waarna ze
om zichzelf zuchtte. Alweer iets wat voor tweeërlei uitleg vatbaar was en
wat de mannen deed gniffelen.

Nou, ze had het echt niet gedacht. Het labyrint van Sint-Giorgio in
Salerno werd door de stad als een wonder beschouwd, en men zei dat
het qua lengte en ingewikkeldheid stond voor de reis van de ziel door
het leven. Maar dit geval tegenover haar was kolossaal. Het omgaf de
hele toren en vormde een ring die zo dik was dat hij een flink stuk van
deze heuvel in beslag nam en erachter verdween. De buitenmuur was
wel tweeënhalf tot drie meter hoog, terwijl het binnenste ervan vanaf
deze afstand leek te zijn volgepropt met witte wol.

De priores van Godstow had haar erover verteld voordat ze was weggereden. 'Sleedoorn,' had Havis vol afkeer gezegd. 'Geloof je dat nou?
Muren van graniet waar sleedoorn tegenaan is geplant.'

Datgene waar Adelia naar keek bestond uit steen en hagen, die in bevroren golvingen allerlei bochten en kronkels beschreven. Op een gordel lijkt het niet, vond ze; eerder op een slang: een enorme wurgslang.

Walt zei: 'Het lijkt me nog een hele klus om hier de hagen te moeten
snoeien', waarop Rowley bijna van zijn paard kukelde. Jacques had een
brede grijns op zijn gezicht, blij om te zien dat zijn bisschop zich ontspande.

Havis had Adelia gewaarschuwd voor wat haar te wachten stond. De oorspronkelijke doolhof, had ze verteld, was rond de toren gebouwd door een gekke Saksische tovenaar en was uitgebreid door de al even grote gek die hem had verdreven, een Normandiër, een van de ridders van Willem de Veroveraar, om te voorkomen dat zijn vijanden binnenkwamen en zijn vrouwen naar buiten. De afstammelingen van de Normandiër waren op hun beurt onteigend door Hendrik Plantagenet, die het wel een geschikte plek vond om zijn maîtresse onder te brengen, omdat het grensde aan het bos van Woodstock, waar hij een jachthut bezat.

'Een architecturale obsceniteit,' had de priores het boos genoemd. 'Een bouwwerk van mannelijke verdorvenheid. De plaatselijke bewoners hebben er ontzag voor, ook al laten ze zich er smalend over uit. Die arme lady Rosamunde. Ik ben bang dat de koning het wel amusant vond om haar daar op te sluiten.'

'Dat denk ik ook.' Adelia was bekend met het gevoel voor humor van Hendrik Plantagenet.

En dat van Rowley.

'Natuurlijk kom ik erdoorheen,' zei de bisschop nu, in antwoord op een vraag van Jacques. 'Dat is me al eerder gelukt. Een stukje naar rechts en dan weer naar links, en dan is iedereen blij.'

Terwijl ze naar het gelach luisterde, begon Adelia met Rosamunde te doen te krijgen. Zou ze het erg hebben gevonden om op een plek te wonen die elke man die hem zag ertoe uitnodigde – of zeg maar gerust: hem dwong – dubbelzinnige opmerkingen te maken?

De arme vrouw. Zelfs nu ze dood was werd haar weinig respect betoond.

Nu er sneeuw op de muren en takken van het omringende labyrint lag, leek de toren op te rijzen uit dicht wit schuim. Adelia moest onwillekeurig denken aan een patiënt, een oudere man voor wie haar stiefvader had gezorgd en aan wiens lichaam hij Adelia had laten zien hoe een hernia in het bekken kon worden genezen. Opeens had de patiënt, tot zijn beschamende verrassing, een erectie gekregen.

Dát is wat er tegen de lucht is gekrabbeld, bedacht ze: de laatste snik van een oude man.

Ze wendde zich naar Rowley. 'Hoe. Moeten. We. Naar. Binnen?' zei ze, duidelijk articulerend. 'En probeer voor ogen te houden dat er hier sprake is van een overleden vrouw.'

Hij wees met zijn duim. 'We luiden de klok.'

Omdat ze zo gefascineerd was geweest door de toren, was die haar niet opgevallen, ook al stond hij maar een paar meter verderop op de heuvelflank, naast een paardentrog. Zoals alles wat deel uitmaakte van Wormhold was die heel bijzonder: een tweeënhalve meter hoog houten trapezium dat in de grond was verankerd, waar een klok aan hing die even zwaar was als die in de carillons van kathedralen.

'Toe maar, Jacques,' zei de bisschop. 'Geef maar even een belletje.'

De boodschapper steeg af, liep naar de klok en zwiepte het rode touw heen en weer dat aan de klepel zat.

Adelia klemde zich vast aan haar merrie toen die vooruitschoot en Walt pakte snel de teugels van Jacques' rijdier om te voorkomen dat het zou steigeren. Vogels vlogen tussen de bomen uit; een zwerm roeken begon met veel gekras om de klok heen te vliegen terwijl de zware bariton daarvan over de vallei schalde. Zelfs Hoeder, die meestal zo lauw reageerde als een bastaardhond maar kon zijn, keek op en liet een blaf horen.

De echo's bleven door de lucht zingen en gingen vervolgens over in stilte.

Rowley vloekte. 'Het is weer zover,' zei hij. 'Waar zit die Dakers? Is ze soms doof?'

'Dat zal haast wel,' zei Jacques. 'Van dat geluid worden de doden nog wakker.' Toen besefte hij wat hij had gezegd. 'Neem me niet kwalijk, my lord.'

De zware klok werd voor een tweede keer geluid, en de aarde leek ervan te trillen. Maar weer gebeurde er niets.

'Ik dacht dat ik iemand zag,' zei Walt, zijn ogen dichtknijpend tegen de zon.

Adelia dacht hetzelfde: een zwarte veeg op de ommegang van de toren. Maar nu was die alweer weg.

'Op een bisschop zou ze wel gereageerd hebben; ik had mijn bisschopsgewaden moeten aantrekken,' zei Rowley, die in jachttenue was gehuld. 'Nou ja, daar is nu niets meer aan te doen. We kunnen onszelf ook wel een weg zoeken; ik weet de route nog precies.'

Hij stuurde zijn paard de heuvel af naar de vallei, zijn mantel wapperend achter hem aan. De anderen volgden hem iets minder onstuimig.

Toen ze bij de ingang van de doolhof kwamen, konden de mannen het weer niet laten. In plaats van een boogdoorgang kwamen twee stenen ellipsvormen boven- en onderaan bij elkaar, zodat ze een drie meter hoge opening vormden die deed denken aan een vulva, een gelijkenis die nog werd benadrukt door een sierrand van in het steen uitgehouwen slangen die diverse vruchten in en uit kronkelden.

Het was moeilijk om de paarden erdoorheen te krijgen, hoewel de opening daar wel groot genoeg voor was; ze moesten geblinddoekt worden om erdoor te stappen, waarmee ze, als je het Adelia vroeg, blijk gaven van meer fatsoen dan de mannen die aan hun teugels trokken.

Binnen was het niet prettig. Het pad dat voor hen lag was vrij breed, maar overdekt door sleedoorn, zodat de zon werd buitengesloten en ze gehuld werden in het vage grauwe licht van een tunnel en de geur van dode bladeren. De overdekking was te laag voor hen om op hun paard te kunnen stijgen; ze zouden met de paarden aan de hand moeten lopen.

'Kom mee.' Rowley haastte zich voort, met zijn paard op een drafje.

Na een paar bochten konden ze geen vogels meer horen zingen. Toen kwamen ze bij een splitsing en zagen ze twee tunnels, elk even breed als de tunnel waar ze doorheen gekomen waren, de ene naar links en de andere naar rechts.

'Deze kant op,' zei de bisschop. 'We draaien noordoostwaarts naar de toren. Gewoon gevoel voor richting houden.'

De eerste twijfel sloop Adelia's gedachten binnen. Het klopte niet dat ze moesten kiezen. 'My lord, ik weet niet of dit wel...'

Maar hij was al vooruitgegaan.

Nou ja, hij was hier eerder geweest; misschien wist hij echt de weg. Adelia volgde hem in een trager tempo; haar hond dribbelde achter haar aan, en daarachteraan kwam Jacques. Ze hoorde Walt, die de achterhoede vormde, brommen: 'Wormhold – goeie naam voor al die rottige slingerpaden.'

Wyrmhold. Maar natuurlijk! Op markten maakten de professionele verhalenvertellers die de Engelsen nog steeds *skalds* noemden hun publiek bang met verhalen over de grote slang/draak – of *wyrm* – die zich kronkelend een weg baande door Saksische legendes zoals de tunnels kronkelden door dit labyrint.

Weemoedig herinnerde Adelia zich dat Gyltha's Ulf dol was geweest op die verhalen en vaak speelde dat hij de Saksische krijger was – hoe heette hij ook alweer? – die een dergelijk monster had gedood.

Ik mis Ulf. Ik mis Allie. Ik wil niet in het hol van de wyrm zijn.

Ulf had het haar genietend beschreven: *Het was afschuwelijk, diep in de aarde, en het stonk er naar het bloed van dode mannen.*

Nou, die stank werd hun in elk geval bespaard. Maar je rook wel aarde en had het gevoel dat je onder de grond zat, naar binnen geperst zonder dat er een weg naar buiten was. En zo had de Daedalus die deze ellende had bedacht het ook bedoeld, bedacht ze. Het verklaarde de sleedoorn; als die er niet was geweest, hadden ze over een muur heen kunnen klimmen, kunnen zien waar ze naartoe gingen en frisse lucht kunnen inademen, maar sleedoorn had stekels die, net als de wyrm, je vlees aan stukken scheurden.

Bang was ze niet – ze wist hoe ze naar buiten moest komen –, maar het viel haar wel op dat de mannen die bij haar waren het lachen inmiddels was vergaan.

De volgende bocht voerde naar het zuiden en kwam uit bij nog drie tunnels. Nog steeds zonder te aarzelen koos Rowley het laantje aan de rechterkant.

Na de bocht daarop splitste de weg zich weer. Adelia hoorde Rowley vloeken. Ze reikhalsde om langs zijn paard heen te kijken wat daar de oorzaak van was.

Dat was een doodlopend pad. Rowley had zijn zwaard getrokken en prikte ermee in een haag die de weg blokkeerde. Uit het geschraap van metaal op steen bleek dat er een muur achter het gebladerte verstopt zat. 'Vervloekt, die schoft! We zullen langs dezelfde weg terug moeten.' Hij verhief zijn stem. 'Terug naar achteren, Walt.'

De tunnel was niet breed genoeg om de paarden te keren zonder dat die daarbij schrammen zouden oplopen aan hun hoofd en achterhand, die hen niet alleen zouden verwonden, maar waar ze ook van in paniek zouden raken.

Adelia's merrie wilde niet achteruitlopen; ze wilde ook niet doorlopen. Het dier wilde – heel verstandig – alleen maar stil blijven staan. Rowley moest zich langs zijn eigen paard heen wurmen om het hare met beide handen bij het hoofdstel te pakken en te duwen, totdat hij het dier had overgehaald om achteruit te stappen naar de ingang van het doodlopende weggetje, waar ze hun gelederen konden hergroeperen.

'Ik zei toch dat we het noordoosten aan moesten houden?' zei hij tegen Adelia, alsof zij deze route had gekozen.

'Waar is het noordoosten dan?'

Maar geïrriteerd was hij alweer weggelopen, zodat ze haar weerspannige merrie in een drafje achter zich aan moest zien te slepen om hem niet uit het oog te verliezen.

Alweer een tunnel. Nog een. Ze hadden net zo goed in grijze wol gewikkeld kunnen zijn die om hen heen steed dikker werd. Ze had nu elk gevoel voor richting verloren. Rowley ook, vermoedde ze.

In de volgende tunnel raakte ze Rowley kwijt. Ze stond op een splitsing en kon niet zien welke aftakking hij had genomen. Ze keek achterom naar Jacques. 'Waar is hij nou heen?' En tegen de hond: 'Waar is hij, Hoeder? Welke kant is hij op gegaan?'

Het gezicht van de boodschapper stond grauw, en dat kwam niet alleen maar door het licht dat door het dak heen filterde; hij zag er ook ouder uit. 'Komen we hier nog uit, meesteres?'

Troostend zei ze: 'Natuurlijk wel.' Ze wist hoe hij zich voelde; het stekelige baldakijn boven hen hield hen gevangen; ze waren net mollen, alleen dan zonder de mogelijkheid die mollen hebben om naar de oppervlakte te komen.

Gedempt klonk Rowleys stem: 'Waar zitten jullie in vredesnaam?' Het was onmogelijk om hem te lokaliseren; de tunnels absorbeerden het geluid en leidden het om.

'Waar ben je?'

'In godsnaam, blijf staan, ik kom terug.'

Ze bleven roepen om hem te gidsen. Hij riep op zijn beurt voornamelijk verwensingen. Hij vloekte in het Arabisch dat hij op kruistocht had geleerd, de taal waarin hij het liefst vloekte. Soms klonk zijn stem zo dichtbij dat ze opsprongen, waarna hij weer vervaagde en een holle klank kreeg terwijl hij tekeerging tegen doolhoven in het algemeen en deze doolhof in het bijzonder. Tegen vrouw Dakers en die rotslang van haar... Tegen Eva met háár rotslang... Zelfs, gek genoeg, nadat hij zijn mantel had opengehaald aan de sleedoorn, tegen Rosamunde en haar snertpaddenstoelen.

Hoeder spitste zijn oren naar alle kanten; zijn bazinnetje dacht dat hij de tirade misschien met welgevallen aanhoorde, want hij was tenslotte ook van het mannelijk geslacht.

Vrouwen moesten de schuld krijgen, altijd vrouwen. Hij zou nooit de man die deze verschrikking had gebouwd vervloeken, of de koning die Rosamunde ermiddenin gevangenhield.

Toen dacht ze: ze zijn bang. Nou, Walt misschien niet, maar Rowley wel. En Jacques zeer zeker.

Uiteindelijk doemde er een forse gestalte uit de schaduw voor hen op, die een paard bij de hand leidde en naar haar toe kwam. De gestalte riep: 'Wat sta je daar nou, mens? Ga terug. We hadden de laatste afslag moeten nemen.'

Weer was het haar fout. En weer wilde de merrie niet in beweging komen, totdat de bisschop haar hoofdstel pakte en duwde.

Om hem niet voor schut te zetten ten overstaan van de twee andere mannen, dempte Adelia haar stem toen ze zei: 'Rowley, dit is geen labyrint.'

Hij dempte de zijne niet. 'Nee, dat is het zeker niet. We zitten midden in de ingewanden van Grendels moeder, dáár zitten we, verdorie.'

Ineens bedacht ze iets. *Beowulf.* Zo luidde de naam. Beowulf, Ulfs favoriet onder alle legendarische Saksische krijgers, doder van de wyrm, de man die het halfmenselijke monster Grendel had neergeslagen, en Grendels verschrikkelijke wraakzuchtige moeder.

Waardeloos wijf, grensloopster, had Ulf over Grendels moeder gezegd, wat betekende dat ze zich in de gedaante van een vrouw ophield op de scheidslijn tussen aarde en hel.

Adelia begon zich kwaad te maken. Waarom kregen vrouwen toch altijd overal de schuld van... echt overál van, van de val van de mensheid tot en met deze rotheggen?

'We zijn niet in een labyrint, my lord,' zei ze met heldere stem.

'Waar zijn we dan wel?'

'Het is een doolhof.'

'Dat is hetzelfde.' En blazend tegen het paard: 'Achteruit jij, grote koe!'

'Nee, dat is het niet. In een labyrint is maar één pad en dat hoef je alleen maar te volgen. Het is een symbool van het leven, of beter gezegd: van leven en dood. In labyrinten zijn overal bochten en draaiingen, maar ze hebben een begin en een einde, van het donker naar het licht.' Terwijl ze verzachtte, en hoopte dat hij dat ook zou doen, voegde ze eraan toe: 'Net als het labyrint van Ariadne. Eigenlijk best wel mooi.'

'Ik zit niet te wachten op mythologie, meesteres, mooi of niet mooi. Ik wil bij die klotetoren zien te komen. Wat heb je er nou aan om in een doolhof te wonen?'

'Het is een truc. Een truc om te verwarren. Om mensen vol verbijstering in te laten dolen.'

'En de Vrouw die Alles Weet kan ons hier zeker ook weer uit krijgen?'

'Inderdaad. ja.' Goeie help, hij hoonde haar – hoon! Ze overwoog even te blijven waar ze was en hem eens flink te laten zweten.

'In Christus' naam, doe dat dan!'

'Blaf me niet zo af,' riep ze hem toe. 'Je blaft me af.'

Ze zag hem knarsetanden terwijl hij zijn best deed verzoenend te glimlachen; hij had altijd een goed gebit gehad. Nog steeds. Hij zei: 'De bisschop van St. Albans biedt meesteres Adelia zijn complimenten aan en verzoekt haar met Gods welnemen hem te vergezellen uit dit helle-gat. Hoe ga je dat doen?'

'Dat is mijn zaak.' Ze ging het hem lekker niet vertellen; vrouwen waren al weerloos genoeg zónder dat ze hun geheimen onthulden. 'Ik moet vooropgaan.'

Ze zagen zich genoodzaakt de paarden achteruit te duwen naar een van de kruisingen, waar net genoeg ruimte was om elk dier zonder schade te laten keren, maar niet genoeg om elkaar te passeren, dus leid-de Adelia uiteindelijk Walts rijdier bij de hand, terwijl Walt met het paard van de boodschapper achter haar aan kwam, met Jacques achter hem met haar paard, en Rowley in de achterhoede met zijn eigen ros.

De manoeuvre werd wrokkig verricht. Zelfs Jacques, haar bondge-noot, merkte op: 'Hoe moet ú ons hier nou uit krijgen, meesteres?'

'Dat gaat me lukken.' Ze zweeg even. 'Al kan het even duren.'

Ze strompelde voorop verder, met de teugels van het paard in haar rechterhand. In de andere had ze haar rijzweep, die ze zogenaamd non-chalant langs de haag aan haar linkerkant liet strijken.

Al lopend mompelde ze bij zichzelf: 'God, wat word ik hier gemin-acht in dit rotland. Wat worden alle vrouwen geminacht.'

Ze was weer helemaal terug bij de argumenten waarom ze niet met Rowley had willen trouwen. Destijds had hij verwacht dat de koning hem een baronie zou aanbieden, en geen diocees, zodat hij er een echt-genote op na zou kunnen houden. Ook al was ze nog zo dol op hem, als ze ja had gezegd zou dat hebben betekend dat ze haar polsen als het ware in gouden boeien legde en zou moeten toekijken hoe hij die dicht-klikte. Als zijn echtgenote had ze nooit zichzelf kunnen zijn: een *medica* uit Salerno.

Adelia bezat geen van de vereiste vrouwelijke vaardigheden; ze kon niet goed dansen, speelde geen luit, had nog nooit een borduurraam aangeraakt – haar naaiwerk was beperkt gebleven tot het dichtrijgen van de kadavers die ze had ontleed. In Salerno had ze zich mogen bekwa-men op terreinen die haar lagen, maar in Engeland was daar geen ruim-te voor geweest. De Kerk veroordeelde vrouwen die zich niet conformeerden; omwille van haar eigen veiligheid was ze genoodzaakt geweest om in het geheim als dokter te werken en een man met de eer van haar werk te laten strijken. Als de echtgenote van baron Rowley zou ze gevierd zijn, complimentjes hebben gekregen, en zou men voor haar hebben gebogen als een knipmes, zolang ze maar zou ontkennen wie ze werkelijk was. En hoe lang zou ze dat hebben volgehouden?

Gek genoeg gold dat hoe lager op de sociale ladder vrouwen stonden, hoe groter hun vrijheid was; de vrouwen van arbeiders en handwerkslieden konden zij aan zij met hun man werken – soms namen ze zelfs, als ze weduwe waren geworden, het werk van hun man over. Totdat ze Adelia's vriendin en Allies kindermeid was geworden, had Gyltha een bloeiende handel in paling gehad, zonder dat een man voor haar de dienst uitmaakte.

Adelia stapte voort. *Hellegat. Ingewanden van Grendels moeder.* Waarom zagen de mannen die op deze afschuwelijke plek verdwaald waren die als vrouwelijk? Vanwege al die tunnels? Omdat het hier aan een baarmoeder deed denken? Is dat vrouwenmagie: de grote schoot? Is dat de reden waarom de Kerk me zo haat, waarom die alle vrouwen haat: omdat wij de bron zijn van alle ware macht? Van het leven?

Ze nam aan dat ze, door hen naar buiten te leiden, alleen maar bevestigde dat een vrouw op de hoogte was van de geheimen ervan, en zij niet. Grote god, dacht ze, het is niet eens een kwestie van haat; het gaat om angst. Ze zijn bang van ons.

En Adelia lachte in stilte, waarbij maar een heel klein geluidje naar achteren door de tunnel echode, alsof er een kiezel over water scheerde en elke man langs wie het geluid passeerde er even van opschrok.

'Wat was dat in vredesnaam?'

Walt riep onverstoorbaar terug: 'Volgens mij lacht iemand ons uit, meester.'

'Goeie god.'

Nog steeds grijnzend zag Adelia toen ze een blik over haar schouder wierp dat Walt haar aankeek. Zijn gezicht stond geamuseerd, vriendelijker dan eerst. Zijn ogen waren gericht op haar rijzweep, waarmee ze nog steeds met haar linkerhand langs de haag streek. Hij gaf haar een knipoog.

Hij weet het, ging het door haar heen. Ze knipoogde terug.

Hoewel ze zich gesterkt voelde door deze nieuwe bondgenoot, versnelde ze niettemin haar pas, omdat ze toen ze zich omdraaide haar ogen moest dichtknijpen om Walts gezichtsuitdrukking te doorgronden. Zijn gezicht was net zo onscherp alsof ze het door een waas zag.

Het licht om hen heen nam af.

Buiten was het vast nog steeds middag, maar de lage winterzon hulde deze kant van de doolhof – welke dat ook was – in schaduw. Ze dacht er maar liever niet aan hoe het hier in het donker zou zijn.

Het was nu al behoorlijk angstaanjagend. Door de haag aan de linkerkant te blijven volgen, kwamen ze keer op keer in doodlopende stukken terecht, zodat ze erg moe werden van de klus om de steeds onrustigere paarden te moeten keren. Elke keer kon ze Rowley horen foeteren: 'Weet dat mens wel waar ze in vredesnaam mee bezig is?'

Daar begon ze zelf ook aan te twijfelen. Er was maar één kwellende vraag: vormen de heggen een doorgaande lijn? Als er een onderbreking in zat, als één deel van deze doolhof losstond van de rest, dan konden ze ronddwalen tot ze erin stikten.

Naarmate de tunnels donkerder werden, voegden de schaduwen zich voor haar uit samen tot een lichaamloos gezicht, dat boosaardig grijnsde en haar onmogelijke dingen leek toe te fluisteren: *Je komt er toch niet uit. Ik heb de openingen gedicht. Je zit hier gevangen. Je ziet je baby niet meer terug.*

Bij die gedachte kreeg ze klamme handen, zodat de rijzweep uit haar greep glipte. Toen ze ernaar graaide, stootte ze tegen de heg, waardoor er een kleine lawine van bevroren sneeuw op haar hoofd en gezicht terechtkwam. Daardoor kwam ze weer bij haar positieven. Hou eens op, tovenarij bestaat niet. Ze sloot haar ogen voor de muil van het monster en haar oren voor Rowleys gevloek – door de beweging die ze had gemaakt, kreeg de hele rij sneeuw over zich heen – en haastte zich verder.

Walt merkte op, alsof er niets bijzonders aan de hand was, goddank: 'Ik snap niet hoe ze deze hagen bijhouden. Die moeten vast wel twee keer per jaar worden gesnoeid. Dat vergt heel wat mankracht, meesteres. En een koning om hun loon te betalen.'

Dat wás ook niet goed te snappen, nam ze aan, en hij had gelijk: je zou over een klein leger moeten beschikken om de doolhof te onderhouden. 'Niet alleen om te snoeien, maar ook om op te ruimen,' zei ze. Want er lag geen snoeisel op de paden. 'Ik zou niet willen dat mijn hond een doorn in zijn poot kreeg.'

Walt wierp een blik op het dier dat achter Adelia aan dribbelde en waarmee hij nu al geruime tijd in een krappe ruimte samen was. 'Is hij van een speciaal ras? Ik heb nog nooit zo'n hond gezien.' En de manier waarop hij snoof maakte duidelijk dat hij er geen haast mee zou maken om naar die informatie te zoeken.

Ze haalde haar schouders op. 'Ik ben eraan gewend geraakt. Ze worden speciaal gefokt voor die stank. Prior Geoffrey uit Cambridge deed me de voorganger van deze hond cadeau toen ik in Engeland aankwam, zodat ik op te sporen zou zijn mocht ik verdwalen. En hij gaf me een andere hond toen de eerste... doodging.'

De hond was omgekomen en verminkt toen ze de moordenaar van de kinderen in Cambridge had achtervolgd tot in een hol dat duizendmaal verschrikkelijker was dan dit. Maar het geurspoor dat hij had achtergelaten had haar gered, en zowel de prior als Rowley had er sindsdien op aangedrongen dat ze zich altijd door een dergelijk dier moest laten vergezellen.

Walt en zij zetten hun gesprekje voort en hun stemmen werden geabsorbeerd door de wirwar van struiken die hen omsloot. Walt verachtte haar niet langer; het bleek dat hij goed met vrouwen overweg kon. Hij had zelf dochters, vertelde hij haar, en een capabele echtgenote die hun boerderijtje voor hem draaiende hield als hij op pad moest. 'En dat ben ik nogal eens, nu bisschop Rowley is gekomen. Hij koos mij uit alle dienaren van de kathedraal om hem op zijn reizen te vergezellen.'

'Dan heeft hij een goede keus gemaakt,' liet Adelia hem weten, en inmiddels meende ze dat.

'Ja, dat geloof ik ook. Anderen zijn meneer de bisschop niet zo toegewijd. Maar ik vind het niet zo fijn dat hij op zo'n goede voet staat met koning Hendrik, en dat ze die arme Sint-Thomas in Canterbury zo nodig moesten afslachten.'

'Dat snap ik,' zei ze. Zij had het wel geweten: toen Rowley tegen hun wens in door de koning was benoemd, kreeg hij te maken met vijandigheid van de beambten en dienaren uit zijn eigen diocees.

Adelia had nooit precies geweten of het wel terecht was dat Hendrik Plantagenet alom als schuldige werd aangewezen voor de moord op Thomas à Becket op het bordes van zijn eigen kathedraal, ook al had de koning toen hij in een ander land verbleef in zijn woede tot die moord opgeroepen. Was Hendrik, toen hij had uitgeroepen dat de aartsbisschop dood moest, zich ervan bewust geweest dat een deel van zijn ridders, die zo hun eigen redenen hadden om Becket dood te wensen, uit zouden rukken om te zorgen dat het voor elkaar kwam?

Misschien. Misschien ook niet.

Maar als koning Hendrik niet tussenbeide was gekomen, zouden de volgelingen van Sint-Thomas haar hebben veroordeeld tot de geselpaal – en dat was bijna gebeurd ook.

Zij stond aan Hendriks kant. De tot martelaar uitgeroepen aartsbisschop had geen onderscheid gemaakt tussen de grootheden Kerk en God; die waren beide onfeilbaar, en hun wetten moesten zonder vragen te stellen en zonder er iets aan te wijzigen gehoorzaamd worden, zoals dat altijd was gedaan. Hendrik, die met al zijn feilen een stuk menselijker was, had veranderingen willen aanbrengen waar niet de Kerk, maar zijn mensen beter van zouden worden. Becket had daar waar hij maar kon een stokje voor gestoken, en reed hem vanuit het graf nog steeds in de wielen.

'Ik en Oswald en meester Paton en de jonge Jacques, wij deden ons werk allemaal voor het eerst, ziet u,' vertelde Walt verder. 'Wij hadden niets op bisschop Rowley tegen, niet zoals de oude garde, die kwaad op hem was omdat hij achter de koning stond. Meester Paton en Jacques, die traden op dezelfde dag dat hij werd geïnstalleerd in functie.'

Dus vanwege de brede kloof tussen de koning en de martelaar die door het diocees van St. Albans liep, had de nieuwe bisschop bedienden uitgezocht die even nieuw waren in hun rol als hijzelf in de zijne.

Mooi zo, Rowley. Aan Walt en Jacques te zien heb je daar goed aan gedaan, bedacht Adelia.

Maar de boodschapper bleek minder te kunnen hebben dan de dienaar. 'Moeten we om hulp roepen, heer?' vroeg hij aan Rowley.

Ditmaal gaf zijn bisschop hem vriendelijk antwoord. 'Het kan nu niet lang meer duren, jongen. We zijn er bijna uit.'

Dat kon hij helemaal niet weten, maar het was wel zo; daar had Adelia zojuist bewijs van gezien, hoewel ze bang was dat de bisschop er niet echt blij mee zou zijn.

Walt bromde wat. Hij had gezien wat zij had gezien: voor hen uitlagen ronde keutels mest.

'Die heeft hij laten vallen toen we hier eerder waren,' zei Walt zachtjes met een knikje naar het paard dat Adelia met zich meevoerde; het was zijn eigen paard, het laatste in de rij toen ze de doolhof waren binnengegaan. Het viertal zou snel de doolhof uit zijn – maar dan wel precies op de plek waar ze erin waren gegaan.

'Er is altijd vijftig procent kans,' zei Adelia met een zucht. 'Verdorie.'

De twee mannen achter hen hadden de uitwisseling niet gevolgd, en de eerste de beste hoop paardenkeutels zei hun ook helemaal niks meer tegen de tijd dat de hoeven van de voorste twee paarden ze in het langslopen plat hadden getrapt.

Weer een bocht in de tunnel. Licht. Een opening.

Omdat ze bang was voor de uitbarsting die wel moest volgen, leidde Adelia haar paard door de opening de doolhof van de wyrm uit, de frisse, geurloze koude lucht in, waar de ondergaande zon de grote klok in zijn trapezevormige staketsel verlichtte op de heuvel die ze bijna twee uur tevoren waren afgedaald.

Een voor een kwamen de anderen tevoorschijn. Er daalde een stilte neer.

'Het spijt me wel, het spijt me wel,' riep Adelia om die te doorbreken. Ze keek Rowley aan. 'Snap je, als een doolhof doorloopt, als er geen onderbrekingen zijn en als alle hagen met elkaar verbonden zijn, en als je er dan eentje volgt en die blijft volgen, waar hij ook heen gaat, dan kom je er uiteindelijk uit, dat móét, het is onvermijdelijk, alleen...' Haar stem stierf kleintjes weg. 'Ik heb alleen de linkerheg gekozen. Dat was de verkeerde.'

Nog meer stilte. In het afnemende licht fladderden kraaien opgewonden boven de kruinen van de iepen; hun kreten dreven de spot met de aan de aarde gebonden dwazen onder hen.

'Neem me niet kwalijk,' zei de bisschop van St. Albans beleefd. 'Begrijp ik het goed, verdorie, dat als we de rechterhaag gevolgd zouden hebben, we uiteindelijk de bestemming zouden hebben bereikt waar we al van begin af aan heen hadden gewild?'

'Ja.'

'De rechterhaag dus?' hield de bisschop aan.

'Nou ja... Als je terug zou gaan, zou dat dus de linker zijn... Wíl je ons weer mee naar binnen nemen?'

'Jazeker,' zei de bisschop.

Lieve god, hij neemt ons weer mee naar binnen. Dat kon weleens een lange nacht worden. Ik vraag me af of Allie het goed maakt.

Ze luidden de grote klok weer, voor het geval de gestalte die ze op de ommegang van de toren hadden gezien zich had bedacht, maar tegen de tijd dat ze de paarden bij de trog te drinken hadden gegeven, was duidelijk geworden dat dat niet het geval was.

Niemand zei iets toen ze zich klaarmaakten om te gaan en er een lantaarn werd aangestoken; het zou daar binnen heel donker zijn.

Rowley zette met een zwaai zijn kap af en knielde neer. 'Wees met ons, Heer, omwille van Uw dierbare Zoon.'

Aldus ging het viertal opnieuw de doolhof binnen. De wetenschap dat er een einde aan moest komen stelde hen enigszins gerust, hoewel het voortdurende draaien en keren om uit doodlopende paden te komen meer gedoe was nu ze moe waren.

'Hoe bent u zoveel over doolhoven te weten gekomen, meesteres?' wilde Walt weten.

'Door mijn stiefvader. Hij had veel door het Oosten gereisd, waar hij er een paar heeft gezien, maar niet zo groot.'

'Dit is echt iets voor die ouwe wyrm, hè? Er moet vast een manier zijn om erdoorheen te komen die ons ontgaat.'

Adelia was het met hem eens. Het moest ondraaglijk ongemakkelijk zijn om op deze manier van de buitenwereld te zijn afgesloten; er moest een kortere weg bestaan. Ze vermoedde dat sommige doodlopende weggetjes die leken uit te lopen op muren van hagen en steen helemaal niet van metselwerk waren voorzien, maar poorten waren met sleedoorn eroverheen getrokken, zodat ze een directere route konden openen en afsluiten.

Maar daar hadden zijzelf en de anderen niks aan. Elke keer onderzoek doen om te kijken of de muur beweegbaar was zou te veel tijd kosten en alleen maar betekenen dat ze nog meer tunnels zouden moeten kiezen die eindigden op vaste muren. Ze waren ertoe veroordeeld de lange weg erdoorheen te nemen.

Die legden ze in stilte af; zelfs Walt deed er het zwijgen toe.

De avond bracht de doolhof tot leven. De lang geleden overleden grapjas die hem had ontworpen probeerde nog steeds hen bang te maken, maar ze kenden hem nu zo langzamerhand. Desondanks had de plek zo zijn eigen manieren om vrees in te boezemen: lantaarnlicht verlichtte een dikke koker van vervlochten takken, alsof de mannen en de vrouw die zich erin bevonden zich door een eindeloze grijze kous heen wurmden waarin het wemelde van de beesten, die zonder zich te laten zien al ritselend hun dorre bestaan kenbaar maakten.

Tegen de tijd dat ze eruit tevoorschijn kwamen was het te donker om te zien of de opening waar ze doorheen stapten net als de ingang rijk was versierd. Het kon hun ook inmiddels niet echt meer schelen; ze waren er allang niet meer op uit om zich vrolijk te maken.

De tunnels hadden hen in zekere zin beschermd tegen de bitter koude lucht die hun nu tegemoet kwam. Afgezien van een uil die, verstoord door hun komst, met trage vleugelslag opvloog van een muur, klonk er geen geluid van de toren die zich aan de andere kant van de binnenhof recht tegenover hen bevond. Hij was zwaarder gebouwd dan hij er vanuit de verte had uitgezien en rees recht en hoog de lucht in, waar sterren ijzig twinkelden als verstrooide diamanten.

Jacques haalde uit zijn zadeltas nog een lantaarn en verse kaarsen tevoorschijn, en leidde de groep naar een zwartere vorm in de schaduwen aan de onderkant van de toren die erop wees dat daar een bordesje naar de ingang was. Sinds het was gaan sneeuwen was er niemand de binnenhof overgestoken – althans geen menselijk wezen, want pootafdrukken van vogels en andere dieren waren er genoeg. Maar deze plek maakte dat natuurlijk ook onmogelijk. Sneeuwheuveltjes bleken achtergelaten spullen te zijn: een kapotte stoel, stukken doek, een vat dat in duigen was gevallen, gebutste pannen, een soeplepel. De sneeuw dekte een chaotisch rommeltje af.

Walt trok struikelend een emmer met een dode kip erin omhoog. Het kadaver van een hond, bevroren terwijl hij zijn tanden ontblootte, lag aan het uiteinde van zijn ketting.

Rowley gaf de emmer een trap, waardoor de dode kip losschoot. 'Wat een stelletje ontrouwe plunderaars!'

Was er hier sprake van plundering?

Het verhaal ging dat toen Willem de Noorman was gestorven, zijn bedienden het lichaam van hun koning meteen hadden uitgekleed en ervandoor waren gegaan met zoveel van zijn spullen als ze maar konden dragen, zodat zijn ridders het lijk van de grote en geduchte Veroveraar naakt hadden aangetroffen op de grond van een lege paleiszaal. Hadden Rosamundes bedienden hetzelfde gedaan zodra hun meesteres de geest had gegeven? Rowley noemde het gebrek aan loyaliteit, maar Adelia herinnerde zich hoe Rosamunde Bertha had verwaarloosd; loyaliteit kon alleen ontstaan als die van twee kanten kwam en voortkwam uit wederzijds respect.

Toen het viertal de deur van de toren bereikte, bleek die te zijn gemaakt van dik, zwart eikenhout, boven aan een bordes met verraderlijk glinsterende treetjes. Een deurklopper was er niet. Ze bonkten op het hout en hoorde het geluid aan de andere kant galmen als in een lege grot. Maar noch een dood, noch een levend mens kwam opendoen.

Dicht bij elkaar – niemand stelde voor dat ze zich zouden splitsen –

liepen ze in ganzenpas om de onderkant van de toren heen, door overwelfde doorgangen naar hoven, naar de plek waar in een andere deur net zo weinig beweging leek te komen als in de eerste. Maar deze bevond zich tenminste op grondniveau.

'We rammen hem in,' verklaarde Rowley.

Maar eerst moesten de paarden verzorgd worden. Er leidde een pad naar een verlaten stalterrein waar een bron was, waar water uit opspatte toen Walt er een steen in gooide, dus hij bleek niet, zoals Walt had gevreesd, bevroren. In de stallen lag stro, al was het niet al te schoon, en de troggen moesten niet lang voordat de vorige bewoners gestolen waren zijn gevuld met haver.

'Het moet maar even zo,' bromde Walt.

De anderen lieten het aan hem over het ijs af te bikken van de windas van de bron.

De plunderaars waren willekeurig en gehaast te werk gegaan. In een voor de rest verlaten stal stond een koe die zich niet had laten stelen, omdat ze net een van haar kalf aan het bevallen was geweest. Beide dieren waren dood, het kalf nog omhuld door het geboortevlies.

Nadat ze onder een waslijn vol lakens zo stijf als metaal heen waren gedoken, onderzochten ze de keukengebouwen. Uit de bijkeuken was het aanrecht verwijderd, en uit de keuken alles behalve een tafel die te zwaar was om te tillen.

Toen ze een kijkje namen in de schuur, vonden ze afdrukken in de aarden vloer die aantoonden dat er op die plek ooit een ploeg en een eg hadden gestaan. En...

'Wat is dit, my lord?'

Jacques hield zijn lantaarn omhoog en scheen op een groot geval in een hoek bij een stapel hout.

Het geval was van metaal. Een losse van een flens voorziene voetplaat vormde de basis voor twee rechtopstaande benen die er met zware veren aan waren vastgemaakt. Beide benen liepen uit in een rij driehoekige ijzeren tanden, die zo waren gevormd dat ze in de tegenoverliggende rij pasten.

De mannen bleven staan.

Walt voegde zich bij hen om ook te kijken. 'Ik heb ze wel gezien zo groot als een mensenbeen,' zei hij langzaam, 'maar nooit zó groot!'

'Ik ook niet,' liet Rowley hem weten. 'God zij genadig, iemand heeft hem zelfs geolied.'

111

'Wat is het?' vroeg Adelia.

Zonder antwoord te geven liep Rowley naar het geval toe en pakte een rij tanden vast. Walt pakte de andere, en met z'n tweeën trokken ze aldus de twee benen uit elkaar, tot die plat op de grond naast elkaar lagen, met de gapende tanden naar boven gericht. 'Goed, Walt. Oppassen nu.' Rowley bukte zich, en terwijl hij de rest van zijn lichaam veilig uit de weg hield, stak hij een arm uit om onder het mechanisme te rommelen. 'Hij werkt met een pal,' zei hij. Walt knikte.

'Wat ís het nou?' vroeg Adelia weer.

Rowley stond op en pakte een houtblok van de stapel. Hij gebaarde naar Adelia dat ze haar hond uit de buurt moest houden. 'Stel je voor dat dit in lang gras ligt. Of onder sneeuw.'

Nu het geval bijna helemaal plat was neergelegd, zou het niet te zien zijn.

Het is een mensenval. O lieve god!

Ze bukte zich en greep Hoeder bij zijn halsband.

Rowley gooide het blok hout op de metalen plaat van de val. Die schoot omhoog als een happende haai. De tanden klemden zich in elkaar vast. De metalige klap leek daarna te komen.

Even later zei Walt: 'Zo grijpt hij je bij je edele delen – neem me niet kwalijk, meesteres. En het heeft ook geen zin om je er nog uit te halen.'

'Zo te zien had onze torenbewoonster niet veel op met stropers,' zei de bisschop. 'Ik heb weinig trek om door haar bossen te gaan lopen dwalen.' Hij veegde zijn handen af. 'Kom op nu. Op deze manier verslaan we de Bulgaren niet, zoals mijn oude opa altijd zei. We moeten een stormram zien te vinden.'

Adelia bleef staan waar ze stond en staarde naar de mensenval. Op zo'n vijfenzeventig centimeter hoogte zouden de tanden zich vastbijten in het onderlijf van een man van gemiddelde lengte en hem zo doorboren. Zoals Walt had gezegd, zou bevrijding van het slachtoffer hem een verschrikkelijke en langdurige dood niet kunnen besparen. De val trilde nog na, alsof hij zijn lippen aflikte.

De bisschop was teruggekomen om haar te halen.

'Iemand heeft dat ding gemaakt,' zei ze. 'Iemand heeft het geolied. Om het te gebruiken.'

'Dat weet ik. Kom nu maar mee.'

'Wat een vreselijke plek is dit, Rowley.'

'Weet ik.'

In een van de buitengebouwen vond Jacques een zaagbok. Door die van opzij bij de poten vast te houden en een aanloop te nemen, wisten Walt en hij bij de derde poging de achterdeur van de toren in te rammen.

Binnen was het bijna net zo koud als buiten. En een stuk stiller.

Ze bevonden zich in een rond vertrek dat, omdat de toren naar boven toe toeliep, groter was dan welke kamers ze ook maar boven zouden aantreffen. Het was geen wachtruimte voor geëerd bezoek, maar eerder een bewakersruimte. Door een paar prachtige wachterszetels, te zwaar om mee te roven, leek het nog ergens naar, maar voor de rest bestond het meubilair uit harde banken en lege wapenrekken. Toortsen waren van de muren gerukt, een kroonluchter van zijn ketting.

Op het stro op de grond lagen her en der nog wat waspitten in houders. Bij het licht van de lantaarns pakten Rowley, Adelia en Walt er ieder eentje op en bestegen de kale trap die omhoogliep langs de muur.

Ze zagen dat de toren bestond uit op elkaar gestapelde ronde ruimtes, als een rolletje apothekerspillen die in stijf papier zijn gewikkeld en dat rechtop is gezet; de toegang bestond telkens uit een zijtrapje met een kleine overloop. Het tweede vertrek waar ze in terechtkwamen was al net zo'n gebruiksruimte als het eerste, en de lege rekken, een paar plukken paardenhaar om mee te boenen en een geur van bijenwas deden denken aan een bovenmaatse werkkast. Daarboven was de meidenkamer: vier houten bedden en verder vrijwel niks. Van alle bedden waren de stromatras en het beddengoed verwijderd.

Alle kamers waren verlaten. De ene was maar iets minder oncomfortabel dan degene daaronder. Een naaikamer – grotendeels geplunderd, maar op de stenen banken die onder de schietgaten waren aangebracht om het licht op te vangen lagen afgescheurde repen stof en een verdwaald speldenkussen. Een gipsen paspop was op de grond gesmeten en scherven ervan leken de overloop op te zijn geschopt.

'Ze hadden een hekel aan haar,' zei Adelia, die door de gewelfde deuropening naar binnen tuurde.

'Wie?'

'De bedienden.'

'Aan wie hadden die een hekel?' De bisschop hijgde inmiddels van het traplopen.

'Aan Rosamunde,' zei Adelia tegen hem. 'Of aan vrouw Dakers.'

'Met deze trappen? Dat kan ik ze niet kwalijk nemen.'

113

Ze grijnsde tegen zijn zwoegende rug. 'Als bisschop eet je te veel en te uitgebreid.'

'Wat je zegt, meesteres.' Hij was niet beledigd. Dat duidde op afwijzing; vroeger zou hij verontwaardigd zijn geweest.

Ik mag het niet vergeten, dacht ze. We zijn niet langer intiem; we moeten afstand houden.

De vierde kamer – of was het de vijfde? – was niet geplunderd, ook al was hij kaler dan de kamers beneden: een laag rolbed, waarvan de grijze gebreide sprei strak was ingestopt; een grenen tafel met een lampetstel erop; een kruk; een onversierde kast met wat vrouwenkleding erin, al even sober en keurig opgevouwen.

'De kamer van Dakers,' zei Adelia. Ze begon een beeld te krijgen van de huishoudster, en dat schrikte haar af.

'Er is hier niemand. Kom, we gaan verder,' antwoordde Rowley.

Maar Adelia was geïnteresseerd. Hier waren de plunderaars opgehouden. Hier – dat wist ze wel bijna zeker – had draak Dakers op de trap gestaan, even angstaanjagend als Bertha haar had beschreven, en hen ervan weerhouden verder te gaan.

Rosamundes wapenschild was uitgehouwen in het oostelijke gedeelte van de westmuur boven Dakers bed; het wapen was geschilderd en verguld, zodat het de grauwe kamer domineerde. Toen Adelia haar kaars ophief om ernaar te kijken, hoorde ze Rowley bij de deur scherp inademen, en ditmaal kwam dat niet door de inspanning.

'Grote god,' zei hij. 'Wat een waanzin.'

Op een uitgesneden buitenschild stonden drie luipaarden en de fleur-de-lis die elke man en vrouw in Engeland inmiddels herkenden als het wapen van hun Angevijnse Plantagenet-koning. Daarbinnen bevond zich een kleiner schild, in vieren gedeeld, met in één kwart een slang en in een ander een roos. Zelfs Adelia's beperkte kennis van heraldiek was voldoende om te beseffen dat ze naar het wapenschild keek van een man en zijn vrouw.

De bisschop, die er ook naar keek, kwam naar haar toe. 'Hendrik. In godsnaam, Hendrik, wat was er in je gevaren dat je dit hebt toegestaan? Het is waanzin.'

Op de muur onder het wapen was een spreuk uitgesneden. Net als de meeste wapenspreuken was het een woordspeling. *Rosa Mundi* – roos van de hele wereld.

'Goeie help,' zei Adelia.

'Goeie Jezus,' verzuchtte Rowley. 'Als de koningin dit zou zien...'

De spreuk en het wapen vormden bij elkaar het summum van spot: *Hij verkiest mij boven jou. Ik ben in alle opzichten zijn echtgenote, behalve in naam, de ware koningin van zijn hart.*

De gedachten van de bisschop schoten vooruit. 'Allejezus, of Eleanora dit nou heeft gezien of niet maakt niet uit. Het is genoeg dat anderen ervan uitgaan dat ze ervan weet en Rosamunde erom heeft vermoord. Het is een reden om een moord te begaan. Het is pronken met andermans veren!'

'Het is alleen maar een stuk steen waar een dwaze vrouw motieven in heeft aangebracht,' protesteerde Adelia. 'Is dat nou zo belangrijk?'

Kennelijk wel, en dat was ook wel te begrijpen. Trots ging een koningin aan. Haar vijanden wisten dat, evenals de vijanden van de koning.

'Als dat wijf niet al dood was, zou ik haar eigenhandig om zeep helpen,' zei de man van God. 'Ik zou de hele tent hier in de fik steken, met haar erin. Dit is vragen om oorlog.'

Adelia snapte het niet goed. 'Je bent hier toch eerder geweest? Ik zou denken dat je dit dan al had gezien.'

Hij schudde zijn hoofd. 'We troffen elkaar toen in de tuin; ze was een luchtje aan het scheppen. We dankten God voor haar herstel en toen bracht Dakers me terug door de wyrm. Waar is Dakers trouwens?'

Hij duwde Jacques en Walt opzij, die knipperend in de deuropening stonden, en vloog roepend om de huishoudster naar de trap. Deuren zwaaiden met een klap open toen hij steeds in een andere kamer keek, zag dat ze daar niet was en naar de volgende rende.

Ze repte zich achter hem aan, en de toren weergalmde van het geroffel van laarzen en het getik van hondenpoten op steen.

Nu klommen ze langs Rosamundes vertrekken. Dakers – als het tenminste Dakers was – had die in al hun glorie weten te bewaren. Adelia, die de anderen probeerde bij te houden, ving glimpen op van lente en herfst die samenkwamen: Perzische tapijten, Venetiaanse kelken, met damast beklede divans, iconen met veel goud, triptieken, wandtapijten, beelden – de buit uit een heel rijk die aan de voeten van de maîtresse van de heerser was neergelegd.

Hier waren ramen met glas erin, niet de schietgaten van de kamers beneden. Er zaten luiken voor, maar toen Adelia er met haar kaars langs liep werd haar gestalte weerspiegeld in prachtig en kostbaar glas in lood.

En door de open deuren was parfum te ruiken, subtiel maar sterk genoeg om een neus die helemaal was afgestompt van de kou en van de stank van hondenvacht te behagen.

Adelia snoof. Rozen. Hij ging zelfs op rozenjacht voor haar.

Boven haar werd nog een deur tegen een zijwand geslagen. Een scherpe uitroep van de bisschop.

'Wat is er? Wat is er?' Ze voegde zich bij hem op de laatste overloop; meer trappen waren er niet. Rowley stond voor de open deur, maar de brandende kaars in zijn hand hing neer langs zijn zij en er druppelde was vanaf op de vloer.

'Wat is er nou?'

'Je had ongelijk,' zei Rowley.

Hier boven was het ontzettend koud.

'Ze leeft. Rosamunde. Ze leeft toch nog.'

Dat zou een onmetelijke opluchting zijn geweest, als hij tenminste niet zo raar had gedaan. Bovendien was er geen licht in de kamer waar hij naar binnen keek, en hij deed geen poging om die te betreden.

'Ze zit hier,' zei hij, en hij sloeg een kruis.

Adelia ging naar binnen, de hond achter haar aan.

Hier was geen parfum te bekennen; de kou overstemde elke geur. Alle ramen – rondom waren dat er minstens acht – stonden open, met het glas in lood en het bijbehorende luik naar buiten geduwd om een lucht binnen te laten die koud genoeg was om te doden. Adelia voelde haar gezichtshuid ervan samentrekken.

Hoeder ging voorop; ze kon hem rond horen snuffelen, maar hij gaf geen teken dat hij iemand had gevonden. Ze ging iets verder naar binnen.

De gloed van de kaars viel op een bed tegen de noordmuur. Prachtig wit kant hing vanaf een vergulde rondeau aan het plafond omlaag en viel, in twee delen gescheiden, over kussens en een sprei met gouden kwastjes. Het was een hoog en groots bed, met een ivoren trapje ervoor waarmee de eigenaresse erop kon komen.

Er lag niemand in.

De eigenaresse zat aan een schrijftafel ertegenover, met haar gezicht naar het raam, een pen in haar hand.

Adelia, wier kaars nu een beetje trilde, zag de glanzende facetten van een met edelstenen bezette kroon en het asblonde haar dat eronder vandaan golfde over de rug van de schrijfster.

Ga er dichter naartoe. Je moet. Er kan je niks gebeuren. Dat is onmogelijk, dacht Adelia.

Gedreven door louter wilskracht liep ze naar voren. Toen ze langs het bed kwam, trapte ze op een plooi van het kant die op de grond lag, en het ijs in de stof knerpte onder haar laars.

'Lady Rosamunde?' Het klonk beleefd, ook al dacht ze er het hare van.

Ze trok haar handschoen uit om de onverwacht forse schouder van de gestalte aan te raken en voelde de kilte van steen in wat ooit levend vlees was geweest. Ze zag een spierwitte hand, met de huid bij de plompe pols geplooid als bij een baby. Duim en wijsvinger hielden een ganzenveer vast alsof die nog maar een paar tellen geleden het document waarop ze rustten had ondertekend.

Met een zucht bukte Adelia zich om naar het gezicht te kijken. De open, blauwe ogen waren iets naar beneden gericht, zodat het leek of ze herlazen wat de hand zojuist had geschreven.

Maar de mooie Rosamunde was morsdood.

En erg dik.

6

'akers,' zei Adelia. 'Dit heeft Dakers gedaan.'

Alleen vrouw Dakers was in staat haar meesteres niet naar haar graf te laten gaan.

Rowley herstelde zich. 'We krijgen haar zo nooit in de kist. Godsalle-machtig, dóé iets. Ik ben niet van plan naar Godstow terug te roeien terwijl zij me zo rechtop aan zit te kijken.'

'Toon eens een beetje respect, verdorie!' Nadat ze het laatste raam met een klap had gesloten, keerde Adelia zich naar hem toe. 'Jij hoeft niet te roeien en zij hoeft niet rechtop te zitten.'

Allebei reageerden ze op hun eigen manier op het tafereel waardoor hem de moed in de schoenen was gezakt en zij de zenuwen had gekregen.

Vanuit de deuropening staarde Jacques hen aan, maar Walt had zich toen hij een blik naar binnen had geworpen ijlings teruggetrokken naar beneden. Hoeder zat zichzelf onverstoorbaar te krabben.

Adelia was gewend aan dode lichamen en was er nog nooit bang voor geweest – tot nu toe dan. Vervolgens was ze kwaad geworden: de ma-nier waarop het lichaam was neergezet... Rosamunde was niet in die houding gestorven; als de paddenstoelen haar hadden gedood, zou haar levenseinde veel turbulenter verlopen zijn. Nee, Dakers had het nog warme lijk op de Romeinse stoel gezet en het gearrangeerd, en had toen ofwel gewacht tot de lijkstijfheid intrad, ofwel, als die al voorbij was, het lichaam op zijn plaats gehouden totdat de kou die door de open ramen naar binnen kwam het hoofd, de romp en de ledematen had ge-fixeerd in de houding die ze nu hadden, bevroren in schrijfhouding.

Adelia wist dit even zeker als wanneer ze het had zien gebeuren, maar de indruk dat de dode vrouw was opgestaan, naar haar tafel was ge-lopen, was gaan zitten en een pen had gepakt drong zich desondanks sterk op.

Rowleys kribbigheid maskeerde alleen maar de weerzin die hem uit evenwicht had gebracht, en Adelia, die hetzelfde voelde, reageerde daar-op met irritatie. 'Je had me niet verteld dat ze zo dik was.'

'Doet dat er iets toe?'

Nee, natuurlijk niet, maar het was wel een soort naschok. Het beeld dat Adelia zich uit de verhalen van de mooie Rosamunde had gevormd, op grond van Bertha's relaas en op grond van haar gedool door de verschrikkelijke doolhof, en op grond van de aanblik van de nog veel verschrikkelijker mensenval, was dat van een ravissante vrouw die even onverschillig tegenover menselijk lijden stond als een godin van de Olympus: lichamelijk bemind, verwend, afstandelijk, koud als een reptiel – maar wel slank. Zonder meer slank.

In plaats daarvan had het gezicht waar ze zich naar overgebogen had naar haar teruggekeken met de onschuldige gevuldheid die bij dikke mensen paste.

Dat veranderde de zaak; ze wist niet precies waarom, maar het was wel zo.

'Hoe lang is ze al dood?' wilde Rowley weten.

'Hè?' Adelia's gedachten waren afgedwaald naar zinloze vragen die ze het lijk zou willen stellen: waarom ben je, met jouw gewicht, helemaal boven in deze toren gaan wonen? Hoe ben je de trap af gekomen om Rowley te treffen in de tuin? Hoe ben je weer omhooggekomen?

'Ik zei: hoe lang is ze al dood?'

'O.' Het werd tijd om haar verstand weer bij elkaar te graaien en aan de taak te beginnen waarvoor ze hier was gekomen. 'Dat is onmogelijk precies te zeggen.'

'Kwam het door de paddenstoelen?'

'Hoe moet ik dat weten? Waarschijnlijk wel, ja.'

'Kun je haar ontdooien?'

Verdorie, wat was hij toch een botte hond. 'Ze ontdooit vanzelf wel,' zei Adelia kortaf. 'Zorg nou maar dat het hier in de kamer wat warmer wordt.' Vervolgens vroeg ze: 'Waarom wilde Dakers dat ze schrijvend zou worden aangetroffen, denk je?'

Maar de bisschop stond al op de overloop en riep naar Walt dat hij komforen, aanmaakhout, brandhout en kaarsen moest halen, en hij duwde Jacques de trap af om hem te gaan helpen, waarna hij zelf zijn zoektocht naar de huishoudster hervatte, zijn energie met zich meenam en de kamer overliet aan de stilte des doods.

Adelia's gedachten bleven weemoedig stilstaan bij de man wiens kalme hulp en geruststelling tijdens moeilijke onderzoeken voor haar altijd een rots in de branding waren geweest, want nog nooit was een onderzoek zo moeilijk geweest als dit. Maar Mansur zat in de boot om Rosamundes kist de rivier op te brengen, en als hij al bij de steiger van Wormhold Tower was aangekomen, een halve kilometer verderop, dan moesten hij, Oswald, Aelwyn en de mannen die ze bij zich hadden zoals was afgesproken wachten tot de boodschapper hen zou komen halen.

En vanavond zou dat niet meer worden. Niemand zou vanavond nog eens de doolhof van de wyrm in gaan.

Ze had maar één lichtje; Rowley had zijn kaars met zich meegenomen. Ze zette de hare op de schrijftafel, zo dicht mogelijk bij de hand van het lichaam zonder die te schroeien, als een piepklein beginnetje voor het ontdooiproces van het lijk – dat niet alleen lang zou gaan duren, maar ook veel rommel zou geven.

Adelia dacht terug aan de varkens waarop ze het verschijnsel ontbinding had bestudeerd op de boerderij in de heuvels boven Salerno. Die werden speciaal voor dat doel gehouden door Gordinus, haar leraar in het proces van afsterving. Van de diverse karkassen dwaalde haar herinnering naar de bevroren exemplaren in het ijshuis dat hij diep in een rotswand had gebouwd. Ze rekende wat met gewichten, tijden; ze zag de naalden van de ijskristallen spieren en weefsel doen verharden... en wat voor vochten er vrijkwamen als ze smolten.

Arme Rosamunde. Ze zou worden blootgesteld aan de aanslag van het bederf, terwijl alles in haar kamer erop wees dat ze iemand was die van elegantie hield.

Arme Dakers, die ongetwijfeld tot gekwordens toe van haar meesteres had gehouden. En die haar tevens een kroon op het hoofd had gedrukt. Een echte kroon – geen modieus diadeem, geen krans, geen kroontje, maar een oud geval van dik goud met vier punten die in de vorm van fleurs-de-lis omhoogstaken uit de met edelstenen bezette rand. De kroon van een koninklijke gade. Ze is, wilde Dakers zeggen, een koningin.

Maar dezelfde hand had het prachtige haar zo geborsteld dat het los over de schouders en de rug van het lichaam hing, in de stijl van een maagd.

Kom, schiet op nou, zei Adelia tegen zichzelf. Ze was hier niet om zich te laten fascineren door de onpeilbare dieptes van de menselijke obsessie, maar om uit te zoeken waarom iemand had gedecreteerd dat deze vrouw moest sterven, en dientengevolge wie diegene was.

Ze wilde dat ze wat gerucht van beneden hoorde om de doodse stilte van deze kamer te doorbreken. Misschien lag die wel zo hoog dat er geen geluiden toe konden doordringen. Adelia wendde haar aandacht naar de schrijftafel – wat nog best griezelig was, met het gesloten glas aan de andere kant van de ruimte dat net zo werkte als de zilverlaag van een spiegel, zodat zijzelf en het lijk duister zij aan zij werden weerkaatst.

Een mooie tafel, goed geboend. Vlak bij de linkerhand van de dode vrouw stond, alsof ze haar vingers er makkelijk in kon steken, een schaaltje gesuikerde pruimen.

De schaal was een zwart-rode pot met figuurtjes van atleten erop, net als de pot die haar stiefvader had gevonden in Griekenland, zo oud en kostbaar dat hij niet wilde dat er iemand anders aankwam dan hijzelf. Rosamunde bewaarde snoepgoed in de hare.

Een glazen inktpot in een houder van goudfiligrein. Een fraaie leren koker voor ganzenveren en een mesje van ivoor en staal om ze te scherpen. Twee bladen van het beste vellum, allebei dicht beschreven, lagen naast elkaar, eentje onder de rechterhand. De zandstrooier, eveneens gevat in goudfiligrein, paste bij de inktpot, en het zand dat erin zat was bijna op. Een brandertje om de was te smelten die er in twee staafjes naast lag, het ene korter dan het andere.

Adelia keek of ze ergens een zegel zag, maar vond dat niet; wel zat er een grote gouden ring om een van de dode vingers. Ze pakte de kaars op en bracht die er dicht naartoe. De ronde voorkant was een mal waarmee, als hij in zachte was werd gedrukt, de twee letters R.R. gevormd konden worden.

Rosamunde Regina?
Hmm.

Dakers had graag gewild dat Rosamunde als geletterd werd beschouwd – wat in Engeland geen geringe prestatie was, zelfs onder hooggeboren vrouwen –, want waarom zou ze haar anders in deze houding hebben neergezet? Kennelijk wás ze ook geletterd geweest: de voorwerpen op tafel waren zo te zien veelvuldig gebruikt. Rosamunde moest veel hebben geschreven.

Was Dakers er alleen maar trots op dat ze kón schrijven? Of is er nog een andere betekenis die me ontgaat, vroeg Adelia zich af.

Ze verlegde haar aandacht naar de twee stukken vellum. Ze pakte het blad op dat recht voor het lichaam lag, maar kon het bij dit licht niet lezen; Rosamundes geletterdheid was niet zover gegaan dat ze ook móói kon schrijven – dit was verkrampt gekriebel.

Ze vroeg zich af waar Rowley nou toch bleef met zijn kaarsen. De bisschop deed er wel érg lang over om terug te komen. Heel even registreerde Adelia dat feit, waarna ze ontdekte dat ze, als ze het perkament met één hand boven haar hoofd hield en met de andere de kaars er gevaarlijk dicht onder zette en haar ogen samenkneep, nét een aanhef kon ontcijferen. Wat ze vasthield was een brief:

Vrouwe Eleanora, hertogin van Aquitanië en vermeende koningin van Engeland, gegroet door de ware en echte koningin van dit land, Rosamunde de Mooie.

Adelia's mond zakte open. Ook de brief zakte bijna omlaag. Dit was geen *lèse-majesté*, maar regelrecht strijdlustig verraad. Het was een provocatie.

Het was dóm.

'Was je soms niet goed bij je hoofd?' De fluistering werd geabsorbeerd door de stilte in de kamer.

Rosamunde daagde het gezag van Eleanora uit en moest hebben geweten dat de koningin er wel op móést reageren, omdat ze anders voorgoed vernederd zou zijn.

'Je nam een risico,' fluisterde Adelia. Wormhold Tower was dan misschien moeilijk in te nemen, maar was niet onneembaar; het zou niet bestand zijn tegen het soort kracht dat een vertoornde koningin eropaf zou sturen.

Het lichaam fluisterde in zijn doodsheid terug: *Ah, maar zond de koningin in plaats daarvan een oud vrouwtje met vergiftigde paddenstoelen?*

Geen van beide, dacht Adelia bij zichzelf, want Eleonora had de brief niet ontvangen. Hoogstwaarschijnlijk was Rosamunde helemaal niet van plan geweest hem te versturen; in haar isolement in deze afschuwelijke toren had ze zich waarschijnlijk alleen maar aangenaam bezig willen houden door fantasieën over koningin-zijn aan het vellum toe te vertrouwen.

Wat had ze verder nog geschreven?

Adelia legde de brief weer op tafel en pakte het andere blad op. In het halfduister zag ze nog een aanhef. Dus alweer een brief. Ook deze moest ze zo omhooghouden dat de kaars hem van onderaf bescheen. Deze brief was makkelijker te lezen:

Vrouwe Eleanora, hertogin van Aquitanië en vermeende koningin van Engeland, gegroet door de ware en echte koningin van dit land, Rosamunde de Mooie.

Precies dezelfde bewoordingen. En deze tekst was alleen maar beter leesbaar omdat iemand anders hem had geschreven. Dit handschrift zag er heel anders uit dan Rosamundes gekriebel; het was het goed leesbare, schuine schoonschrift van een geleerde.

Rosamunde had haar brief hiervan overgeschreven.

Hoeder liet een diep gegrom horen, maar Adelia, die geïntrigeerd werd door dit raadsel, lette er niet op. Het is hier. Ik kan er bijna bij...

Terwijl ze zachtjes wapperde met het perkament, liet ze haar gedachten erover gaan, waarna ze in de spiegel van het raam zag dat ze ermee op Rosamundes hoofd tikte.

Ze stopte ermee, en zijzelf en het lijk werden weer even star als tevoren. Hoeder had geprobeerd haar te waarschuwen dat er iemand anders de torenkamer binnen was gekomen; ze had er geen aandacht aan besteed.

In het glas werden drie gezichten weerspiegeld, waarvan twee getooid met een kroon. 'Wat een genoegen om je te leren kennen, m'n beste,' zei een van hen – en dat was niet tot Adelia gericht.

Heel even bleef Adelia staan waar ze stond, strak voor zich uit kijkend, in een poging een bijgelovige huiver te onderdrukken en al haar gezond verstand bij elkaar te garen omdat ze niet wilde geloven in tovenarij of manipulatie. Vervolgens keerde ze zich om en maakte een buiging. Om een echte koningin kon je niet heen.

Eleanora nam geen notitie van haar. Ze liep naar een kant van de tafel, met een geur achter zich aan die Rosamundes rozengeur met iets zwaarders en meer oosters naar de achtergrond drong. Ze legde twee blanke, langvingerige handen op het hout toen ze zich vooroverboog om de dode vrouw in het gezicht te kijken. 'Nou, nou. Je hebt je zo te zien bepaald niet ingehouden. Een beringde wijsvinger tikte tegen de Griekse pot. 'Zie ik het goed dat je je te buiten bent gegaan aan zoetigheid in plaats van aan salades?'

Haar stem tinkelde charmant door de kamer. 'Wist jij dat die arme Rosamunde zo dik was, lord Montignard? Waarom is mij dat nooit verteld?'

'Koeien zijn meestal dik, lady,' zei een gestalte bij de deuropening – een lantaarn in de hand – met een mannenstem. Achter hem stond een onduidelijke, langere figuur in maliënkolder.

'Wat grof,' zei Eleanora verontschuldigend tegen het lichaam op de stoel. 'Wat zijn mannen toch oneerlijk, nietwaar? Terwijl jij toch zoveel eigenschappen moet hebben die het compenseren... zoals gulheid met je gunsten, en dergelijke.'

De wreedheid lag niet alleen in deze woorden, maar werd nog benadrukt door de enorme lichamelijke verschillen tussen de twee vrouwen. Vergeleken bij de rijzige, slanke gestalte van de koningin, die zelfs nog slank leek in al het bont dat ze droeg, stak Rosamunde log af, en haar loshangende haar leek belachelijk voor een rijpe vrouw. In vergelijking met de verfijnde puntjes op de witgouden kroon van Eleanora was die van Rosamunde een veel te zwaar en protserig onding.

De koningin had nu het document gezien. 'M'n beste, is dat alwéér een van je brieven aan mij? En heeft God je terwijl je die zat te schrijven opeens in een blok ijs veranderd?'

Adelia deed haar mond open en sloot hem toen weer; zij en de mannen in de deuropening fungeerden alleen maar als decor in het spel dat Eleanora van Aquitanië met deze dode vrouw speelde.

'Het spijt me wel dat ik op dat moment niet hier was,' zei de koningin. 'Ik was net aangekomen uit Frankrijk toen ik hoorde dat je ziek was, en ik had wel andere dingen te doen dan aan jouw sterfbed te zitten.' Ze leek een zucht te slaken. 'Zaken gaan immers altijd voor het meisje.'

Ze pakte de brief op en hield hem op een armlengte afstand; ze kon hem in dit licht niet lezen, maar dat hoefde ook niet. 'Luidt deze net als die andere? "Groeten aan de vermeende koningin van de echte"...? Je vervalt wel in herhalingen, vind je niet? Niet de moeite van het bewaren waard, of wel soms? Ze verfrommelde het perkament en gooide de prop op de grond, waar ze het met een draai van een prachtige laars nog eens tegen de stenen wreef.

Heel langzaam boog Adelia zich iets naar opzij en naar omlaag. Ze stak het document dat ze in haar hand had gehad in de bovenkant van haar rechterlaars en voelde toen ze die beweging maakte de hond aan haar hand likken. Hij bleef dicht bij haar.

Ze wierp een blik in het spiegelende raam tegenover haar om te controleren of de man in de deuropening de beweging had opgemerkt. Dat had hij niet – zijn aandacht was op Eleanora gericht, en die van Eleanora op het lichaam van Rosamunde.

De koningin bracht een hand naar haar oor, alsof ze naar een antwoord luisterde. 'Kan dat jou niet schelen? Heel genereus van je, maar ze zeggen dat je altíjd genereus bent met je gunsten. O, en neem me niet kwalijk, dit kleine sieraad is van mij...' Eleanora had de kroon van het hoofd van de dode vrouw getild. 'Die is twee eeuwen geleden gemaakt voor de vrouwen van de hertogen van Anjou, en hoe durft hij die aan zo'n stinkende vette hoer als jij te geven...'

Van zelfbeheersing was nu geen sprake meer. Met een schreeuw smeet de koningin de kroon wiekend weg naar het raam tegenover hen beiden, alsof ze het glas ermee wilde kapotslaan. Hoeder blafte.

Eleanora's leven werd gered door het feit dat de kroon het raam raakte met de gevoerde onderkant van de rand. Als het glas versplinterd was, zou Adelia – die ontzet het raam zag trillen toen het projectiel ertegen afketste – de weerspiegeling van de Dood niet naar hen toe hebben zien sluipen. En evenmin het mes in zijn hand.

Ze kreeg de tijd niet om zich om te draaien. Hij kwam op Eleanora af. Instinctief stortte Adelia zich naar opzij; haar linkerhand maakte contact met de Doods schouder. Bij haar poging het mes af te buigen maakte ze een inschattingsfout en haalde haar rechterhandpalm eraan open. Maar haar duw had de vaart van de aanvaller vertraagd en hij viel op de grond.

Het tafereel verstarde: Rosamunde zat onverstoorbaar in haar stoel; Eleanora lag, al even stil, tegenover het raam dat de aanval had weerspiegeld; Adelia stond overeind en keek omlaag naar de gestalte die met het gezicht omlaag languit aan haar voeten lag, sissend.

De hond kwam naderbij, snuffelde wat en deinsde toen achteruit.

Heel even. Toen slaakte lord Montignard een kreet om de koningin, terwijl de man in maliën zijn laars op de rug van de aanvaller zette en met twee handen een zwaard ophief, Eleanora met zijn blik toestemming vragend om toe te stoten.

'Nee.' Adelia dacht dat ze het had uitgegild, maar haar schrik dempte haar stem, zodat het vrij normaal klonk.

De man besteedde geen aandacht aan haar. Uitdrukkingsloos bleef hij naar de koningin kijken, die haar hand naar haar hoofd had gebracht. Ze leek in elkaar te zakken, maar bleef op haar knieën zitten. De blanke handen waren gevouwen, het gekroonde hoofd boog en

Eleanora van Aquitanië begon te bidden. 'Almachtige God,' zei ze, 'aanvaard de dank van deze onwaardige koningin omdat U Uw hand hebt opgeheven en mijn vijandin hier hebt veranderd in een blok ijs. Zelfs in de dood stuurde ze dat creatuur van haar op me af, maar U hebt het lemmet omgekeerd, zodat ik, onschuldig en onrechtvaardig behandeld als ik ben, in leven blijf om U te dienen, mijn Heer en Verlosser.'

Toen Montignard haar overeind hielp, was ze verbazingwekkend kalm. 'Ik heb het gezien,' zei ze tegen Adelia. 'Ik heb gezien dat God jou uitkoos als Zijn instrument om mij te redden. Ben jij de huishoudster? Ze zeggen dat die snol hier een huishoudster had.'

'Nee. Mijn naam is Adelia. Ik ben Adelia Aquilar. Ik neem aan dat zíj de huishoudster is. Ze heet Dakers.' Adelia wees naar de gestalte op de grond, waarop bloeddruppels neerlekten van haar hand.

Koningin Eleanora lette er niet op. 'Wat doe jij dan hier, meisje? Hoe lang woon je hier al?'

'Ik woon hier niet. Ik ben hier vreemd. We zijn een uur of wat geleden aangekomen.' Een leven geleden. 'Ik ben hier nooit eerder geweest. Ik was nog maar net de trap op gegaan en had net... haar ontdekt.'

'Was dit wezen bij jou?' Eleanora priemde met haar vingers in de richting van haar nog steeds languit liggende aanvalster.

'Nee. Ik zie haar nu pas voor het eerst. Ze moet zich hebben verstopt toen ze ons de trap op hoorde komen.'

Montignard kwam naar haar toe en zwaaide met de punt van een dolk voor Adelia's gezicht heen en weer. 'Akelig wijf, je hebt het wél tegen je koningin! Een beetje respect graag, of ik snij je neus in tweeen.' Hij was een slungelachtige jonge man met een dikke krullenbos, die zich nu heel dapper betoonde.

'My lady,' voegde Adelia er slapjes aan toe.

'Hou op, Monty,' snauwde de koningin, en ze wendde zich naar de man in maliënkolder. 'Is het hier veilig, Schwyz?'

'Veilig?' Nog steeds zonder gezichtsexpressie slaagde Schwyz erin duidelijk te maken dat volgens hem de toren zo veilig was als wat. 'We hebben vijf man gepakt in de sloep en drie beneden.' Hij sprak de koningin evenmin bij haar titel aan, maar Adelia merkte op dat Montignard Schwyz niet dreigde zijn neus daarom in tweeën te snijden; de man stond pal op zijn stevige benen, meer een voetsoldaat dan een ridder, en niemand twijfelde eraan dat als Eleanora hem had toegeknikt, hij de huishoudster had gespietst als een flapperende vis. En Montignard erbij, als het moest.

Een huurling, besloot Adelia.

'Hebben die drie mannen jou meegebracht?' vroeg de koningin.

'Ja.' Goeie god, wat was ze moe. '... my lady,' zei ze erachteraan.

'Hoe dat zo?'

'Omdat de bisschop van St. Albans me vroeg hem te vergezellen.' Rowley mocht de vragen beantwoorden; daar was hij goed in.

'Rowley?' De stem van de koningin had een andere klank gekregen. 'Is Rówley hier?' Ze wendde zich tot Schwyz. 'Waarom was me dat niet verteld?'

'Vijf mannen in de boot en drie beneden,' herhaalde Schwyz onaangedaan. Hij had een Londens accent, met een buitenlands tintje. 'Als er een bisschop bij is, is dat mij niet bekend.' Hij kon er ook niet heet of koud van worden. 'Blijven we hier overnachten?'

'Totdat de jonge koning en de abt van Eynsham er zijn.'

Schwyz haalde zijn schouders op.

Eleanora keek Adelia met schuin gehouden hoofd aan. 'En waarom heeft de heer van St. Albans een van zijn vrouwen meegenomen naar Wormhold Tower?'

'Dat zou ik niet kunnen zeggen.' Op dat moment had ze de fut niet om te vertellen wat er allemaal gebeurd was, en zeker niet om die gebeurtenissen inzichtelijk te maken. Ze was te moe, te geschokt, te zeer uit het veld geslagen door alle verschrikkingen om ook maar aanstoot te nemen aan het feit dat ze 'een van de vrouwen van meneer de bisschop' werd genoemd, al vroeg ze zich wel af hoeveel dat er zouden zijn.

'Dat vragen we hem zelf wel,' zei Eleanora monter. Ze keek omlaag naar de kronkelende gestalte op de grond. 'Hijs haar overeind.'

De hoveling Montignard drong zich naar voren en schopte omstandig het mes van de moordenaar in spe weg over de vloer. Terwijl hij haar vanonder Schwyz' laars rechtop hees, hield hij met zijn ene arm haar borst omklemd en drukte met de andere de punt van zijn dolk tegen haar nek.

Het wás de Dood, een betere gelijkenis dan in mysteriespelen op markten. De kap van de zwarte mantel was in plooien teruggevallen en onthulde de prominente kaken en tanden van een schedel met een bleke huid, zo strak dat bij dit slechte licht het enige wat erop wees dat er überhaupt een huid op het gezicht zat een grote moedervlek met haar erop was, op de bovenlip. De ogen lagen diep in hun kassen; het leken wel gaten. Het enige wat er nog aan ontbrak was een zeis.

Het schepsel siste nog steeds af en toe – woorden vermengd met speeksel. '... durf je de ware koningin aan te raken, huichelaar... mijn meester, mijn meest noordelijke heer... je ziel verbranden... je storen... grootste vuiligheid.'

Eleanora boog zich naar voren, weer met een hand achter haar oor, en stapte toen achteruit. 'Demonen? *Belial?* Ze wendde zich tot haar publiek. 'Deze vrouw bedreigt me met Belial. Mijn hemel, ik ben met hem getróúwd.' Toen keerde ze zich weer om naar Dakers.

'Laat u me haar alstublieft wurgen, my lady,' zei Montignard. 'Laat me deze etter uitbranden.' Er verscheen een pareltje bloed op de plek waar de dolkpunt de huid van de vrouw doorboorde.

'Laat haar met rust.' Adelia wist haar stem weer te verheffen. 'Ze is niet goed bij zinnen en ze is al halfdood. Laat haar met rust.' Instinctief had ze haar vingers om de pols van de vrouw geslagen, en ze voelde een schrikwekkend trage polsslag tussen de botten die bijna net zo koud waren als die van Rosamnude. Lieve god, hoe lang had ze zich wel niet in deze ijskamer schuilgehouden?

'Ze heeft behoefte aan warmte,' zei Adelia tegen Eleanora. 'We moeten haar verwarmen.'

De koningin keek naar Adelia's druppelende hand die in een vragend gebaar naar haar was uitgestoken en vervolgens naar de huishoudster. Ze haalde haar schouders op. 'Er wordt ons te verstaan gegeven dat dit schepsel warmte nodig heeft, Monty. Dat zal wel niet betekenen dat we het in het vuur mogen gooien. Neem haar mee naar beneden, Schwyz, en bekommer je om haar. Voorzichtig nu. We ondervragen haar later wel.'

Met een nors gezicht droeg de hoveling zijn gevangene over aan Schwyz, die haar naar de deur bracht, een van zijn mannen een order gaf, haar nakeek toen ze werd weggevoerd en terugkwam. 'Vrouwe, we moeten ervandoor. Ik kan deze plek niet verdedigen.'

'Nog niet, meester Schwyz. Doe je plicht.'

Schwyz stommelde misnoegd weg.

De koningin glimlachte Adelia toe. 'Zie je? Je vraagt om het leven van die vrouw, en ik geef het je. *Noblesse oblige.* Zo'n goedgunstige vorstin ben ik nou.'

Ze was indrukwekkend; dat moest Adelia haar nageven. De prikkelende zwakte van de shock die Adelia's knieën dreigde te doen knikken had kennelijk geen vat op deze vrouw, alsof een poging tot moord voor een vorstin een alledaagse gebeurtenis was. Misschien was dat ook wel zo.

Montignard aarzelde. Hij knikte in Adelia's richting. 'Moet ik u alleen laten met deze sloerie, my lady? Dat dacht ik niet! Wil ze u kwaad doen? Ik zou het niet weten.'

'My lord...' Eleanora droeg als het ware een zweep in haar laars. 'Wie ze ook mag zijn, ze heeft me het leven gered. En daar' – de zweep petste – 'was jíj te traag voor. Zorg nou maar voor dat onooglijke mens. We kunnen trouwens zelf ook wel wat warmte gebruiken. Maak dat in orde. En stuur de bisschop van St. Albans naar me toe.'

Een instinct tot zelfbehoud gaf Adelia de gemompelde woorden in: 'En wat brandewijn graag. Laat ook wat brandewijn boven komen.' Ze had net de wond in haar hand eens goed bekeken; die ging diep en – moge God alle moordenaars verdoemen – ze had haar rechterhand hard nodig.

De koningin knikte dat het goed was. Ze maakte geen enkele aanstalten de kamer uit te gaan en af te dalen naar een ander vertrek. Ook al vond Adelia dat maar vreemd, om niet te zeggen verdorven, gezien het arme lichaam dat zich erin bevond, toch was ze dankbaar dat de trap haar bespaard bleef. Buiten het zicht van de koningin liet ze zich op de grond naast het bed zakken en bleef daar zitten.

Mensen kwamen en gingen; er werd van alles gedaan; het bed werd afgehaald en het dek en de matrassen werden naar beneden gebracht om verbrand te worden – daar drong de koningin sterk op aan.

Er kwam een knappe jonge vrouw binnen – waarschijnlijk een van Eleanora's bedienden –, die zenuwachtig werd van de aanblik van Rosamunde, bevallig flauwviel en weer naar buiten moest worden gedragen. Meiden en knechten – hoeveel had ze er wel niet meegebracht? – droegen komforen aan, genoeg kaarsen om het hele Vaticaan te verlichten, wierook- en oliebranders, lampen, toortsen. Adelia, die had gedacht dat ze nooit meer warm zou worden, begon vriendelijke en slaperige gedachten over de kou te krijgen. Ze sloot haar ogen...

'... de drommel doet u hier? Als hij komt, komt hij regelrecht op deze toren af.' Het was de stem van Rowley, heel hard, heel boos.

Adelia werd wakker. Ze zat nog steeds op de grond bij het bed. In de kamer was het warmer dan ooit; er waren meer mensen in aanwezig. Het lichaam van Rosamunde zat zonder dat iemand er aandacht aan besteedde nog steeds aan tafel, hoewel iemand die met haar te doen had haar hoofd en schouders met een mantel had bedekt.

'Waar haalt u het lef vandaan om mijn verheven dame zo aan te spreken? Zij gaat waarheen zij wil.' Dat was Montignard.

'Ik heb het tegen de koningin, schoft. Bemoei jij je er nou maar niet mee.' Het laatste woord kwam er sputterend uit – iemand had hem een stomp gegeven.

Toen Adelia onder het bed door tuurde, zag ze de onderste helft van de koningin en Rowley, in zijn geheel, die voor haar geknield zat. Zijn handen waren geboeid. Benen in maliën – ze herkende het ene paar als dat van Schwyz – stonden achter hem, en opzij waren Montignards fijne leren laarzen te zien, waarvan er eentje was opgeheven om nog een trap uit te delen.

'Laat hem met rust, my lord,' zei Eleanora ijzig. 'Van de bisschop van St. Albans is dit soort taal te verwachten.'

'Het is de waarheid, my lady,' zei Rowley. 'Wanneer hebt u uit mijn mond ooit iets anders gehoord?'

'De waarheid, hè? Dan is de vraag niet wat ík hier doe, maar wat jíj hier doet.'

Nu zijn de rapen gaar, dacht Adelia. Het verbijsterende toeval van dit treffen moest een koningin die zojuist was aangevallen wel onheilspellend voorkomen.

Voorzichtig begon ze de touwtjes van de beurs die aan haar riem hing los te maken en zocht daarin naar het rolletje fluweel met de chirurgische instrumenten die ze op reis altijd bij zich had.

'Dat heb ik u gezegd. Ik ben voor uw bestwil gekomen.' Rowley gebaarde met zijn hoofd in de richting van de schrijftafel. 'My lady, er gaan al geruchten dat u Rosamundes dood op uw geweten zou hebben...'

'Ik? De Almachtige God heeft haar gedood.'

'Die heeft hulp gehad. Laat mij uitzoeken van wie. Daarom ben ik gekomen: om dat uit te zoeken.'

'In het donker? In zo'n verschrikkelijke nacht?' Montignard kwam weer tussenbeide: 'U komt hierheen en tegelijkertijd komt er een duivel uit de muur zetten om de koningin dood te steken?'

Daar was het al. In de rol vond Adelia's hand het dodelijk scherpe mesje en ze klapte het lemmet uit. Ze wist nog niet precies wat ze ermee ging doen, maar als ze hem iets aandeden...

'Hoezo? Welke duivel?' vroeg Rowley.

Eleanora knikte. 'De huishoudster, Dampers. Heb jij haar ingehuurd om mij om zeep te helpen, St. Albans?'

'E-le-a-no-ra!' Het klonk als een protesterend gebrom van de ene oude vriend tegen de andere; alle anderen in het vertrek verdwenen naar de achtergrond bij deze aanspraak op honderd gedeelde herinneringen. De koningin bond meteen in.

'Nou ja,' zei ze, wat vriendelijker. 'Ik neem aan dat het je vergeven moet worden, want je liefje duwde het lemmet opzij.'

Adelia's hand ontspande zich.

'Mijn liefje?'

'Ik was even vergeten dat je er zoveel hebt. Eentje met een buitenlandse naam en zonder manieren.'

'Ah,' zei de bisschop. 'Dát liefje. Waar is ze?'

Met haar goede hand werkte Adelia zich omhoog langs het frame van het bed en ze bleef zo staan dat iedereen haar kon zien. Ze was bang en voelde zich nogal dwaas.

Onhandig keek Rowley om zich heen. Er zat bloed om zijn mond.

Hun ogen bleven in elkaar haken.

'Het doet me deugd dat ze zo'n nobel doel heeft gediend, vrouwe,' zei de bisschop van St. Albans langzaam. Hij keek de koningin weer aan. 'U mag haar houden als u wilt, ik heb niets aan haar. Zoals u zegt, heeft ze geen manieren.'

Eleanora schudde haar hoofd in Adelia's richting. 'Zie je nou hoe makkelijk hij je aan de kant zet? Alle mannen zijn boeven, of het nu koningen of bisschoppen zijn.'

Adelia begon in paniek te raken. Hij draagt me aan haar over. Dat kan hij niet doen. Allie is er ook nog. Ik moet terug naar Godstow.

Rowley gaf nu antwoord op een andere vraag. '... Ja, dat heb ik. Twee keer. De eerste keer dat ik kwam was ze ziek. Wormhold maakt deel uit van mijn diocees; het was mijn plicht. En vanavond, nadat ik had gehoord dat ze dood was. Maar daar gaat het niet om...' Het feit dat de bisschop vastgebonden was en op zijn knieën zat weerhield hem er niet van de koningin de les te lezen. 'In naam van God, Eleanora, waarom ben je niet naar Aquitanië gegaan? Het is gekkenwerk dat je hier bent. Ga weg, ik smeek het je.'

Daar gaat het niet om! Eleanora had alleen gehoord wat ze wilde horen. Haar mantel ruiste over de grond toen ze Rosamundes brief eruit haalde. 'Híér gaat het om. Híérom. Híérom. Ik heb tien van dit soort epistels gekregen.' Ze streek de brief glad en hield hem Rowley voor. 'Ze hebben allemaal hun weg naar mij gevonden. Jij en die snol van je spanden met Hendrik samen om haar koningin te maken.'

Het was even stil terwijl Rowley las.

'God beware me, hier wist ik niets van,' zei hij – en Adelia dacht dat zelfs Eleanora wel moest horen dat hij verbijsterd was. 'En de koning ook niet, dat zweer ik. Dat mens was niet goed bij haar hoofd.'

'Kwaadaardig. Ze was kwaadaardig. Ze zal branden in deze wereld en in de volgende – zij en al wat van haar is. Het kreupelhout wordt al opgetast om de brand erin te steken. Een passend einde voor een lichtekooi. Voor haar geen christelijke begrafenis!'

'Jezus!' Adelia zag Rowley wit wegtrekken en zich toen weer herpakken. Opeens kreeg zijn stem een klank die haar pijnlijk bekend voorkwam; het was de stem waar hij haar mee in bed had gekregen. 'Eleanora,' zei hij vriendelijk, 'jij bent de grootste koningin die er maar bestaat. Je hebt schoonheid, hoffelijkheid, muziek en verfijning gebracht naar een streek van wilden; jij hebt ons beschaving bijgebracht.'

'O ja?' Heel zachtjes, plotseling meisjesachtig.

'Dat weet je zelf ook wel. Wie heeft ons hoofsheid tegenover vrouwen geleerd? Wie heeft me verdorie geleerd om "alsjeblieft" te zeggen?' Toen ze lachte, ging hij daar gretig op in. 'Bega alsjeblieft geen daad van vandalisme die zich tegen je zal keren. Het is niet nodig deze toren in brand te steken – laat hem maar staan in zijn eigen vuil. Trek je voor een poosje terug naar Aquitanië. Geef mij de tijd om uit te zoeken wie Rosamunde heeft vermoord, zodat ik de koning kan doen bedaren. In naam van Jezus aan het kruis, lady, leg hem tot dan toe geen strobreed in de weg.'

Het was de verkeerde toon.

'Hem geen strobreed in de weg leggen?' zei Eleanora liefjes. 'Hij heeft mij laten opsluiten in Chinon, bisschop. Toen heb ik je ook niet horen protesteren.'

Ze gebaarde naar de mannen achter Rowley en ze begonnen hem naar buiten te slepen.

Bij de deuropening zei ze met heldere stem: 'Jij bent de man van Hendrik Plantagenet, St. Albans. Dat ben je altijd geweest en zul je altijd zijn.'

'En de uwe, lady!' riep hij terug. 'En de man van God!'

Ze hoorden hem tekeergaan tegen zijn overweldigers toen ze hem de trap af lieten hotsen. Het geluid stierf weg. Er volgde een stilte als van neerdalend stof nadat er een gebouw ter aarde is gestort.

Schwyz was achtergebleven. 'Die *Schweinhund* heeft gelijk dat we beter kunnen vertrekken, lady.'

De koningin negeerde hem; geagiteerd liep ze, in zichzelf mompelend, in kringetjes rond. Schwyz haalde berustend zijn schouders op en liep weg.

'Hij zou u nooit iets doen, lady,' zei Adelia. 'Doet u hem dan ook geen kwaad.'

'Hou maar niet zoveel van hem,' snauwde de koningin terug.

Dat doe ik ook niet. Dat zal ik ook niet doen. Doe hem alleen niets aan, smeekte Adelia inwendig.

'Laat me hem de ogen uitsteken, mijn koningin.' Montignards ademhaling zwoegde. 'Met dat duivelse mens zou hij u nog ombrengen.'

'Natuurlijk niet,' zei Eleanora – en Adelia liet opgelucht haar adem ontsnappen. 'Rowley sprak de waarheid. Die vrouw, Dampers... Ik heb navraag naar haar laten doen, en het blijkt welbekend te zijn dat ze voor haar meesteres door het vuur gaat. Jakkes. Zelfs nu zou ze me nog wel tien keer kunnen vermoorden.'

'O ja?' Montignard was geïntrigeerd. 'Waren ze soms geliefden?'

De koningin bleef ijsberen. 'Ben ik iemand die lichtekooien doodt, Monty? Waar kunnen ze me straks weer van beschuldigen?'

De hoveling boog en pakte de zoom van haar mantel op om die te kussen. 'U bent de gezegende Engel der Vrede die weer naar Bethlehem is gekomen.'

Daar moest ze om glimlachen. 'Kom, we kunnen verder niets meer doen totdat de jonge koning en de abt arriveren.' Van beneden klonk het geluid van meubels die werden verplaatst en van luiken die werden dichtgedaan. 'Wat spookt Schwyz daar beneden in vredesnaam uit?'

'Hij is bezig boogschutters bij alle vensters te posteren om ons te verdedigen. Hij is bang dat de koning eraan komt.'

De koningin schudde toegeeflijk haar hoofd, als tegen overenthousiaste kinderen. 'Zelfs Hendrik kan bij dit weer niet snel reizen. God heeft de sneeuw voor mij tegengehouden; nu stuurt Hij die om de koning te hinderen. Nou, dan blijf ik maar in deze kamer tot mijn zoon er is.' Ze keek in Adelia's richting. 'Jij ook?'

'Mevrouw, als u het goedvindt voeg ik me bij...'

'Nee, nee. God heeft jou naar me toe gezonden als een talisman.' Eleanora glimlachte heel bevallig. 'Jij blijft hier bij mij en' – ze liep naar het lichaam toe en trok de jas weg die eroverheen was gelegd – 'dan kijken we samen toe hoe de Mooie Rosamunde wegrot.'

En dat deden ze.

Wat Adelia zich later van die nacht herinnerde, waren de urenlange stiltes waarin de koningin en zij alleen waren – op Montignard na dan, die in slaap viel – en waarin Eleanora van Aquitanië, onvermoeibaar kaarsrecht gezeten, haar blik gericht hield op het lichaam van de vrouw die haar man had bemind.

Ze herinnerde zich ook, hoewel vol ongeloof, dat er op een gegeven moment een jonge hoveling met een luit binnenkwam en rondliep door de kamer terwijl hij bekoorlijk zong in de *langue d'oc*, en dat hij, nadat hij geen reactie had gekregen van zijn koningin, laat staan van het lijk, weer naar buiten was gedwaald.

En dan de hitte. Adelia herinnerde zich de hitte van de komforen en honderd kaarsvlammen. Uiteindelijk smeekte ze om frisse lucht. 'Zullen we niet even een raampje openzetten, vrouwe?' Het was net of je in een pottenbakkersoven zat.

'Nee.'

Dus hurkte Adelia, de talisman, bevoorrecht door haar status van door God gezonden redster van een vorst, neer op de grond met haar mantel onder haar, terwijl de koningin, nog steeds in bont gekleed, naar het lijk bleef zitten kijken.

Eleanora maakte haar blik er alleen van los toen er brandewijn werd binnengebracht en Adelia die, in plaats van de drank op te drinken, over de snee in haar hand sprenkelde en een naald en een zijden draad uit de reisnecessaire met instrumenten in haar zak pakte.

'Wie heeft je geleerd brandewijn als reinigingsmiddel te gebruiken?' wilde Eleanora weten. 'Ik gebruik zelf dubbelgedistilleerde bordeaux... O, kom maar hier, ik doe het wel.'

Terwijl ze afkeurende geluidjes maakte bij Adelia's pogingen de wond te hechten met haar linkerhand, pakte ze de naald en draad van haar aan en nam haar taak van haar over; ze bracht zeven hechtingen aan waar Adelia zelf er maar vijf zou hebben gebruikt, zodat ze er een netter geheel van maakte, ook al deed dat dan meer pijn. 'Wij kruisvaarders hebben moeten leren hoe je gewonden moet behandelen, dat waren er zoveel,' zei ze kortweg.

Maar als je Rowley moest geloven, die – veel later – zelf in het Heilige Land was geweest, waren de meeste verwondingen het gevolg van de onhandigheid van de koning van Frankrijk, de leider van de kruistocht. Niet dat de Kerk Lodewijk daarom had veroordeeld. In plaats daarvan bleven ze liever stilstaan bij het schandaal dat Eleanora, destijds zijn koningin, had veroorzaakt door erop aan te dringen met hem mee te gaan, met een hele rits al even avontuurlijke vrouwen in haar kielzog.

'Dat wijfie is in de wieg gelegd voor problemen, net zo zeker als dat vonken naar boven vliegen,' had Rowley niet zonder bewondering over haar gezegd. 'Zij en haar amazones. En toen ze in Antiochië kwam, kreeg ze een verhouding met oom Raymond van Toulouse. Wat een vrouw!'

Een deel van die driestheid had ze behouden; dat toonde alleen haar aanwezigheid hier al aan. Maar in de loop der tijd, bedacht Adelia, had die een wanhopig kantje gekregen.

'Is dat... Ah!' Adelia wilde dapper zijn, maar de koningin hanteerde de naald met meer vaardigheid dan zachtheid. 'Hebt u daar geleerd... hoe u door een doolhof heen kunt komen? In het... oef... Oosten?' Want aan Eleanora was absoluut niet te zien dat ze net zo lang tussen de hagen van Wormhold had lopen rondsjouwen als zij en de anderen hadden moeten doen.

'My lady,' drong de koningin aan.

'My lady.'

'Inderdaad, ja. Saracenen zijn heel goed in dat soort dingen, en nog in een heleboel andere ook. Ongetwijfeld heeft die bisschop van je ook in het Oosten de truc opgepikt hoe ze in elkaar zitten. Rowley is daar op mijn bevel heen gegaan... een hele tijd geleden.' Haar stem had een zachtere klank gekregen. 'Hij heeft het zwaard van mijn overleden zoontje naar Jeruzalem gebracht en het op Christus' eigen altaar neergelegd.'

Adelia voelde zich getroost; de band tussen Eleanora en Rowley die door die plaatsvervangende kruistocht was gesmeed, ging diep. Misschien dat hij onder deze omstandigheden tot het uiterste op de proef werd gesteld, maar hij had het nog niet begeven. De koningin had Rowley gevangengenomen; ze zou niet toestaan dat hij werd gedood.

Ze is zelf moeder, ging het door Adelia heen; ze laat me vast teruggaan naar mijn baby. Er zou zich nog wel een gelegenheid voordoen om daarom te vragen als de koningin en zij elkaar wat beter hadden leren kennen. Ondertussen moest ze nog steeds zo veel mogelijk te weten zien te komen over de moordenaar van Rosamunde. Als Eleanora geen opdracht tot de moord had gegeven, wie dan wel?

Het kaarslicht was milder voor de koningin geweest dan de felle verlichting die hen nu omgaf. Ze was elegant en zou dat ook altijd blijven, en haar prachtige blanke huid die samenging met kastanjebruin haar, dat nu verborgen was, zou ze ook niet verliezen, maar haar mond was omgeven door rimpeltjes en de strakke gazen kap die haar gezicht omsloot kon niet verhullen dat ze een onderkin begon te krijgen. Slank was ze. Fijne botten had ze. Maar toch was ze een beetje uitgezakt op de plek waar een met edelstenen bezette band haar heupen omgordde.

Geen wonder ook. Twee dochters van haar eerste man, Lodewijk van Frankrijk, en sinds hun scheiding nog acht kinderen uit haar huwelijk met Hendrik Plantagenet, van wie vijf zonen.

Tien baby's. Adelia dacht aan wat haar zwangerschap van Allie met haar eigen taille had gedaan. Het mag wel een wonder heten dat ze er nog zo goed uitziet.

Maar er zouden niet nog meer kinderen komen; zelfs als de koning en de koningin niet van elkaar waren vervreemd, moest Eleanora nu toch wel – hoe oud? – een jaar of vijftig zijn.

En Hendrik was waarschijnlijk nog geen veertig.

'Ziezo,' zei de koningin, en ze beet de zijden draad door die nu Adelia's handpalm bij elkaar hield. Nadat ze een enorme hoeveelheid kant tevoorschijn had gehaald die haar tot zakdoek diende, bond ze die efficiënt om de hand en trok hem met een laatste pijnlijke ruk strak aan.

'Ik dank u zeer, my lady,' zei Adelia ernstig.

Maar Eleanora had haar post weer ingenomen, haar blik op het lichaam gericht.

Waarom doet ze dat, vroeg Adelia zich af. Vanwaar deze profane wake? Dat is beneden je stand.

De vrouw was ontsnapt uit een kasteel in het dal van de Loire, was door het vijandige gebied van haar echtgenoot getrokken, waarbij ze onderweg volgelingen en soldaten had verzameld, was het Kanaal overgestoken en was Zuid-Engeland in gegaan. En dat allemaal met het doel een afgelegen toren in Oxfordshire te bezoeken. En dat ook nog eens in de winter. Weliswaar had ze het grootste deel van de reis gemaakt toen de wegen nog niet zo onbegaanbaar waren als nu – om bij de toren te komen moest ze niet ver hiervandaan haar kamp hebben opgeslagen –, maar desondanks was het een enorme onderneming geweest die iedereen behalve Eleanora zelf volkomen had uitgeput. En waarvoor? Om zich te verlustigen aan de aanblik van haar rivale?

Maar, bedacht Adelia, de vijand is overwonnen, versteend in een winterse versie van Sodom en Gomorra's blok zout. Door mij en een God die Eleanora wil behouden is een poging tot moord verijdeld. Rosamunde blijkt een dikkerd te zijn geweest. Dat alles bij elkaar is vast wel genoeg om eventuele wraaklust te bevredigen.

Maar dat gaat kennelijk niet op voor de koningin, die hier wil blijven zitten om zich te verlustigen in de aanblik van de desintegratie van de overwonnene. Waarom is dat?

Het was niet omdat ze de jongere maîtresse benijdde omdat die nog kinderen kon baren; Rosamunde had geen kinderen gekregen.

Het was ook niet omdat Rosamunde de enige koninklijke minnares was. Hendrik deelde vaker het bed met allerlei vrouwen dan de meeste mannen een warme maaltijd gebruikten. 'Letterlijk een vader voor zijn volk,' had Rowley een keer met trots over hem gezegd.

Zo deden koningen nu eenmaal; het was bijna een verplichting, een plicht – in Hendriks geval een genoegen – tegenover de vruchtbaarheid van zijn rijk.

Om de gewassen te laten groeien, bedacht Adelia zuur.

Maar Eleanora's eigen hertogelijke voorouders hadden destijds de groei van het areaal aan Aquitanische gewassen aangemoedigd; ze was niet grootgebracht met de gedachte van huwelijkse trouw. Toen ze die had, in de tijd dat ze getrouwd was met de almaar biddende, aapachtige koning Lodewijk, had dat haar zelfs zo verveeld dat ze om echtscheiding had verzocht.

En had ze Hendrik niet aan zich verplicht door een van zijn bastaardkinderen in haar huishouden op te nemen en de jongen groot te brengen? De jonge Geoffrey, geboren uit een Londense lichtekooi, bewees dat hij zijn vader toegewijd en nuttig voor hem was; Rowley sloeg hem hoger aan dan de vier wettige zonen van de koning bij elkaar.

Rosamunde, en Rosamunde alleen, had een haat opgewekt die het in deze verschrikkelijke kamer nog warmer maakte, alsof Eleanora's lichaam de hitte erdoorheen pompte, zodat het vlees van de vrouw tegenover haar nog sneller zou vergaan.

Kwam het doordat Rosamunde het langer had uitgehouden dan de anderen? Doordat de koning haar meer gunsten had betoond, haar een diepere liefde had bewezen?

Nee, bedacht Adelia bij zichzelf. Het kwam door de brieven. Gezien haar middelbare leeftijd had Eleanora de boodschap ervan geloofd: er werd een andere vrouw klaargestoomd om haar plaats in te nemen; zowel in de liefde als wat haar status betrof werd ze overtroefd.

Als Eleanora inderdaad degene was die Rosamunde had vergiftigd, dan was het een kwestie van leer om leer: op haar eigen manier had Rosamunde Eleanora vergiftigd.

Maar Rowley had gelijk gehad: deze koningin had niemand vermoord.

Daar was geen bewijs voor, natuurlijk. Niets wat haar vrij zou pleiten; de moord was op afstand beraamd; mensen konden zeggen dat ze er opdracht toe had gegeven toen ze nog in Frankrijk was. Niets kon dat gerucht ontkrachten, behalve Eleanora's eigen woord.

Maar dat was haar stijl niet. Dat had Rowley ook al gezegd en Adelia was het nu met hem eens. Als Eleanora die had bekokstoofd, had ze erbij willen zijn wanneer die werd voltrokken. Deze vreemd naïeve, afschuwelijke wake bij de desintegratie van haar rivale moest goedmaken dat ze geen getuige had kunnen zijn van haar laatste stuiptrekkingen.

Maar verdorie, ik voel er niets voor om er samen met jou naar te gaan zitten kijken. Opeens vond Adelia de hele situatie maar een perverse vertoning; ze was moe en haar hand stak alsof hij in brand stond. Ze verlangde naar haar kind. Allie zou haar missen.

Ze stond op. 'Lady, het is niet gezond voor u om hier te zijn. Laten we naar beneden gaan.'

De koningin keek langs haar heen.

'Dan ga ik,' zei Adelia.

Ze liep naar de deur en liep rakelings langs Montignard, die op de grond lag te snurken. Kletterend werden er twee speren gekruist, die haar de doorgang beletten; de eerste krijger had versterking gekregen van een tweede.

'Laat me eens door,' zei ze.

'Als je moet pissen, gebruik je maar een pot,' zei een van de mannen grijnzend.

Adelia draaide zich om naar Eleanora. 'Ik ben uw onderdaan niet, lady. Mijn koning is Willem van Sicilië.'

De koningin liet haar ogen op Rosamunde rusten.

Adelia knarsetandde, vechtend tegen haar vertwijfeling. Dit is niet de manier; als ik Allie terug wil zien moet ik kalm blijven en ervoor zorgen dat deze vrouw me vertrouwt.

Na een poosje begon Adelia, met haar hond achter zich aan, rondjes te lopen door de kamer, niet om een weg naar buiten te zoeken – want die was er niet –, maar om de tijd dat ze hier gevangenzat te benutten om na te gaan waar Dakers zich kon hebben verstopt.

Ze kon niet onder het bed hebben gelegen, want dan had Hoeder haar wel geroken; hij had weliswaar niet de beste neus van de wereld – die moest immers ook zijn eigen geur verdragen –, maar dat zou hem toch niet zijn ontgaan.

Afgezien van het bed stond er ook nog een bidstoel in de kamer, kleiner dan die in de bisschopskamer in St. Albans, maar wel met net zulk rijk snijwerk. Drie enorme kasten zaten vol kleren. Op een kleine tafel was een blad neergezet met avondeten voor de koningin: een kip, kalfspastei, een kaas, een brood – met lichte schimmel erop –, gedroogde vijgen, een kan bier en een gekurkte fles wijn. Eleanora had het maal niet aangeraakt. Adelia, die voor het laatst in het nonnenklooster had gegeten, sneed een dik plak van de kip af en gaf Hoeder een deel. Ze dronk het bier op om haar dorst te lessen en nam een glas wijn mee om van te nippen terwijl ze haar verkenningstocht voortzette.

Een muurkastje bleek mooie geëtiketteerde flesjes en fiolen te bevatten: *Rozenolie. Zoetgeurend viooltje. Frambozenazijn voor witte tanden. Walnootolie voor gladde handen.* Het was bijna allemaal dat soort cosmetica, hoewel Adelia opviel dat Rosamunde last moest hebben gehad van ademhalingsproblemen – en dat verbaast allerminst, met dat gewicht – en dat ze daar alant voor had gebruikt.

Het bed nam midden in de kamer meer ruimte in beslag dan nodig was, omdat het een centimeter of dertig van de muur af stond. Erachter hing een wandkleed met de hof van Eden erop – blijkbaar een favoriet onderwerp, omdat er nog eentje met dezelfde voorstelling, maar dan mooier, aan de oostwand tussen de twee ramen hing.

Toen ze er dichter naartoe liep, zodat ze tussen het bed en het kleed in kwam te staan, voelde Adelia een gezegende koelte. Het wandkleed was oud en zwaar; in de aanzienlijke tocht die eronder vandaan kwam, kwam het niet van zijn plaats. Terwijl op het kleed aan de andere muur Adam en Eva vrolijk ronddartelden, waren ze hier in grovere tapisseriesteken tegenover elkaar afgebeeld te midden van onwaarschijnlijke bomen, al even verstard als Rosamunde zelf. Het enige wat nog een beetje levendig leek waren de groene windingen van de slang, en zelfs die waren aangevreten door de motten.

Adelia ging er dichter naartoe; het werd steeds killer.

Er zat een kleine opening in het doek waar het oog van de slang had moeten zitten – en het was géén mottengaatje. Het was met opzet gemaakt, want de rand was gefestonneerd.

Een kijkgaatje.

Het kostte nog flink wat kracht om het wandkleed opzij te duwen. Een ijzige lucht kwam haar tegemoet, evenals een muffe geur. Ze zag een klein kamertje, dat in de muur van de toren was uitgebouwd. Rosamunde had geen kamerpotten hoeven gebruiken; ze had over de luxe van een garde-robe beschikt. In een gebogen bank van gepolijst hout was een bilvormige, met fluweel beklede opening uitgespaard, een meter of dertig boven de grond. Een zeepje in de vorm van een roos lag in een houder naast een kleine gouden lampetkan. In een schaal die binnen handbereik stond lagen flinke plukken lamwol.

Rosamunde had het maar getroffen. Adelia keurde garde-robes goed, zolang de kuil eronder maar regelmatig werd uitgegraven; op die manier hoefden de bedienden niet de trap op en af te rennen met kletterende po's, die ook nog weleens overstroomden.

Ze was minder te spreken over de muurschildering op de gepleisterde muren. De erotiek daarvan zou beter passen in een bordeel dan in een toilet, maar misschien had Rosamunde het leuk gevonden om ernaar te kijken terwijl ze daar zat, en voor Hendrik Plantagenet zou dat zeker hebben gegolden. Hoewel, vroeg ze zich nu ineens af, zou hij eigenlijk wel hebben geweten dat hier een garde-robe met een kijkgaatje was?

Adelia ging zo achter het kleed staan dat ze haar oog voor het gat kon brengen – en kwam tot de ontdekking dat ze het bed, de schrijftafel en het raam erachter in één oogopslag kon overzien.

Hier had Dakers zich dus schuilgehouden en – hoe akelig die gedachte ook was – haar, Adelia, gadegeslagen bij haar onderzoekingen. Wat een geduld en uithoudingsvermogen om die kou te verdragen; maar toen ze Eleanora de kroon van het hoofd van haar meesteres had zien rukken, had woede haar naar buiten gedreven.

Maar de zorgvuldige afwerking rond het kijkgat wees erop dat deze avond niet de enige keer was dat er iemand doorheen had zitten kijken.

Er moesten hier gasten op deze verdieping zijn genood; het was immers een Engelse gewoonte voor de hogere klassen om bezoek in hun slaapkamer te ontvangen. Als Dakers hen had bespied, had ze haar post in de garde-robe moeten innemen, terwijl Rosamunde ervan op de hoogte was en het goedvond.

Om de gasten gade te slaan? De koning? Het bed en wat daarin plaatsvond?

Adelia voelde er weinig voor haar onderzoek in die richting voort te zetten, en voelde er al helemaal weinig voor om te speculeren over de relatie tussen de meesteres en de huishoudster.

De koningin kon de pot op; ze moest frisse lucht hebben. Ze liet zich onder het wandkleed vandaan glijden. Eleanora leek niets in de gaten te hebben. Adelia liep naar het dichtstbijzijnde raam, draaide de knip omhoog, trok het naar binnen open en duwde de luiken weg. Nadat ze met haar voet een krukje had bijgetrokken, ging ze daarop staan en boog zich naar buiten.

De bijtende nachtlucht was bezaaid met sterren. Toen ze omlaagtuurde naar de grond, zag ze her en der wachtvuren met gewapende mannen eromheen.

O god, als ze kreupelhout om de onderkant van de toren leggen... als er een briesje opsteekt en er een vonkje van een van die vuren...

Eleanora en zij zaten boven in een schoorsteen.

Ze had wel weer genoeg frisse lucht gehad. Huiverend – en niet alleen van de kou – sloot Adelia de luiken. Daarbij zette ze te veel druk op de ene kant van het krukje, en met donderend geraas viel ze op de grond.

Na een blik op de koningin, van wie ze een berisping verwachtte, vroeg ze zich af of Eleanora soms in trance was: de koningin had haar blik niet van Rosamunde losgemaakt. Vanaf zijn plekje op de grond trapte Montignard van zich af; hij mompelde iets en snurkte toen weer verder.

Adelia bukte zich om het krukje weer rechtop te zetten en zag toen dat de van inlegwerk voorziene bovenkant was losgekomen; het bleek het deksel van een kist op poten te zijn. Binnenin zaten papieren. Ze haalde ze eruit en ging terug naar haar oude plekje op de grond naast het bed om ze te lezen.

Weer brieven – een half dozijn of meer –, allemaal gericht aan Eleanora, allemaal met de bedoeling het te doen voorkomen of Rosamunde ze geschreven had, maar allemaal in hetzelfde handschrift als de brief die Adelia in haar laars had gestoken.

Allemaal hadden ze dezelfde schampere aanhef, en bij dit licht was ze in staat te lezen wat daarachteraan kwam; het was niet in elke brief steeds hetzelfde, maar de strekking van de boodschap werd keer op keer herhaald:

Vandaag heeft mijn heer de koning zich met mij vermaakt en mij verteld hoezeer hij me aanbidt... Mijn heer de koning heeft zojuist mijn bed verlaten... Hij spreekt met verlangen over zijn scheiding van jou... De paus zal zich tegenover echtscheiding mild betonen, omdat je aan mijn heer de koning verraad pleegt door zijn zonen tegen hem op te zetten... de nodige maatregelen voor mijn kroning in Winchester en Rouen... Mijn heer de koning zal de Engelsen laten weten wie hun ware koningin is.

Gif in inkt, drup, drup.

En de schrijver had ze voor Rosamunde geschreven zodat zij ze in haar eigen handschrift kon overschrijven. Hij of zij – hoogstwaarschijnlijk een hij – had er zelfs briefjes met instructies aan vastgehecht:

Je moet wat leesbaarder schrijven, want de koningin dreef de spot met je brief en noemde je een onbenul.

Schrijf dit snel over, zodat de koningin het nog op haar verjaardag krijgt, omdat ze erg aan die datum hecht en het haar dan harder zal raken.

Haast je, want mijn boodschapper moet naar Chinon komen, waar de koningin wordt vastgehouden voordat de koning haar elders onderbrengt.

En, het meest veelzeggend:

Wij winnen, lady. Voordat het weer zomer wordt, ben jij koningin.

Nergens noemde de instructeur zijn naam. Maar volgens Adelia moest hij iemand zijn die Eleanora na genoeg stond om te weten dat ze de spot had gedreven met Rosamundes schrijfsel. En hij was een dwaas geweest. Als hij hoopte een scheiding te kunnen bewerkstelligen tussen Hendrik en Eleanora, en Rosamunde als koningin naar voren te schuiven, had hij geen enkel, maar dan ook geen enkel gevoel voor politiek. Als het al zo was dat verraad van de vrouw een reden voor echtscheiding kon zijn – wat volgens Adelia niet zo was –, dan had Hendrik toch nog steeds de Kerk te zeer beledigd door Becket te laten ombrengen, en daar had hij voor geboet; hij zou de clerus niet nogmaals willen bruskeren door zijn vrouw aan de kant te zetten. Bovendien had hij groot respect voor de orde der dingen. Belangrijker nog was dat hij door Eleanora te verliezen ook haar groothertogdom Aquitanië zou kwijtraken, en ook al mocht Hendrik dan een beest zijn, hij was wel een beest dat nooit zomaar land opgaf.

Tja, de laconieke Engelsen mochten dan misschien een oogje dichtknijpen voor het feit dat hun koning er een maîtresse op na hield, maar om die maîtresse nou uit te roepen tot hun koningin – dat zou een belediging zijn.

Dat weet ík nog wel, en ik ben een buitenlandse, dacht Adelia.

En toch waren deze brieven goed genoeg geweest om een domme, ambitieuze vrouw ertoe te brengen ze over te schrijven en te versturen; goed genoeg om een koningin zo kwaad te krijgen dat ze ontsnapte en haar zoons ertoe aanspoorde de wapens tegen hun vader op te nemen.

Misschien had Rowley dan toch gelijk: degene die deze teksten geschreven had, had dat wellicht gedaan om een oorlog te ontketenen.

Vanaf de andere kant van de kamer klonk een luid gesnuf. Eleanora zei triomfantelijk: 'Ze gaat eraan. Ze begint al te stinken.'

Dat was sneller dan verwacht. Verrast keek Adelia op naar Rosamunde, die nog steeds stijf over haar werk gebogen zat.

Ze keek wat verder om zich heen en zag dat Hoeder, die op zoek was gegaan naar een lekker plekje, zich had neergevlijd op het loshangende uiteinde van de hermelijnen mantel van de koningin. 'Ik ben bang dat het alleen maar mijn hond is,' zei ze.

'Alleen maar? Haal weg dat beest. Wat doet hij hier?'

Een van de krijgers die in de deuropening had zitten knikkebollen kwam overeind om Hoeder op de overloop buiten te zetten. Vervolgens keerde hij na een knikje van zijn koningin terug naar zijn post.

Eleanora ging verzitten; ze begon ongedurig te worden. 'Moge Sinte-Eulalia me geduld schenken, hoe lang gaat dit duren?' De wake werd vermoeiend.

Bijna had Adelia gezegd: 'Het duurt nog wel een poosje', maar ze slikte die woorden toch maar in. Totdat ze beter op de hoogte was van de toedracht van de situatie kon ze beter in de rol blijven van een vrouw die de koningin had aanvaard als een ietwat bezoedeld onderdeel van Rowleys gevolg, maar die niettemin door God was uitverkoren om het koninklijke leven te redden en als beloning daarvoor dicht aan de koninklijke zijde mocht blijven.

Maar je zóú meer over me moeten weten, dacht Adelia geïrriteerd. Ik sterf van nieuwsgierigheid, en dat zou jij ook moeten doen. Je zou overál meer over moeten weten: over hoe Rosamunde is gestorven, waarom ze de brieven schreef, wie die dicteerde... Je zou de kamer hebben moeten laten doorzoeken en deze exemplaren gevonden moeten hebben voordat ik ze vond. Het is niet genoeg dat je koningin bent; je zou ook vragen moeten stellen. Je man doet dat wel.

Hendrik Plantagenet was een fret en een werkgever van fretten. Hij had binnen een mum van tijd uitgezocht wat Adelia's beroep was en had haar vastgezet in Engeland als een van de zeldzamere dieren in zijn menagerie tot hij emplooi voor haar had. Hij wist precies hoe de zaken ervoor stonden tussen haar en zijn bisschop; hij wist wanneer hun baby was geboren – en van welke kunne die was, wat je van de vader niet eens kon zeggen. Een paar dagen later had een koninklijke boodschapper in eenvoudige kledij, om te bewijzen dat hij het wist, een prachtige kanten doopjurk bij Adelia's deur op de veengronden laten afleveren, met een briefje erbij: 'Noem haar zoals je wilt, ze zal voor mij altijd Rowley-Powley blijven.'

Vergeleken met dat van de koning bleef Eleanora's blikveld slechts beperkt tot haar persoonlijk welzijn en de overtuiging dat God haar nauwlettend in de gaten hield. De vragen die ze in deze kamer had gesteld hadden louter en alleen haarzelf betroffen.

Adelia vroeg zich af of ze haar moest inlichten. Rowley en de koningin moesten in het verleden gecorrespondeerd hebben; ze zou zijn handschrift herkennen. Als ze haar deze papieren liet zien, zou dat in elk geval bewijzen dat hij ze niet had opgesteld om ze door Rosamunde te laten kopiëren. Misschien dat ze het handschrift zelfs wel herkende en kon zeggen wie dat wel had gedaan.

Maar wacht eens even. Er was hier sprake van twee misdaden.

Als Mansur of haar stiefvader Adelia op dat moment zou hebben gadegeslagen, zouden ze hebben gezien dat ze haar 'snijgezicht' opzette, zoals zij het noemden: de mond in een strakke lijn gesloten, een felle blik van concentratie, zoals altijd wanneer haar mes de verbinding van spier aan zenuw volgde, of de loop van een ader, wanneer het porde en sneed om de oorzaak te achterhalen.

Wat haar tot zo'n briljante anatoom maakte, had dokter Gershom haar eens gezegd, was haar instinct. Ze was beledigd geweest. 'Logica en training, vader,' had ze ertegen ingebracht. Hij had geglimlacht. 'De mens heeft misschien voor logica en training gezorgd, maar de Heer heeft je je instinct gegeven, en daar zou je Hem dankbaar voor moeten zijn.'

Twee misdaden.

Eén: Rosamunde had opruiende brieven overgeschreven. Twee: Rosamunde was vermoord.

Ontdekken wie Rosamunde ertoe had aangezet om haar brieven te schrijven was één ding. Ontdekken wie haar had vermoord was een tweede. En beide oplossingen spraken elkaar tegen, wat Eleanora van Aquitanië en de bisschop van St. Albans betrof.

Voor de koningin zou de brievenschrijver de boef zijn die uit de weg moest worden geruimd. Het kon Eleanora geen bal schelen wie Rosamunde had vermoord – als ze zou weten wie het was, zou ze hem waarschijnlijk belonen.

Maar in de ogen van Rowley bracht de moordenaar de vrede in het koninkrijk in gevaar en moest hij om die reden uit de weg worden geruimd. En aan zijn eis moest het meeste gewicht worden toegekend, omdat moord een ergere misdaad was.

Het zou in dit stadium beter zijn om Rowley alle ruimte te geven voor zíjn onderzoek, in plaats van dat te compliceren door de koningin het háre te laten doen.

Hmm.

Adelia gaarde de papieren bijeen op haar schoot, legde ze weer in het opbergkrukje en deed het deksel daar weer op. Ze zou er niets mee doen voordat ze Rowley had kunnen raadplegen.

Eleanora zat maar heen en weer te schuiven. 'Is er in deze vermaledijde toren geen plek waar je je kunt ontlasten?'

Adelia bracht haar naar de garde-robe.

'Licht.' De koningin stak haar hand uit voor een kaars en Adelia drukte er een in – met tegenzin. Dan zou ze immers de scabreuze schilderingen zien.

Als Adelia nog meer met de vrouw te doen kon hebben dan ze al had, was het wel op dat moment. Wanneer puntje bij paaltje kwam, werd Eleanora verteerd door een even erge seksuele jaloezie als die van het eerste het beste viswijf dat haar man op heterdaad betrapt, en hoe ze zich ook wendde of keerde, nu werd ze gestoken door herinneringen daaraan.

Adelia zette zich al schrap voor een donderbui, maar toen de koningin achter het wandkleed vandaan kwam, zag ze er moe en oud uit, en bleef ze zwijgen.

'U zou wat rust moeten nemen, vrouwe,' zei Adelia bezorgd. 'Laten we naar beneden –'

Op de trap klonk tumult en de twee bewakers in de deuropening maakten het kruis van hun speren los en gingen in de houding staan.

Er kwam een boom van een man binnen, sprankelend van energie en rijp, en Schwyz, die achter hem aan kwam, viel bij hem volkomen in het niet. Hij was reusachtig; toen hij knielde om de koningin de hand te kussen, bevond zijn hoofd zich op gelijke hoogte met het hare.

'Als ik hier was geweest, mijn liefste, zou het niet gebeurd zijn,' zei hij, nog steeds geknield. Hij drukte Eleanora's hand met allebei zijn eigen handen tegen zijn hals, sloot zijn ogen en wiegde aldus gesterkt heen en weer.

'Dat weet ik.' Ze glimlachte hem aanminnig toe. 'Mijn lieve, lieve abt. Jij zou het mes met dat grote lichaam van je wel hebben tegengehouden, hè?'

'En meteen door naar het paradijs zijn gegaan.' Hij slaakte een zucht, stond op en keek naar haar omlaag. 'Wil je ze allebei verbranden?'

De koningin schudde haar hoofd. 'Ik heb me ervan laten overtuigen dat Dampers niet goed bij haar hoofd is. En krankzinnigen executeren we niet.'

'Wie? O, Dakers. Ja, die is niet helemaal fris, dat zei ik je al. Op de brandstapel met haar, zou ik zeggen. En die vermaledijde meesteres van haar erbij. Waar is de lichtekooi?'

Hij beende de kamer door naar de tafel en porde tegen de schouder van het lijk. 'Net wat ze zeiden: zo koud als een heksentiet. Een vuurtje zou ze allebei een beetje opwarmen en voorbereiden op de hel.' Hij draaide zich om om met zijn vinger naar Eleonora te zwaaien. 'Zoals je weet ben ik maar een simpele ziel uit Gloucestershire en – moge de lieve Maria me verlossen – een zondaar bovendien, maar ik hou van mijn God en ik hou zielsveel van mijn koningin, en ik ben ervoor hun vijanden in de brand te steken.' Hij spoog op Rosamundes haar. 'Zo denkt de abt van Eynsham over ú, vrouwe.'

Vanwege het bezoek was Montignard overeind gekomen. Hij probeerde omstandig en jaloers – en vergeefs – de aandacht van de koningin te trekken door haar aan te sporen iets te eten. Eynsham, een man die eerder gebouwd leek om met balen hooi te sjouwen dan om monastieke schapen te hoeden, domineerde de hele kamer en dreef daar met de kracht van zijn lichaam en stem alle adem uit, om hem te vullen met de aardsheid en het accent van de West Country.

Hij had een man van het platteland kunnen zijn, maar alles wat hij aanhad getuigde van een kostbare en uitnemende klerikale smaak, hoewel het borstkruis dat van zijn hals naar voren was gevallen toen hij een buiging maakte voor de koningin overdreven was: een brok dof goud waarmee je een deur had kunnen inslaan.

Eleonora leek sinds zijn komst meteen jaren jonger, en ze vond het heerlijk. Afgezien van de opmerkelijke Montignard waren haar hovelingen te moe geweest van de reis om zich er al te zeer om te bekommeren dat ze aan de dood was ontsnapt.

Of om mijn aandeel daarin, dacht Adelia opeens zuur. Haar hand deed pijn.

'Maar ik kom wel slecht nieuws brengen, mijn glorie,' zei de abt.

Eleonora's gezicht veranderde van uitdrukking. 'Over de jonge Hendrik zeker. Waar is hij?'

'O, met hem is niets aan de hand. Maar vanaf Chinon werden we de hele tijd opgejaagd, dus de jonge koning... Nou ja, hij heeft besloten in Parijs te blijven in plaats van hiernaartoe te komen.'

De koningin, die opeens niets meer zag, tastte naar de armleuning van haar stoel en liet zich daarin neer.

'Kom, kom, zo erg is het nou ook weer niet,' zei de abt met diepe stem. 'Maar je weet hoe die jongen van je is; hij heeft Engeland nooit leuk gevonden – hij vond de wijn er naar pis smaken.'

'Wat moeten we doen? Wat moeten we doen?' Eleonora's ogen stonden groot en smekend. 'De zaak is verloren. Almachtige God, wat moeten we nu?'

'Wacht eens eventjes...' De abt knielde naast haar neer en nam haar handen in de zijne. 'Er is nog niets verloren. En Schwyz hier, we hebben samen een goed gesprek gehad en hij denkt dat het allemaal wel goed komt. Ja toch, Schwyz?'

Schwyz kon niet anders dan knikken.

'Zie je nou? En Schwyz weet waar hij het over heeft. Hij ziet er niet uit, moet ik toegeven, maar van tactiek weet hij alles. Want hier komt het goede nieuws...' Eleanora's handen werden omhooggetild en sloegen tegen haar knieën. 'Hoor je me, glorie? Luister naar me. Hoor eens wat onze bevelhebber Jezus voor ons heeft gedaan: hij heeft de koning van Frankrijk aan onze kant gebracht. Hem samengebracht met de Jonge Hendrik, jazeker wel.'

Eleonora hief haar hoofd op. 'Echt waar? O, eindelijk dan toch! God zij geprezen!'

'Koning Lodewijk verdient zoals altijd alle lof. Hij gaat een leger op de been brengen om het aan de zijde van de zoon op te nemen tegen de vader.'

'God zij geprezen,' zei Eleanora weer. 'Dán hebben we pas een leger.'

De abt knikte met zijn grote hoofd, alsof hij toekeek hoe een kind een cadeautje openmaakte. 'Een heilige koning. Ik moet toegeven dat hij voor jou als echtgenoot niet veel voorstelde, maar we hoeven niet met hem te trouwen, en God zal nu genadig met hem zijn vanwege zijn heldenmoed.' Hij gaf weer een mep op Eleanora's knieën. 'Zie je nou, vrouw? De Jonge Hendrik en Lodewijk trekken ten strijde in Frankrijk en wij hier in Engeland, en samen zullen we die Ouwe Hendrik wel op de knieën krijgen. Het Licht zal het Duister overheersen. Onder ons gezegd en gezwegen: we zullen die oude adelaar weleens eventjes vangen en omlaaghalen.'

Hij bracht het leven in Eleanora terug; ze had weer kleur gekregen. 'Ja,' zei ze. 'Ja. Een dubbele aanval. Maar hebben we daar de mankracht wel voor? Hier in Engeland, bedoel ik? Schwyz heeft maar zo weinig manschappen bij zich.'

'Wolvercote, schoonheid van me. Lord Wolvercote is bij Oxford gelegerd en wacht ons met een contingent van duizend man sterk op.'

'Wolvercote,' herhaalde Eleanora. 'Ja, natuurlijk.' Haar zwaarmoedigheid viel geleidelijk aan van haar af naarmate ze hoger klom op de ladder van hoop die de abt haar voorhield.

'Natúúrlijk, natuurlijk. Duizend man. En met jou als aanvoerder nog wel tienduizend die zich bij ons aansluiten. Al diegenen die Plantagenet heeft vertrapt en aan de bedelstaf heeft gebracht zullen toestromen vanuit de Midlands. Dan marcheren we op en – o, wat een hemelse vreugde!'

'Laten we verdorie eerst maar eens naar Oxford zien te komen,' zei Schwyz. 'En snel ook graag, verdomme. Het gaat sneeuwen en zo meteen zitten we tot sint-juttemis in die klotetoren hier vast. In Woodstock zei ik tegen dat stomme wijf dat die niet te verdedigen was. Laten we meteen naar Oxford doorgaan, zei ik. Daar kan ik je verdedigen. Maar zíj wist het weer eens beter.' Zijn stem sloeg over van een bas naar een falset toen hij zei: '"O, nee, Schwyz, de wegen zijn te slecht voor een achtervolging, Hendrik komt ons echt niet tot hier achterna".' Met zijn gewone stem zei hij: 'Dat doet Hendrik wel, verdomme – ik ken die gast.'

In zekere zin was het het meest merkwaardige moment van de nacht. Eleanora's uitdrukking, die het midden hield tussen twijfel en overgroot enthousiasme, veranderde niet. De abt, die nog steeds aan haar zij geknield zat, draaide zich niet om.

Hoorden ze hem dan soms niet?

Heb ik hem zelf wel gehoord? Want in gedachten ging Adelia weer terug naar de lagere alpen van Graubünden, waar haar adoptiefouders en zij elk jaar een lange, maar mooie reis hadden gemaakt om de zomerse hitte in Salerno te ontvluchten. Daar, in een villa die hun ter beschikking werd gesteld door de bisschop van Chur, een dankbare patiënt van dokter Gershom, was de kleine Adelia kruiden en wilde bloemen gaan plukken samen met de vlasblonde kinderen van de geitenhoeder, en had ze geluisterd naar hun gepraat en dat van de grote mensen – die zich er geen van allen van bewust waren dat Adelia talen in zich kon opzuigen als vloeipapier.

En het was wel een gek taaltje geweest: een keelachtige mengeling van Latijn en het dialect van de Germaanse volkeren waar deze alpenbewoners van afstamden.

Ze had dat zojuist weer gehoord.

Schwyz had Retoromaans gesproken.

Zonder om zich heen te kijken gaf de abt de koningin uit de losse pols een vertaling. 'Schwyz zegt dat we, als we op uw gunst kunnen rekenen, deze oorlog gaan winnen. Als hij recht uit zijn hart spreekt, begint hij weer in zijn eigen taaltje te praten, maar die ouwe Schwyz is helemaal uw man.'

'Dat weet ik.' Eleanora glimlachte Schwyz toe. Schwyz knikte terug. 'Alleen, hij kan sneeuw van tevoren ruiken, zegt hij, en hij wil graag naar Oxford. En ik zou me een stuk prettiger voelen als we Wolvercotes mannen om ons heen hadden. Kun jij de reis wel aan, lieveling? Ben je niet te moe? In dat geval moet je maar met Monty beneden naar de keukens gaan en zorgen dat je iets warms te bikken krijgt. Het zal een koude tocht worden.'

'Mijn lieve, lieve abt,' zei Eleanora hartelijk terwijl ze opstond. 'Wat zaten we op jou te wachten. Jij helpt ons weer herinneren aan Gods eenvoudige goedheid. Je voert de geur van velden en natuurlijke dingen met je mee. Je schenkt ons moed.'

'Dat mag ik hopen, m'n beste. Dat mag ik hopen.'

Toen de koningin en Montignard naar beneden afdaalden, draaide hij zich om om Adelia aan te kijken, die wist – al wist ze niet hoe ze dat wist – dat hij zich al die tijd van haar aanwezigheid bewust was geweest. 'En wie mag jij dan wel zijn?'

Schwyz zei: 'Een of andere slet van St. Albans. Hij had haar bij zich. Zij was in de kamer toen dat gekke wijf Nelly aanviel en wist haar ten val te brengen. Nelly denkt dat ze haar het leven heeft gered.' Hij haalde zijn schouders op. 'En misschien is dat ook wel zo.'

'O ja?' Twee passen brachten de abt dicht bij Adelia. Een verrassend fraai gemanicuurde hand pakte haar vast bij haar kin en kantelde haar hoofd achterover. 'Een koningin heeft haar leven aan jou te danken, nietwaar, meisje?'

Adelia zette met opzet een uitdrukkingsloos gezicht, even uitdrukkingsloos als dat van de abt die haar aanstaarde.

'Dan heb je mazzel, nietwaar?' zei hij.

Hij haalde zijn hand weg en draaide zich om om weg te lopen. 'Kom mee, jongen, laten we deze *festa stultorum* maar eens op weg helpen.'

'En zij dan?' Met zijn duim gebaarde Schwyz naar de schrijftafel.

'Laat haar maar branden.'

'En zíj?' De duim wees naar Adelia.

Het schouderophalen van de abt deed vermoeden dat Adelia kon weggaan dan wel meeverbranden, net wat ze zelf wilde.

Ze bleef alleen in de kamer achter. Hoeder, die zijn kans schoon zag, kwam weer naar binnen en zijn neus voerde hem meteen naar het blad met de halfopgegeten kalfspastei.

Adelia luisterde in gedachten naar Rowleys stem: *Burgeroorlog...*

Stephen en Matilda stellen daarbij vergeleken niets voor... De Vier Ruiters van de Apocalyps... Ik hoor de paardenhoeven al trappelen.

Ze zijn gekomen, Rowley, dacht Adelia. Ze zijn hier. Ik heb er zojuist drie gezien.

Vanaf de schrijftafel klonk een zacht plofje toen Rosamundes ontdooide lichaam naar voren viel.

7

Door tegen het advies van de bevelhebber van haar kleine legermacht in te gaan en de mannen met haar mee te slepen naar Wormhold Tower had Eleanora haar doel uitgesteld: zich bij het grotere rebellenleger voegen dat in Oxford op haar wachtte.

Nu het weer slechter werd, wilde Schwyz de koningin zo snel mogelijk naar de afgesproken plek zien te brengen – als legers te lang doelloos rondhingen, hadden ze de neiging zich te verspreiden, zeker in de kou – en er was maar één zekere route waarlangs ze daar snel zou komen: de rivier. De Theems liep min of meer direct van noord naar zuid, door de ongeveer tien kilometer platteland die Wormhold en Oxford scheidden.

Zodra de koningin en haar bedienden uit hun laatste kampement waren weggereden, vergezeld door Schwyz en zijn mannen te voet, moesten er boten gevonden worden. En die waren ook gevonden. Een paar. Een soort van. Genoeg om de belangrijkste leden van het koninklijk gezelschap en een contingent van Schwyz' mannen te vervoeren, maar niet allemaal. De lagere bedienden en de meeste soldaten zouden de reis naar Oxford moeten maken via het jaagpad – een aanzienlijk tragere en moeizamere reis dan per boot. Ook zouden ze de paarden en muilezels met zich mee moeten nemen die het koninklijk gezelschap had meegevoerd.

Adelia maakte dit allemaal op uit wat ze aantrof toen ze in de onderste kamer van de toren kwam, waar het een chaos was van gebrulde bevelen en verklaringen.

Een soldaat goot olie op een grote stapel kapotte meubels, terwijl rondrennende bedienden hem toeriepen dat hij moest wachten voordat hij er de brand in stak en haastig kisten, pakkratten en dozen die nog maar een paar uur tevoren de bewakersruimte waren binnengesleept weghaalden. Eleanora reisde met veel bagage.

Schwyz schreeuwde hun toe dat ze alles moesten laten waar het was; noch degenen die een plaatsje zouden vinden in de weinig boten, noch degenen die over land naar Oxford zouden reizen konden bagage met zich meenemen.

Ofwel ze hoorden hem niet, ofwel ze negeerden hem. Hij werd nog kwaaier toen Eleanora hem op het hart drukte dat ze toch heus niet verder kon zonder deze of gene bediende, en doordat, zelfs toen er overeenstemming was bereikt, de uitverkorene weigerde stil te blijven staan om geteld te worden. Een deel van het probleem leek te zijn dat de Aquitaniërs twijfelden aan de eerlijkheid van hun militaire bondgenoten; Eleanora's persoonlijke bediende riep dat de koninklijke kleding niet kon worden toevertrouwd aan 'huurlingen op doortocht', en een man die verklaarde dat hij de sergeant-kok was, weigerde ook maar één enkele pan achter te laten die de soldaten zouden kunnen stelen. Dus terwijl buiten de toren soldaten worstelden met bevroren tuigen om de paarden en muilezels klaar te maken, kissebisten de Aquitaniërs van de koningin en renden ze heen en weer om nog meer bagage te halen, waar elke keer geen plaats voor was.

Op dat moment besloot Adelia ter plekke dat, wat er verder ook mocht gebeuren, zijzelf over het jaagpad zou reizen – en snel ook. Te midden van deze wanorde zou niemand haar zien vertrekken, en met een beetje geluk en Gods genade kon ze naar het nonnenklooster lopen.

Maar eerst moest ze Rowley, Jacques en Walt zien te vinden.

Ze stond op de trap naar hen uit te kijken in de drukte; ze waren er niet, ze waren zeker mee naar buiten genomen. Maar ze zag wel een zwarte vorm die in de schaduwen van de muren bleef toen hij zich met onhandige sprongen, als een kikker, omdat zijn voeten waren geboeid, naar de trap begaf. Het touw dat om zijn nek was gebonden wipte mee.

Adelia trok zich terug in het donker van de trap en toen het wezen de eerste tree op kwam pakte ze het bij de arm. 'Nee,' zei ze.

De handen en voeten van de huishoudster waren strak genoeg vastgebonden om een normale vrouw in haar bewegingsvrijheid te beperken, maar degenen die dit had gedaan had geen rekening gehouden met het abnormale: Dakers was vanaf de plek waar haar bewakers haar hadden achtergelaten weggehopst om te proberen zich bij haar meesteres boven in de toren te voegen.

En dat zou haar lukken ook; toen Adelia haar beetpakte, probeerde Dakers haar af te schudden. Zonder dat iemand het zag worstelden de twee vrouwen met elkaar.

'Je verbrandt nog,' siste Adelia haar toe. 'In godsnaam, je wilt toch niet samen met haar verbranden?'

'Jawel...'

'Dat sta ik niet toe.'

De huishoudster was de zwakste van hen beiden; ze gaf het op en keerde zich naar Adelia toe. Ze was ruw behandeld; ze had een bloedneus en een van haar ogen zat dicht en was dik. 'Laat me gaan, laat me gaan. Ik wil naar haar toe. Ik móét naar haar toe.'

Wat krankzinnig. Wat verdrietig. Een soldaat trof voorbereidingen voor de vernietiging van de toren; bedienden bekommerden zich alleen om hun eigen zaken. Het kon niemand iets schelen als de vrouw die had geprobeerd de koningin te vermoorden zou omkomen in de vlammen; misschien dat ze dat zelfs wel het liefst zouden zien.

Dat kunnen ze niet doen; ze is niet goed bij haar hoofd. Een van de redenen waarom Adelia van Engeland hield was dat, als Dakers voor de rechter gebracht zou worden vanwege haar aanslag op het leven van de koningin, geen enkel hof in het hele land haar, gezien wat ze was, ter dood zou veroordelen. Eleanora had daar zelf aan vastgehouden. Sluit die vrouw op – jawel, maar het redelijke aloude gezegde *furiosus furore solum punitus* (oftewel: de gekte van de krankzinnige is al straf genoeg) hield in dat niemand die ooit over gezond verstand had beschikt maar daar door ziekte, verdriet of een ander ongeluk niet langer over beschikte, de schuld voor haar of zijn misdaad kon worden aangerekend.

Het was een regeling die aansloot bij alles waar Adelia in geloofde en ze zou het niet laten gebeuren dat er de hand mee werd gelicht, ook al was Dakers zelf tot medeplichtigheid bereid en wílde ze graag sterven en samen met het lichaam van Rosamunde verbranden. Het leven was heilig; dat wist niemand beter dan een dokter die zich bezighield met zaken waaruit het gevloden was.

De vrouw trok zich weer van haar los; Adelia verstevigde haar greep en voelde een lichamelijke weerzin. Zij die nooit een greintje misselijkheid voelde als ze met lijken te maken had, voelde een afkeer van dit levende lichaam dat ze zo dicht tegen haar aan moest houden, van de schrielheid ervan – het was net of ze een bundel stokken tegen zich aan hield –, van zijn passie voor de dood.

'Wil je haar niet wreken?' zei ze, omdat dat het enige was wat ze kon bedenken om de vrouw koest te houden, maar na een poosje verscheen er een glimpje gezond verstand in de ogen die haar dreigend aankeken.

De mond hield op met sissen. 'Wie heeft het gedaan?'

'Dat weet ik nog niet. Maar ik kan je wel vertellen dat het de koningin níét was.'

Nog meer gesis. Dakers geloofde haar niet. 'Ze heeft ervoor betaald om het een ander te laten doen.'

'Nee.' Adelia voegde eraan toe: 'En Bertha was het ook niet.'

'Dat weet ik.' Verachtelijk.

Plotseling ontstond er een merkwaardig soort intimiteit. Adelia merkte dat de vrouw zich met het beetje verstand dat ze nog had een oordeel over haar trachtte te vormen; ze voelde dat ze werd getaxeerd als bondgenoot, terzijde werd geworpen – en weer terug werd gehaald. Ze was uiteindelijk de énige bondgenoot.

'Ik zoek de zaken uit. Dat is mijn taak,' zei Adelia, die haar greep iets liet verslappen. Terwijl ze haar afkeer onderdrukte, voegde ze eraan toe: 'Kom maar met me mee, dan zullen we samen eens het een en ander uitvinden.'

Dakers knikte.

Adelia voelde in haar zak naar haar mes, sneed het touw rond de enkels van de huishoudster door en maakte de lus rond haar hals los. Ze hield even halt, niet zeker wetend of ze de handen ook moest losmaken. 'Beloof je het?'

Het ene goede oog tuurde haar aan. 'Kom je erachter?'

'Ik doe mijn best. Dat is de reden waarom de bisschop van St. Albans me hiernaartoe heeft gebracht.' Die woorden waren vast niet erg geruststellend, bedacht ze, gezien het feit dat de bisschop van St. Albans hier als een gevangene vertrok en het armageddon op uitbreken stond.

Dakers stak haar magere polsen naar voren.

Schwyz was de kamer van de bewakers uit gegaan om orde op zaken te stellen op de hof buiten. Een deel van de bedienden was met hem meegegaan; de paar die waren achtergebleven waren nog steeds bezig spullen bij elkaar te pakken en ze hadden niet in de gaten dat de twee vrouwen naar buiten glipten.

Op de binnenhof was de verwarring niet minder groot. Adelia bedekte Dakers' hoofd met de kap van haar mantel en zette haar eigen kap ook op, zodat ze als twee anonieme figuren opgingen in de drukte.

Doordat de wind was opgestoken was het lawaai nog groter; hij blies kleine lawines van sneeuwvlokken op die langzaam zouden smelten. Het maanlicht kwam en ging als het licht van een sputterende kaars.

Zonder dat er iemand aandacht aan haar besteedde bewoog Adelia, die nog steeds Dakers vasthad, zich met Hoeder op haar hielen door de chaos, zoekend naar Rowley. Ze ving een glimp van hem op aan de andere kant van de hof, en zag tot haar opluchting dat Jacques en Walt bij hem waren; ze zaten alle drie aan elkaar vastgebonden. Vlak bij hen stond de abt van Eynsham over hen te delibereren met Schwyz; zijn stem overstemde het lawaai van de wind en de drukte: '... kan me niet schelen, tiran, ik moet weten wat zij weten. Ze gaan met ons mee.' Schwyz' repliek ging verloren in de wind, maar Eynsham had gewonnen. De drie gevangenen werden naar voren geduwd, naar de menigte bij de poort, waar Eleanora op een paard steeg.

Verdorie, verdíkkeme. Ze móést met Rowley praten voordat ze gescheiden werden. Of ze dat onopgemerkt kon doen... en met een mislukte moordenares op sleeptouw... Maar ze durfde Dakers' hand toch niet los te laten.

En Dakers lachte. Of tenminste, er kwam een laag gekakel onder de kap rond haar gezicht vandaan.

'Wat is er?' vroeg Adelia, en ze constateerde dat ze, zodra ze haar ogen van Rowley en de anderen had afgewend, hen uit het gezicht had verloren. 'Stil nou toch!'

Angstig van besluiteloosheid trok ze de vrouw naar de boog die naar de buitenhof voerde en naar de ingang van de doolhof. De wind blies de jassen van de rondredderende bedienden open en dicht, zodat de gouden leeuw van Aquitanië op hun tabbaarden heen en weer danste in het licht van de toortsen. Soldaten, die er in hun gevoerde jasjes keurig uitzagen, probeerden alles ordelijk te laten verlopen en graaiden onnodige en zware spullen weg uit omvattende armen, terwijl ze probeerden te voorkomen dat de eigenaren ze terugpakten. Alleen Eleanora was kalm; met haar ene hand hield ze haar paard in bedwang en met de andere schermde ze haar ogen af om toe te kijken naar de voorbereidselen, zoekend naar iets.

Ze zag Hoeder, als een klein zwart schaap afgetekend tegen de sneeuw, en wees Schwyz met een gehandschoende vinger naar het dier, terwijl ze een bevel gaf. Schwyz keek om zich heen en wees op zijn beurt ook. 'Die daar, Cross,' riep hij naar een van zijn mannen. 'Breng haar hierheen. Die met die hond.'

Adelia voelde dat ze werd opgepakt en op een muilezel werd gezet. Ze worstelde en wilde Dakers' hand niet loslaten.

De man die Cross heette nam de weg van de minste weerstand; hij tilde Dakers ook op, zodat ze zich moest vasthouden aan Adelia's rug. 'En daar blijven, versta je!' beet hij hun toe. Terwijl hij een hand aan de teugel van de muilezel hield en met zijn lichaam Adelia's been op zijn plek duwde, bracht hij zijn lading door de poort de buiten-hof op, waar hij inhield tot de rest van de stoet zich bij hen had gevoegd.

Eleanora ging voorop, met Eynsham vlak achter haar. Voor hen uit gaapten de open poorten van de doolhof als een zwart gat.

'Ga er recht doorheen, koningin van mijn hart,' riep de abt haar vrolijk toe. 'Zo recht als de ploeg van mijn vader.'

'Recht?' riep de koningin terug.

Hij spreidde zijn armen. 'Je had me toch opgedragen de raadselen van de lichtekooi te doorgronden? En heb ik daar niet omwille van jou gehoor aan gegeven?'

'Is er dan een rechte weg doorheen?' Eleanora lachte. 'Abt, o mijn abt toch. "En de krommen zullen recht worden..."'

'"... en de ruwe plekken vlak,"' maakte hij het voor haar af. 'Die ouwe Jesaja wist wel hoe het zat. Ik ben slechts zijn dienaar, en de jouwe. Ga, koningin van me, en het pad van de Heer zal je door het struikgewas van de lichtekooi voeren.'

Voorafgegaan door een paar van haar mannen en met een lantaarn in haar hand betrad Eleanora, nog steeds lachend, de doolhof. De stoet volgde haar.

Achter hen gaf Schwyz nog een order en een brandende toorts zeilde met een boog door de lucht op het opgestapelde brandhout in de bewakersruimte af...

De abt had gelijk: de weg door de doolhof was recht gemaakt. De paadjes liepen direct in elkaar over. Hagen die de doorgang hadden versperd bleken verborgen poorten te zijn, die nu geopend waren.

Alle raadselachtigheid was verdwenen. De wind voerde de stilte van de doolhof met zich mee; de hagen om hen heen bogen door en huiverden als in doodgewone door de storm heen en weer gezwiepte lanen. Er was iets van de bedrieglijke essentie verloren gegaan; Adelia kon er niet om rouwen. Wat ze opmerkelijk vond was dat, als je de vreemde abt die verklaarde de koningin toegewijd te zijn moest geloven, Rosamunde zelf hem de geheime doorgang had getoond.

'Ken je die man?' vroeg ze over haar schouder. In elkaar krimpend voelde ze Dakers' magere kin op en neer gaan tegen haar rug toen de huishoudster weer begon te kakelen.

'Wat een slimmerik.' Het was niet zozeer een antwoord als wel een opmerking die Dakers bij zichzelf maakte. 'Hij denkt dat hij onze wyrm heeft verslagen, en dat heeft hij ook, maar die beschikt nog steeds over zijn kaken.' Misschien hoorde het wel bij haar gekte, bedacht Adelia, dat er in haar stem geen animositeit doorklonk jegens een man die, zoals hijzelf zei, Rosamunde in haar toren had opgezocht met de bedoeling haar te verraden aan de koningin.

Binnen een mum van tijd waren ze door de doolhof heen. Cross, die de muilezel uitmaakte voor alles wat mooi en lelijk was, zette hem aan tot een drafje, zodat Adelia en Dakers op en neer hotsten op zijn zadelloze rug toen het dier de heuvel af ging.

De wind wakkerde aan en blies de sneeuw voor zich uit in horizontale buien die van tijd tot tijd de maan verduisterden. Terwijl ze de heuvel afdaalden, sloeg de sneeuw gierend in hun gezicht.

Adelia keek achterom en zag dat Rowley, Jacques en Walt de doolhof uit werden gejaagd door de speren van de mannen die achter hen aan kwamen.

Er klonk een kreet van triomf van Dakers; haar hoofd was naar de toren gewend, die zich als een zwart, hoog oprijzend en onverstoorbaar silhouet aftekende tegen de maan.

'Goed zo, goed zo!' riep Dakers. 'Onze heer Satan heeft me wel gehoord, lieverd. Ik kom bij je terug, m'n beste. Wacht op mij!'

De toren brandde niet. Hij zou inmiddels in lichterlaaie moeten staan, maar ondanks de kapotte meubels, de olie, een windvlaag en een toorts, had de brandstapel geen vlam gevat. Iets, een of ander ding, had het vuur gedoofd.

De deur had pal op de wind gelegen, hield Adelia zichzelf voor. De wind had sneeuw meegevoerd en die had de vlammen gedoofd.

Maar wat niet uitgedoofd kon worden, was het beeld van Rosamunde, op duivelse wijze behouden, die daar in die koude bovenkamer zat te wachten tot haar bediende bij haar zou terugkeren...

Bij de rivier wachtte hun een armzalige kleine vloot: roeiboten, punters en een oude wherry lagen allemaal aangemeerd aan de oever, gevorderd door Schwyz' soldaten. Het enige vaartuig van betekenis was de sloep die Mansur, Oswald, Aelwyn en de mannen van Godstow stroomopwaarts hadden gebracht om Rosamundes lichaam op te halen. Adelia zocht naar Mansur, en toen ze hem niet zag werd ze bang dat de soldaten hem hadden gedood. Dit waren onbehouwen kerels; ze deden haar denken aan degenen die achter de kruisvaarderslegers aan door Salerno waren getrokken, bereid om iedereen af te slachten die er anders uitzag dan zijzelf. Er stond weliswaar een lange gestalte op de boeg van de sloep, maar die man droeg net als de rest van de aanwezigen een mantel met een kap, zodat ze in de sneeuw niet kon zien wie het was. Het kon Mansur zijn, maar ook een soldaat.

Ze probeerde zichzelf gerust te stellen dat Schwyz en zijn mannen huurlingen waren en meer belangstelling zouden hebben voor praktisch nut dan voor het afslachten van Saracenen; ze zouden vast wel begrijpen waarom het als ze in Oxford wilden komen nodig was iedere ervaren bootsman in leven te laten.

De chaos die op de hof van Wormhold had geheerst werd nog verdubbeld nu Eleanora's mensen erom vochten hun koningin te vergezellen in de Godstow-sloep – de enige met een cabine. Als er al iemand zijn best deed het inschepen in goede banen te leiden, werd die volkomen overdonderd.

De huurling Cross, aan wie Adelia en Dakers waren toevertrouwd, bleef te lang op orders wachten; tegen de tijd dat hij besefte dat die niet zouden komen, was de sloep al gevaarlijk zwaar beladen met alle bedienden en bagage van de koningin. De twee vrouwen en hij werden weggewimpeld.

Met een vloek sleurde hij hen met zich mee naar het volgende vaartuig in de rij en smeet hen bijna de achtersteven in. Hoeder maakte een sprong en voegde zich bij hen.

Het was een roeiboot. Een ópen roeiboot die met een kabel was vastgemaakt aan de achtersteven van de sloep uit Godstow. Adelia ging tekeer tegen de soldaat: 'Je kunt ons hier niet neerzetten. Straks bevriezen we nog.' Als ze in dit bootje werden blootgesteld aan de geselende wind, zouden ze allang de geest hebben gegeven voordat ze in Oxford waren: twee lijken die net zo stijf bevroren waren als dat van Rosamunde.

De boot huiverde toen een bewaker er nog drie mensen bij duwde, waarna hij zelf achter hen aan klauterde. Een stem die lager was dan die van Adelia en die er meer aan gewend was ver te dragen zei tegen de wind in: 'In godsnaam, man, wil je ons soms dood hebben? Zorg dat we een dak boven ons hoofd krijgen. Vraag maar aan de koningin: die mevrouw hier heeft haar leven gered.' De bisschop van St. Albans had zich bij haar gevoegd, en deelde haar protest. Hoewel hij nog steeds aan Jacques en Walt vastgebonden zat, en aan het uiteinde van een speer, straalde hij toch gezag uit.

'Ik hoor je wel, hoor!' riep Cross terug. 'Hou je waffel. Ga hier zitten. Vóór de vrouwen.'

Toen iedereen eenmaal zo zat dat hij tevreden was, haalde hij een grote bundel tevoorschijn die een oud zeil bleek te zijn en riep naar zijn maat, die hij aansprak met Giorgio, dat hij hem moest helpen het uit te spreiden.

Ook al waren ze nog zulke botteriken, zijn maat en hij waren wel efficiënt; de wind probeerde hun het doek uit handen te rukken, maar Dakers en Adelia moesten op één kant gaan zitten, waarna het werd terug- en omhooggeslagen, en vervolgens naar voren gebracht, zodat het hen en de drie gevangenen allemaal bedekte, en uiteindelijk ook de twee soldaten zelf die op de voorsteven plaatsnamen. Al die moeite deden ze alleen uit zelfbehoud, want zij gingen ook mee. Met een demonstratief gebaar legde Giorgio een steekzwaard over zijn knieën.

Vuil en stinkend rustte het zeil op aller hoofden. Het was ook niet breed genoeg voor zijn doel, want als ze zich aan de ene kant afdekten tegen de schuin blazende wind, onstond er aan de andere kant een opening. Er vormde zich onmiddellijk ijs op, waardoor het stijf werd, maar er ook een beschermend laagje op ontstond. Dat bood nog enige beschutting.

De rivier werd tot een kolkende massa opgezweept, zodat er ijzige waterstroompjes over de dolboorden klotsten. Adelia trok Hoeder op haar schoot, sloeg haar mantel over hem heen en zette haar voeten tegen Rowleys rug, zodat ze niet nat zouden worden – hij zat op de bank vlak voor haar aan stuurboord, waar de opening was. Jacques zat tussen hem en Walt in.

'Alles goed?' Ze moest hard roepen tegen de gierende wind in.

'Jij?' vroeg Rowley.

'Prima.'

De boodschapper deed ook zijn best om dapper te zijn. Adelia hoorde hem zeggen: 'Leuk, een bootreisje. Weer eens wat anders.'

'Het gaat van je loon af,' liet de bisschop hem weten. Walt gromde.

Er was geen tijd om nog meer te zeggen; de twee soldaten brulden hun toe dat ze moesten hozen 'voordat die rotschuit naar de kelder gaat', en deelden spullen uit waar ze dat mee konden doen. De drie ge-

vangenen kregen echte hoosvaten, terwijl de vrouwen kannen aangereikt kregen. 'En doe een beetje je best graag.'

Adelia begon te hozen – als de boot onder hen wegzonk, zouden ze
dood zijn voordat ze naar de oever konden klauteren. Zo snel als ze kon
gooide ze het ijzige water de rivier in. De rivier gooide het terug.

Vanonder de kier in het zeil gezien werd de voortjagende sneeuw
verlicht door de lamp op de achtersteven van de sloep voor hen en de
boeg van welke boot er ook maar achter hen voer, zodat Adelia net genoeg licht had om te constateren dat de kan waar ze mee hoosde jam-
merlijk ongeschikt was voor die taak. Hij was van zilver en had tot
voor kort op het dienblad gestaan waarop een bediende Eleanora in
Rosamundes kamer eten en drinken had gebracht. De Aquitaniërs hadden gelijk gehad: de huurlingen – de twee in deze boot in elk geval –
waren dieven.

Opeens voelde Adelia een woede in zich opkomen die zich weliswaar
concentreerde op de gestolen kan, maar die er meer mee te maken had
dat ze het koud had, moe en nat was, heel ongemakkelijk zat en vreesde voor haar leven. Ze wendde zich tot Dakers, die niets uitvoerde.
'Hozen nou, verdorie.'

De vrouw bleef roerloos zitten; haar hoofd hing slap naar opzij. Waarschijnlijk is ze dood, ging het door Adelia heen.

Haar woede gold ook Rowley; hij brulde naar zijn overweldiger dat
hij hun handen los moest maken, zodat Jacques, Walt en hij sneller
konden hozen; ze werden vertraagd doordat met z'n drieën tegelijk het
water omhoog en naar buiten moesten scheppen, wat heel ongemakkelijk was.

Hem werd te verstaan gegeven dat hij zijn mond moest houden, maar
na een poosje voelde Adelia de boot nog harder heen en weer deinen,
waarna ze de drie mannen voor haar hoorde vloeken; daaruit begreep ze
dat ze van elkaar waren losgesneden, maar dat de afzonderlijke stukken
touw die hun polsen bij elkaar hielden nog steeds op hun plek zaten.

Niettemin kon het drietal nu sneller hozen, en dat deden ze ook. Adelia richtte haar woede nu op Dakers, die zomaar dood was gegaan na
alles wat zij, Adelia Aguilar, voor haar had gedaan. 'Zo ondankbaar als
wat,' snauwde ze, en ze greep de vrouw beet bij haar pols. Voor de tweede keer die avond voelde ze een zwakke polsslag.

Naar voren buigend, zodat ze de hond op haar schoot bijna plette,
trok ze Dakers' voeten uit het ruimwater en duwde de ene tussen de li-

chamen van Rowley en Jacques, en de andere tussen Jacques en Walt in
om warm te worden.

'Hoe lang moeten we hier blijven zitten?' riep ze over hun hoofden
heen tegen de soldaten. 'Goeie genade, wanneer komen we eindelijk
eens in bewéging?'

Maar de wind brulde harder dan zij; de mannen hoorden haar niet.
Rowley knikte echter in de richting van de opening in het zeil.

Ze tuurde naar buiten naar de warrelende sneeuwstorm. Ze wáren al
in beweging gekomen; ze bewogen al een poosje en hadden een bocht
in de rivier bereikt waar een hoge oever of bomen hun enige beschutting boden.

Ze wist niet of de sloep voor hen, waaraan zij waren vastgemaakt, nu
door mannen werd voortgeboomd of door een paard werd getrokken;
voor allebei zou het een verschrikkelijke taak zijn. Waarschijnlijk werd
de boot voortgeboomd, want ze leken sneller te gaan dan wandelpas.
De wind in hun rug en de stroom van de rivier stuwden hen nog harder naar voren, bij vlagen zelf zo erg dat de voorsteven van hun boot op
de achtersteven van de sloep botste en de soldaten zich om de beurt
onder het zeil vandaan moesten wurmen om hen met een roeiriem af te
houden.

Ze had ook geen idee hoe ver Oxford was, maar in dit tempo kon
Godstow maar een uurtje of zo verderop liggen – en daar zou ze op de
een of andere manier aan land moeten zien te komen.

Nu ze dit eenmaal had besloten, voelde Adelia zich kalmer, weer een
arts – en wel een arts die een zieke onder haar hoede had. Een deel van
haar extreme ergernis werd veroorzaakt doordat ze honger had. Ze bedacht echter dat Dakers waarschijnlijk meer honger had dan zij en er
helemaal slap van was geworden, want toen ze de keuken van Wormhold Tower hadden onderzocht hadden ze daar geen spoor van voedsel
aangetroffen.

Adelia mocht dan de stelende huurlingen veroordelen, zelf was ze ook
niet met lege handen Rosamundes kamer uit gekomen; er was eten blijven liggen op het dienblad van de koningin, en de ontberingen die ze
had meegemaakt hadden haar geleerd hoe waardevol foerageren kon
zijn.

Nou ja, Rosamunde zou er toch niets van hebben gegeten.

Ze tastte in haar zak, haalde er een stug servet uit, vouwde het open,
brak een groot stuk van de overblijfselen van Eleanora's kalfspastei af en

zwaaide daarmee onder Dakers' neus. De geur ervan bracht haar bij zinnen; Dakers snaaide het voedsel uit haar vingers.

Terwijl ze ervoor zorgde dat de soldaten haar niet konden zien – in het donker onder het zeil kon zij hén amper zien –, boog ze zich weer naar voren en stak de kaas die ze ook had gevonden tussen Jacques en Rowley door, totdat ze voelde dat de met touw vastgebonden hand van een van hen hem betastte, vastpakte, en haar eigen hand dankbaar een kneepje gaf. Er ontstond even een pauze in het hozen van de drie mannen, en ze stelde zich zo voor dat de kaas stiekem werd verdeeld, wat de soldaten aanleiding gaf weer tegen hen te gaan schreeuwen.

Wat er overbleef van de kalfspastei verdeelde ze tussen zichzelf en Hoeder.

Vervolgens was er weinig anders te doen dan hozen en het maar uit zien te houden. Om de zoveel tijd zakte het zeil zo zwaar tussen hen neer dat een van de mannen er van onderaf tegen moest stompen om de sneeuw die het omlaagdrukte eraf te schudden.

Het peil van het water dat onder haar opgetrokken benen spoelde weigerde te dalen, hoeveel ze ook over de rand kieperde. Elke keer dat ze uitademde werd de mantel waarmee ze haar mond had afgedekt vochtiger en bevroor vervolgens onmiddellijk, zodat ze rauwe lippen kreeg. Het zeildoek schraapte tegen haar hoofd als ze bukte en weer omhoogkwam. Maar als ze ophield met hozen, zou het bloed in haar aderen stollen van de kou. Blijven hozen, in leven blijven, blijven leven om Allie weer te zien.

Rowleys elleboog stootte tegen haar knieën. Ze hoosde door – bukken, scheppen, gooien, bukken, scheppen, gooien –, ze wist niet anders en zou er tot in de eeuwigheid mee doorgaan. Rowley moest haar nogmaals aanstoten voordat tot haar doordrong dat ze ermee kon ophouden. Er kwam geen water meer naar binnen.

De wind was afgenomen. Ze bevonden zich in een gedempte stilte en er scheen een of ander soort licht – was het dag? – door het raampje dat de opening in het zeil was, waarachter nu zo'n dichte sneeuw viel dat de boot zich door een lucht vol zwanendons leek voort te bewegen.

De kou die eveneens door de opening heen drong had Adelia's rechterkant en schouder volkomen verdoofd. Ze boog zich naar voren en drukte zich tegen Rowleys rug om voor hen allebei wat warmte te bewaren, waarbij ze Dakers met zich meetrok, zodat het lichaam van de huishoudster tegen dat van Jacques kwam te rusten.

Rowley draaide zijn hoofd een stukje om en ze voelde zijn adem op haar voorhoofd. 'Ja?'

Adelia ging een stukje omhoog om over zijn schouder te kunnen kijken. Ondanks de afgenomen wind stroomde de gezwollen rivier sneller dan ooit – de roeiboot liep het risico tegen de sloep op te botsen of tegen een oever aan te schieten. Een van de soldaten – ze dacht dat het Cross was, de jongste van de twee – hield hen af; hij was onder de beschutting van het zeil uit gekomen, zodat het slap neerhing over zijn metgezel, die in elkaar gedoken op de roeibank voorin zat, uitgeput of slapend, of allebei. Van Walt of Jacques kwam ook geen enkele beweging. Dakers hing nog steeds slap tegen Jacques' rug.

Adelia schoof met haar neus Rowleys kap weg van zijn oor en legde haar lippen ertegenaan. 'Ze willen Eleanora's vaandel hijsen in Oxford. Ze gaan ervan uit dat de Midlands zullen opstaan en zich achter haar opstand scharen.'

'Hoeveel mannen? In Oxford, hoeveel mannen?'

'Een stuk of duizend, denk ik.'

'Heb ik Eynsham daarnet daar gezien?'

'Ja. Wie is hij?'

'Een boef. Slim. De paus heeft veel met hem op. Ik vertrouw hem niet.'

'Schwyz?' vroeg ze.

'Een boef van een huurling. Eersteklas soldaat.'

'Ene Wolvercote zou de leiding hebben over het leger in Oxford.'

'Een boef.'

Tot zover de hoofdrolspelers dus. Ze liet haar gezicht heel even genietend tegen zijn wang rusten.

'Heb je je mes?' vroeg hij.

'Ja.'

'Snijd dit rottouw dan eens door.' Hij wriggelde met zijn gebonden handen.

Ze wierp weer een blik op de soldaat op de voorsteven; die had zijn ogen dicht.

'Kom op.' Rowleys lippen bewogen amper. 'Ik stap zo uit.' Het was net of ze samen een luxueuze reis maakten en hij ineens bedacht dat hij eerder van boord moest dan zij.

'Nee.' Ze sloeg haar armen om hem heen.

'Laat dat,' zei hij. 'Ik móét Hendrik zien te vinden. Hem waarschuwen.'

'Nee.' In deze sneeuwstorm zou niemand erin slagen ook maar iemand te vinden. Hij zou omkomen. De bewoners van de venen vertelden verhalen over dit soort stormen – over mensen die nietsvermoedend hun hutje uit waren gegaan om hun kippen in te sluiten of de koe op stal te zetten, en die in de ijzige kou en dichte warreling van vlokken, die hun alle zicht en gevoel voor richting benam, de weg terug niet meer konden vinden, zodat ze uiteindelijk dood en stijfbevroren op maar een paar meter van hun eigen voordeur bleven staan. 'Nee,' zei ze weer.

'Snijd verdorie dat touw door!'

De soldaat op de boeg roerde zich en mompelde: 'Wat spoken jullie daar uit?'

Ze wachtten tot hij weer indommelde.

'Wil je soms dat ik met geboeide handen op weg ga?' fluisterde Rowley.

Goeie god, wat haatte ze hem. En wat haatte ze Hendrik Plantagenet. De koning, altijd maar weer de koning, ook al staat mijn leven, het jouwe en dat van ons kind op het spel, en ons hele geluk, dacht Adelia.

Ze tastte in haar zak, pakte het mes vast en overwoog serieus het in zijn been te steken. Dan zou hij het wel uit zijn hoofd laten om in een kringetje rond te gaan lopen en te eindigen als een ijshoop ergens op een veld.

'Ik haat je,' liet ze hem weten. De tranen bevroren op haar wimpers.

'Dat weet ik. Snijd dat touw nou maar door.'

Met het mes in haar hand sloeg ze haar rechterarm verder om hem heen, terwijl ze ondertussen de man op de boeg in de gaten hield en zich afvroeg waarom ze hem niet waarschuwde, zodat Rowley kon worden tegengehouden...

Ze kon het niet; ze wist niet welk lot Eleanora voor haar gevangene in petto had, of zelfs of het wel een gunstig lot zou zijn, wat Eynsham of Schwyz ook zou doen.

Haar vingers vonden zijn handen en vonden de weg naar het touw om zijn polsen. Voorzichtig begon ze te snijden; het mes was zo scherp dat er met één verkeerde beweging meteen een ader open zou liggen. Eén draad doorgesneden; weer een. Al doende siste ze hem giftig toe: 'Ben ik je geliefde? Ben ik niet van nut voor je? Ik hoop dat je bevriest in de hel – en Hendrik ook.'

De laatste draad knapte en ze voelde dat hij zijn handen bewoog om de bloedstroom weer op gang te brengen.

Hij draaide zijn hoofd om om haar te kussen. Zijn kin schraapte langs haar wang.

'Je hebt helemaal geen nut, behalve dat jij de zon laat schijnen.' En weg was hij.

Jacques nam de leiding. Adelia hoorde dat hij een snik in zijn stem legde toen hij tegen de woedende Cross zei dat de bisschop overboord was gevallen toen ze tegen de oever op waren gebotst.

Ze hoorde de huurling antwoorden: 'Dan is hij er geweest.'

Jacques barstte uit in een luide jammerklacht, maar nam soepeltjes Hoeder van Adelia's schoot, en verschoof haar zo dat ze tussen hem en Walt in kwam te zitten, met de slapende Dakers rustend tegen haar rug, en zette de hond weer op zijn plek onder haar mantel.

Ze merkte amper iets van de verandering. Behalve dat jij de zon laat schijnen, dacht ze. Nou, ik zal zeker de zon eens laten schijnen als ik hem weer zie. Ik vermoord hem. Lieve God, zorg dat hij in veiligheid is.

Het stopte met sneeuwen en de zware wolken waaruit de vlokken waren gevallen trokken weg naar het westen. De zon kwam tevoorschijn en Cross rolde het zeil naar achteren in de veronderstelling dat ze dan warmte zouden voelen.

Daar nam Adelia ook al geen notitie van, totdat Walt haar aanstootte. 'Wat voert hij in zijn schild, meesteres?'

Ze hief haar hoofd. De twee huurlingen zaten op de voorste roeibank tegenover hen. Degene die Cross heette probeerde zijn maat tot actie te bewegen. 'Kom op, Giorgio, hupsakee. Het was niet jouw fout dat we die stomme bisschop kwijt zijn geraakt. Kom op nu.'

'Hij is dood,' zei Adelia tegen hem. De laarzen van de man zaten vast in het nu vaste ruimwater. Het zoveelste bevroren lijk dat op de lijst van die nacht kon worden bijgeschreven.

'Dat kan niet. Dat kán niet. Ik heb hem warm gehouden – nou ja, zo warm als ik kon.' Cross' kwaaie kop vertrok van angst.

Heer, deze dood is belangrijk voor deze man. Hij zou belangrijk voor mij moeten zijn.

Om even te controleren rekte Adelia zich zo uit dat haar hand tegen de hals van de dode man rustte, waar ze een hartslag zou moeten kunnen voelen. Hij voelde stijf aan. Ze schudde haar hoofd. Hij was aanzienlijk ouder geweest dan zijn vriend.

Jacques en Walt maakten een kniebuiging. Ze nam de hand van de levende soldaat in een van de hare. 'Het spijt me wel, baaş Cross.' Ze sprak de slotwoorden: 'Moge God zijn ziel genadig zijn.'

'Hij zat daar verdorie om warm te blijven, dacht ik.'

'Dat weet ik. Je hebt je best voor hem gedaan.'

'Waarom zijn júllie dan niet dood?' Zijn woede keerde terug. 'Jullie zaten er net zo bij als hij.'

Het had geen zin om te zeggen dat zij hadden gehoosd en dus in beweging waren geweest, net als Cross zelf, die, ook al had hij zich blootgesteld aan de wind, druk bezig was geweest om een aanvaring te voorkomen. En die arme Giorgio had alleen gezeten, zonder menselijke warmte naast zich.

'Het spijt me wel,' zei ze weer. 'Hij was oud, de kou is hem te veel geworden.'

Cross zei: 'Hij heeft me geleerd hoe je soldaat moet zijn. We hebben samen drie veldtochten meegemaakt. Hij was een Siciliaan.'

'Ik ook.'

'O.'

'Verplaats hem maar niet.'

Cross deed een poging het lichaam op te pakken om het op de roeibank neer te leggen. Net als bij Rosamunde zou de lijkstijfheid echter blijven duren totdat er warmte bij kwam – en deze zon gaf geen warmte – en de aanblik die het lijk zou bieden als het op zijn rug lag met zijn knieën en handen gebogen als een hond zou zijn vriend vast niet op prijs stellen.

Walt zei: 'Allejezus, is dat daar Godstow niet?'

Allie.

Adelia realiseerde zich dat ze was omgeven door een glinsterend landschap, zo hard als diamant, waartegen ze haar ogen moest afschermen als ze ernaar wilde kijken. De bomen leken wel ondersteboven te staan, met hun wortels als spookachtige, wanhopige takkenvingers in een smeekbede bevroren. Voor de rest leek het land te zijn platgedrukt door het monsterlijke gewicht van de sneeuw die erop was neergevallen, zodat wat laagtes in de grond waren geweest nu alleen nog ondiepe dieptes waren tussen de verhoogde delen door. De rechte kolommen rook die opstegen tegen een korenbloemblauwe lucht gaven aan dat de bulten die verspreid lagen op de hoogte boven de oever halfbegraven huizen waren.

In de verte was een kleine, gewelfde brug te zien, wit als marmer; Rowley en zij hadden er op een nacht in een ander leven op gestaan. Daarachter – ze moest haar ogen bijna dichtknijpen om het goed te kunnen zien – bevonden zich een heleboel rookkolommen, en waar de brug ophield was een bos en iets wat leek op een poort.

Ze bevond zich tegenover het dorp Wolvercote. Daar, hoewel ze het niet kon zien, lag het nonnenklooster van Godstow. Waar Allie was.

Adelia stond op, gleed uit en bracht de boot aan het deinen toen ze overeind probeerde te klauteren. 'Breng ons aan land,' zei ze tegen Cross, maar hij leek haar niet te horen. Walt en Jacques trokken haar omlaag.

De boodschapper zei: 'Dat is geen goed idee, meesteres, zelfs niet als...'

'Moet u de oever zien, meesteres,' zei Walt.

Ze keek ernaar: een klein klif, waar vlak weiland had moeten zijn.

Verder het land op waren dat wat eruitzag als enorme bevroren struiken in werkelijkheid de gespreide takken van volwassen eiken in sneeuwbanken die, schatte Adelia, wel vijf meter diep, of nog dieper moesten zijn.

'Daar komen we nooit doorheen,' merkte Jacques op.

Ze soebatte, smeekte, terwijl ze wist dat het waar was; misschien dat de bewoners wanneer ze zich hadden uitgegraven tunnels door de sneeuw zouden graven om bij de rivier te komen, maar tot die tijd, of totdat de dooi inzette, was ze van het klooster gescheiden als door een bergketen; ze zou in deze boot moeten blijven zitten en rakelings langs Allie heen gaan, terwijl alleen God wist hoe of wanneer ze bij haar terug zou kunnen komen, als dat al ooit gebeurde.

Ze waren nu het dorp voorbij en kwamen bijna bij de brug. De Theems verbreedde zich tot de grote lus waarmee hij om de weilanden van het klooster liep.

En toen gebeurde er iets...

De sloep was langzamer gaan varen. De zijkanten waren te hoog om te zien wat er op het dek gebeurde, maar er was iets gaande en er werd stevig gevloekt.

'Wat is er aan de hand?' vroeg Adelia.

Walt pakte een van de hoosvaten op, hield het buitenboord, haalde het terug en stak zijn vinger erin. 'Moet u dit zien.'

Ze keken. Het opgeschepte water was grijs en korrelig, alsof iemand er zout in had gestrooid.

'Wat is daarmee?' vroeg Adelia weer.

'Het is ijs,' zei Walt zacht. 'Het is verdorie ijs.' Hij keek om zich heen. 'Het moet hier ondieper zijn. Het is ijs, wat ik je brom. De rivier is aan het bevriezen.'

Adelia staarde naar het water, toen omhoog naar Walt, en vervolgens weer naar de rivier. Opeens ging ze zitten, vol dankbaarheid voor een wonder dat even wonderbaarlijk was als de wonderen in de Bijbel: vloeistof veranderde in vaste stof, het ene element veranderde in het andere. Ze zouden wel móéten stoppen. Ze konden de wal op lopen, en omdat ze met zovelen waren zouden ze zich een weg naar het klooster kunnen graven.

Ze keek achterom om de boten achter hen te tellen.

Er waren geen boten. Zo ver het oog reikte was de rivier verlaten; dichtbij was hij grijs van kleur, maar verderop, waar hij al kronkelend verloren ging in een duizelingwekkende stille verte, werd hij steeds blauwer.

Met haar ogen knipperend zocht ze naar een spoor van het contingent dat met hen mee had moeten varen langs het jaagpad.

Maar er was geen jaagpad, natuurlijk was dat er niet; in plaats daarvan bevond zich op de plek waar het geweest was een golvende, doorlopende oever van bevroren sneeuw, op sommige plekken hoger dan twee mannen, met een zijrand die zo keurig netjes gevormd was door de wind en het water dat het wel leek of een reuzenbanketbakker met een mes de rafelige stukje glazuur rondom de bovenkant van een taart had weggesneden.

Heel even, omdat haar gedachten er alleen op gericht waren haar dochter zo snel mogelijk te bereiken, dacht Adelia: het doet er niet toe, we zijn met genoeg man om een pad te graven...

En toen zei zei: 'Goeie god, waar zijn ze? Al die mensen?'

De zon bleef maar schijnen, prachtig, oneerlijk en meedogenloos, op een lege rivier in de bovenste regionen waarvan – misschien – mannen en vrouwen even roerloos in hun boten zaten als Giorgio in deze boot; waar – misschien – lichamen in het sprankelende water rolden.

En hoe zat het met de ruiters? Waar waren zij in godsnaam? Waar was Rowley?

De stilte was verschrikkelijk, omdat die het enige antwoord vormde. Die hield het gevloek en gegrom van inspanning vanuit de sloep gevangen als een stolp, zodat de geluiden weerkaatsten in een voor de rest geluidloze lucht. De mannen aan boord zwoegden voort en sloegen hun vaarbomen door het ondiepe, dikker wordende water, totdat ze houvast vonden op de rivierbodem en de sloep nog een meter vooruit konden krijgen, en nog een... Na een poosje vulde de stolp zich met geluiden als het gekraak van zwepen – ze stuitten op oppervlakte-ijs en moesten erdoorheen breken.

Stukje voor stukje kwamen ze bij het punt waar de rivier zich splitste en er een stroom aftakte naar de molen en de brug. Van de molentocht, waar een waterval in glanzende stilte neerhing, klonk geen geluid.

En, o moge de almachtige God zich ontfermen over onze ziel, in deze wondere wereld had iemand de brug als galg gebruikt: twee glinsterende, verwrongen figuren waren er aan hun nek aan opgehangen. Toen Adelia opkeek, ving ze een glimp op van twee dode gezichten die niet-begrijpend opzij en naar haar omlaagkeken, en ze zag twee paar wijzende voeten, alsof hun eigenaren waren bevroren in een keurig danssprongetje.

Verder leek niemand het op te merken of zich er druk om te maken. Walt en Jacques boomden met de riemen de roeiboot vooruit, zodat hij niet achterbleef bij de sloep. Dakers zat nu naast haar, met haar kap over haar gezicht; iemand had het zeil om hen tweeën heen gelegd in de hoop dat ze zo warm zouden blijven.

Stukje voor stukje voeren ze langs de brug en een nog wijdere bocht in, waar de Theems langs een weiland van Godstow liep – dat, verbazend genoeg, nog steeds een weiland was. Door een gril van de wind was de sneeuw ervanaf geblazen, zodat het grote oppervlak bevroren gras en aarde voor de enige kleur zorgden in een witte wereld.

En daar hield de sloep halt, omdat het ijs te dik was geworden om verder te gaan. Het deed er niet toe, het deed er niet toe – er leidde een litteken vanaf de verhoging van het klooster naar de kust, en onderaan stonden mannen van het klooster met scheppen te roepen en te zwaaien, en iedereen in de twee boten riep en zwaaide terug alsof zij degenen waren die waren achtergelaten en een glimp hadden opgevangen van een reddend zeil dat naar hen toe kwam...

Pas op dat moment wist Adelia dat ze de hele nacht was doorgekomen op geleende energie, die nu zo snel uit haar lichaam wegstroomde dat ze op het randje balanceerde van de loomheid die hand in hand gaat met de dood. Het was kantje-boord geweest.

Ze moesten uitstappen op ijs en daaroverheen lopen naar het land.

Hoeders poten gleden weg en hij maakte een schuiver, totdat hij erin slaagde misnoegd weer overeind te klauteren. Iemand legde een arm om Adelia's middel om haar voort te helpen, en toen ze opkeek, zag ze het gezicht van Mansur. 'Allah is genadig,' zei hij.

'Iemand is dat zeker,' zei ze. 'Ik heb zó om je in angst gezeten. Mansur, we zijn Rowley kwijt.'

Terwijl ze half werd gedragen strompelde ze over het ijs naast hem voort, waarna ze het platte gras van een weiland over liepen.

Te midden van de bescheiden menigte die zich had verzameld zag ze nog net Eleanora's kaarsrechte gestalte voordat die verdween in een tunnel die naar de kloosterpoorten leidde, een smal en steil pad met manshoge muren aan weerskanten. Die moest zijn gegraven voor de kist van Rosamunde, maar in plaats daarvan trok er een baar van roeiriemen omwikkeld met zeildoek doorheen, waaronder het verwrongen lichaam van een huursoldaat rustte.

Maar een mooie tunnel was het wel. Aan het bovenste uiteinde stond een oudere vrouw, wier bestudeerde uitdrukkingloosheid in tegenspraak was met de opluchting die ze voelde. 'Je hebt wel de tijd genomen.'

Toen Adelia met duizend vragen in haar armen viel, zei Gyltha: 'Natuurlijk is alles goed met haar. Zo kwiek en welgedaan als wat. Dacht je soms dat ik niet voor haar kan zorgen? Goeie genade, meid, je bent niet langer dan een dag bij haar weg geweest.'

8

Als de moed haar in de schoenen zonk bij het vooruitzicht de veertig of wat uitgeputte, verfomfaaide en halfbevroren mannen, vrouwen en honden die door haar poort schuifelden eten en onderdak te geven, dan liet moeder Edyve daar niets van blijken, hoewel die moed nog verder moest zijn gezonken toen ze zag dat de koningin van Engeland en de abt van Eynsham zich onder hen bevonden, die geen van beiden vrienden van Godstow waren, om nog maar te zwijgen over de troep huurlingen.

Het kwam niet in haar op dat ze een bezettingsmacht welkom heette.

Ze liet warme kandeel voor haar gasten aanrukken; ze droeg haar huis over aan koningin Eleanora en haar bedienden, bracht de abt en Montignard met hun bedienden en de mannelijke bedienden van de koningin onder in het gastenverblijf voor mannen, en kwartierde Schwyz in bij de poortwachter. De honden en haviken van de koningin verordonneerde ze naar haar eigen kennels en stallen, en ze stuurde de huurlingen zo ver weg als maar kon: eentje bij de smid, eentje in de bakkerij en de rest verdeeld over de vazallen en gunstelingen in de huizen die binnen de kloostermuren een klein dorp vormden.

'Dus ze zijn opgesplitst en zijn geen van allen ergens terechtgekomen waar vrouwen zijn,' merkte Gyltha goedkeurend op. 'Ze is wel een slim wijfie, die moeder Edyve.'

Gyltha was degene die de abdis op de hoogte had gebracht van de gebeurtenissen in Wormhold. Adelia was daar te moe voor, en ze zou het niet hebben aangekund om haar te vertellen over Rowleys dood.

'Ze gelooft er niks van,' zei Gyltha toen ze terugkwam. 'En ik ook niet. Kom, laten we ons nu maar eens om jullie tweeën bekommeren.'

Mansur had er een hekel aan als er drukte om hem werd gemaakt en zei steeds maar dat met hem alles goed was, maar hij was, anders dan Adelia, Jacques en Walt, zonder bedekking blootgesteld geweest aan de kou terwijl hij de sloep voortboomde, en Gyltha en zij maakten zich zorgen om hem.

'Moet je nou eens kijken hoe je handen eraan toe zijn, grote lummel,' zei Gyltha – haar ongerustheid nam altijd de vorm van ontstemdheid aan. Mansurs handpalmen bloedden op de plek waar zijn handschoenen, en daarna zijn huid, waren doorgesleten tegen het hout van de vaarboom.

Adelia maakte zich meer zorgen om zijn vingers, die er wit en glanzend uitzagen toen ze uit de flarden van de handschoenen tevoorschijn kwamen. 'Bevriezing.'

'Het doet geen pijn,' zei Mansur onverstoorbaar.

'Zo meteen wel,' stelde Adelia hem in het vooruitzicht.

Gyltha rende naar Mansurs onderkomen om droge kleren en een mantel voor hem te halen, en nam uit de keuken meteen een emmer warm water mee. Ze wilde de handen van haar minnaar erin dopen, maar Adelia hield haar tegen. 'Wacht maar tot het een beetje is afgekoeld.' Ze wist ook te voorkomen dat Gyltha het komfoor dichter naar hem toe trok. Bevriezingsverschijnselen hadden haar stiefvader hogelijk geïnteresseerd toen hij tijdens hun vakanties in de Alpen de effecten ervan had gezien – hij had zelfs een winter daar doorstaan om ze te bestuderen – en zijn conclusie was geweest dat je de warmte geleidelijk aan moest toedienen.

De kleine Allie, die zich nooit aan een komfoor had kunnen branden omdat het werd afgeschermd, richtte haar aandacht in plaats daarvan op de emmer, die ze over haar hoofd probeerde te trekken. Adelia zou het leuk hebben gevonden om naar de daaropvolgende strijd tussen Gyltha en dat bijzondere kind te kijken, ware het niet dat haar eigen tenen, nu het bloed terugkeerde in haar bevroren spieren en botten, onzettend pijn deden.

Ze ging bij zichzelf te rade of het de moeite waard zou zijn Mansur en zichzelf een dosis wilgenbastaftreksel te geven tegen de pijn, maar verwierp dat plan toen weer; ze waren allebei stoïcijnse types, en het feit dat haar tenen en zijn vingers rood werden zonder dat er zich blaren op vormden wees erop dat ze maar licht bevroren waren geweest; ze kon het medicijn beter bewaren voor degenen bij wie de bevriezingsverschijnselen erger waren.

Ze kroop op het bed om op haar gemak te kunnen lijden. Hoeder sprong erbij en ze had de fut noch de wil om het hem te verbieden. De hond had op de boot zijn lichaamswarmte met haar gedeeld; wat konden een paar vlooien deren als zij de hare nu met hem zou delen?

'Wat heb je met Dakers gedaan?' vroeg ze.

'O, die.' Gyltha had het wandelende skelet dat Adelia had voortgesleept, zonder goed te beseffen dát ze het voortsleepte, de kloosterpoorten door, maar zozo gevonden, maar omdát Adelia het voortsleepte had ze de noodzaak ervan ingezien om het in leven te houden. 'Ik heb haar aan zuster Havis toevertrouwd en die heeft haar overgedragen aan zuster Jennet van de ziekenboeg. Ze maakt het goed, het lelijke mens.'

'Mooi zo.' Adelia sloot haar ogen.

'Wil je niet weten wie hier geweest is toen jij weg was?'

'Nee.'

Toen ze wakker werd, was het middag. Mansur was teruggegaan naar het mannengastenverblijf om te rusten. Gyltha zat naast het bed te breien – een vaardigheid die ze had geleerd van een van haar Scandinavische klanten in de tijd dat ze nog paling verkocht.

Adelia's ogen bleven op het mollige lijfje van Allie rusten terwijl die zich op haar bips over de grond voortbewoog, de hond achternazat en de ene tand die in haar onderkaak was opgekomen sinds haar moeder haar voor het laatst had gezien bloot lachte. 'Ik zweer dat ik je nooit meer alleen zal laten,' zei Adelia tegen haar.

Gyltha snoof. 'Hoe vaak moet ik je nog zeggen dat het niet langer was dan dertig uur?'

Maar Adelia wist dat de scheiding langer had geduurd. 'Het was bijna voorgoed geweest,' zei ze, en gekweld voegde ze eraan toe: 'Voor Rowley was het dat wel.'

Gyltha ging daar niet in mee. 'Hij komt wel weer terug, levensgroot en twee keer zo ongedwongen. Er is wel wat meer voor nodig dan een beetje sneeuw om die vent om zeep te helpen.' Voor Gyltha zou Zijne Hoogwaardige Excellentie de bisschop altijd 'die vent' blijven.

'Van mij mag hij weg blijven,' zei Adelia. Ze hield zich vast aan haar wrok tegen hem alsof het een vlot was dat voorkwam dat ze aan verdriet ten onder zou gaan. 'Het kon hem niks schelen, Gyltha – zijn eigen leven niet, dat van Allie niet en het mijne niet.'

Behalve dat jij de zon laat schijnen.

'Natuurlijk niet, hij doet zijn best om een oorlog te voorkomen waar meer levens mee gemoeid zijn dan die van jullie. Dat is Gods werk en die zal over hem waken.'

Daar hield Adelia zich ook aan vast, maar ze was erg geschrokken.

'Dat kan me niet schelen; als het Gods werk is, laat het Hem dan maar doen. Wij vertrekken. Zodra de sneeuw opklaart, glippen we allemaal weer naar de venen.'

'O?' zei Gyltha.

'Niks o. Ik meen het.' In de venen was haar leven acceptabel geweest, gereguleerd, nuttig. Ze was eruit weggerukt, was onderworpen aan lichamelijke en geestelijke verwarring, en daar vervolgens alleen in achtergelaten door de man op wiens verzoek ze zich er nota bene bij had laten betrekken. En wat bijna nog erger was, was dat hij een emotie in haar tot leven had gewekt waarvan ze had gedacht dat die dood was – die maar beter dood kon zijn.

Behalve dat jij de zon laat schijnen.

Hij kan de pot op, dat dacht ik niet, schoot door Adelia's hoofd.

Terwijl ze steeds kwaaier werd, zei ze: 'Het is toch allemaal hogere politiek. Zover ik kan zien was de moord op Rosamunde precies dát: een moord die verband houdt met koninginnen en koningen, en politiek voordeel. Het gaat mijn kunnen te boven. Waren het de paddenstoelen? Ja, waarschijnlijk wel. Weet ik wie ze haar gestuurd heeft? Nee, dat weet ik niet, en daar houdt alles op. Ik ben een dokter en wil me niet laten meeslepen in hun oorlogen. Allemachtig, Gyltha, Eleanora heeft me ontvoerd, ontvóérd – bijna was ik opgenomen geweest in dat akelige leger van haar.'

'Dan had je maar niet haar leven moeten redden, toch?'

'Wat moest ik dan? Dakers kwam op haar af met een mes.'

'Weet je zeker dat je niet wilt weten wie er nog langsgekomen is?'

'Nee. Ik wil alleen weten of er kans is dat iemand ons tegenhoudt als we vertrekken.'

Maar het bleek dat in de lichamelijke uitputting die alle reizigers had overvallen – zelfs Eleanora – zodra ze bij het klooster waren aangekomen, niemand een gedachte had gewijd aan de vrouw die de koningin het leven had gered – en ook niet, trouwens, aan de vrouw die het haar bijna had benomen. Prioriteit nummer één was geweest weer warm te worden en wat te slapen.

Misschien, zo bedacht Adelia, was de koningin Dakers en haarzelf wel helemaal vergeten, en zou ze als de wegen weer begaanbaar waren zonder zich nog om hen te bekommeren naar Oxford trekken. Tegen die tijd zou zij al buiten bereik zijn, en zou ze Gyltha, Mansur en Allie met haar hebben meegenomen en vrouw Dakers in haar eigen sop gaar laten koken; het kon haar niet langer schelen met wat voor afschuwelijks die zich allemaal bezighield.

Gyltha ging hun eten halen in de keuken.

Adelia boog zich omlaag uit het bed, pakte haar dochter op, drukte haar neus tegen het warme satijnen kinderwangetje en zette haar recht-op tegen haar eigen knieën, zodat ze elkaar aankeken.

'We gaan naar huis, hè vrouwtje? Ja, dat gaan we doen. We mengen ons toch zeker niet in hun oude oorlogen? Nee, dat doen we niet. We gaan heel ver weg, we gaan terug naar Salerno. Ons kan het niet bom-men wat die vervelende oude koning Hendrik zegt, hè? We vinden er wel ergens het geld voor. Maar gezichten trekken helpt niet, hoor...' Want Allie stak haar onderlip naar voren en liet haar nieuwe tand zien met een gezichtsuitdrukking dat deed denken aan die van de kameel in de menagerie van Salerno. 'In Salerno vind je het vast fijn. Het is er warm. Dan nemen we Mansur en Gyltha en Ulf met ons mee – ja, dat doen we. Je mist Ulf, hè? Nou, ik ook.'

Bij een onderzoek als dit zou Gyltha's kleinzoon, als ze ermee door zou gaan, haar ogen en oren zijn geweest; hij kon zich zo onopvallend bewegen als een weeskind van elf maar kon, want aan zijn doorsnee-ui-terlijk was niet te zien dat hij superintelligent was.

Desondanks dankte Adelia God op haar blote knieën dat Ulf ten-minste niets kon overkomen. Maar ze vroeg zich wel af wat de jongen van deze situatie zou hebben gevonden...

Allie begon zich te roeren en wilde graag haar achtervolging van Hoe-der voortzetten, dus zette Adelia haar afwezig op de grond, terwijl ze luisterde naar een scherp stemmetje in haar hoofd dat vragen stelde als een kraai die niet van ophouden wist.

Twee moordenaars, hè? Rosamunde en de man op de brug, denk je dat die met elkaar te maken hebben?

Ik weet niet. Het doet er niet toe.

Het hing er maar van af wie er op kwam dagen, niet? Er zou hoe dan ook iemand komen, om te kijken waarom er geen drukte werd gemaakt over die dode op de brug. Degene die het had gedaan wilde hem dood heb-ben, nietwaar? En wilde graag dat er misbaar over werd gemaakt, toch?

Daar ging ik van uit. Maar er is geen tijd voor geweest; de sneeuw zou diegene hebben vertraagd.

Er is iemand gekomen.

Dat kan me niet schelen. Ik ga naar huis, ik ben bang.

Dus je laat die arme ziel daar in het ijshuis liggen? Vroom, hoor!
Ach, hou toch op.

Adelia hield van orde; in zekere zin had haar werk daar alles mee te maken – en van de doden kon je in elk geval zeggen dat ze geen onverwachte bewegingen maakten of je met een mes bedreigden. Het raakte haar tot in de kern van haar wezen als ze de controle uit handen moest geven en was overgeleverd aan anderen, zeker als die kwade bedoelingen hadden, zoals in Wormhold en op de rivier was gebeurd.

Het klooster omsloot haar; de langgerekte, lage en eenvoudige kamer troostte haar met zijn proporties. Buiten was het nu donker en de gloed van het komfoor wierp een schaduw op elk van de zolderbalken, waardoor er een aangenaam eenvormig patroon van donkere en lichtere strepen op het witte pleisterwerk werd geworpen. Hoewel Gyltha plukken wol in de kieren van de luiken had gestopt tegen de kou, was het gedempte geluid van de nonnen die de vespers zongen dat desondanks doordrong een geruststelling omdat het getuigde van een vaste gewoonte van duizend jaar oud.

En allemaal was het een illusie, omdat er in het ijshuis van het klooster een lichaam lag en er tien kilometer verderop een dode vrouw aan een schrijftafel zat, allebei wachtend – maar waarop?

Op een oplossing.

Adelia zette haar zaak voor hen uiteen: Ik kan jullie die niet geven, ik ben bang, ik wil naar huis.

Maar er bleven scherpe, bijna vergeten beelden aan haar knagen: voetstappen in de sneeuw op een brug, een verkreukelde brief in een zadeltas, andere brieven, gekopieerde brieven, Bertha's varkenssnuitje dat een geur opving...

Gyltha kwam terug met een grote pan soep met schapenvlees en een paar lepels, een brood onder haar ene en een leren zak bier onder haar andere arm. Ze schonk wat van de soep in Allies kommetje, deed er brood bij en begon er een brij van te maken; ze stopte stukjes vlees in haar mond en kauwde ze met haar grote, sterke tanden voor, tot ook die brij waren en ze ze terugdeed in de kom. 'Pastinaak en gerst,' zei ze. 'Ik moet de zusters nageven dat ze weten wat eten is. En heerlijke warme melk van de koe voor de pap van de kleine vanmorgen.'

Met tegenzin, omdat ze door een van de problemen van het klooster met name te noemen het op de een of andere manier vaste vorm gaf, vroeg Adelia: 'Zit Bertha nog in de koeienschuur?'

'Ik geloof het niet, nee.'

Het voeren van Allie, die verwoede pogingen deed om zelf te eten, vergde een concentratie die geen gedachten aan anderen toestond.

Toen ze het eten uit haar haar en het hunne hadden geveegd, werd het kind te slapen gelegd en nuttigden de twee vrouwen hun avondmaal in stilte. Ze strekten hun voeten uit naar het komfoor en gaven elkaar de bierzak door.

Nu ze warm was en de pijn begon af te nemen, bedacht Adelia dat alle veiligheid die ze op dit moment in haar wereld kende te danken was aan de magere oude vrouw die op de kruk tegenover haar zat. Er ging geen dag voorbij zonder dat ze herinnerd werd aan de dank die ze prior Geoffrey verschuldigd was omdat hij hen met elkaar in contact had gebracht, zoals ze ook geregeld een steek van angst voelde dat Gyltha haar alleen zou laten – ze vroeg zich ook elke dag af waarom ze eigenlijk bij haar bleef.

Adelia zei: 'Vind je het erg om hier te zijn, Gyltha?'

'We hebben geen keus, meid. We zijn ingesneeuwd. Er is nieuwe sneeuw gevallen, als je dat hebt gezien. Het pad naar de rivier is helemaal verdwenen en weer onbegaanbaar geworden.'

'Ik bedoel, dwars door het land galopperen om hier te komen, weg zijn van thuis, moord... alles. Er komt je nooit een klacht over de lippen.'

Gyltha plukte een draadje schapenvlees tussen haar tanden vandaan, keek er even naar en stak het weer in haar mond. 'Het is zoals het is,' zei ze.

Misschien dat dat het was: vrouwen moesten in het algemeen blijven op de plek waar ze werden neergezet, en in Gyltha's geval waren dat de veengronden van Cambridgeshire, een plek die Adelia heel exotisch vond, maar die zonder meer erg vlak was. Waarom zou Gyltha's hart niet hunkeren naar avonturen in verre landen, net als dat van een kruisvaarder? Of er net zoals Rowley naar verlangen dat Gods vrede in haar land werd gehandhaafd? Of, ondanks het risico, graag zien dat Gods recht werd voltrokken aan mensen die moordden?

Adelia keek haar hoofdschuddend aan. 'Wat zou ik zonder jou moeten beginnen?'

Gyltha schonk het restant van de soep van Adelia's kom in de hare en zette hem op de grond voor Hoeder. 'Om te beginnen zou je dan geen tijd hebben om uit te zoeken wie die arme knul om zeep heeft geholpen, en ook niet wie Rosamunde heeft vermoord,' antwoordde ze.

'O,' zei Adelia met een zucht. 'Heel goed, vertel het me maar.'

'Wat moet ik je vertellen?' Maar Gyltha grijnsde een zelfvoldane grijns.

'Dat weet je best. Wie is er gekomen? Wie heeft er vragen gesteld over de man in het ijshuis? Iemand wilde graag dat hij gevonden werd, en het kan niet anders of diegene vraagt zich af waarom dat niet is gebeurd. Wie is het?'

Het was er meer dan één. Alsof ze vooruit waren geblazen door de sneeuw die hen nu gevangenhield, waren er tijdens Adelia's afwezigheid vier mensen in Godstow gearriveerd.

'Meester en meesteres Bloat uit Oxford; dat zijn de vader en moeder van die kleine Emma die je zo leuk vond. Ze zijn gekomen voor haar bruiloft.'

'Wat zijn het voor mensen?'

'Groot.' Gyltha spreidde haar armen alsof ze boomstammen omvatte. 'Grote buiken, grote woorden, grote stem – die heeft hij, in elk geval. Hij kan ontzettend donderen, maar hij verscheept dan ook meer wijn uit het buitenland dan wie ook, en verkoopt er meer van dan wie ook – voor een betere prijs dan wie ook, waarschijnlijk. Een man die een luxeleventje leidt.'

Waaruit Adelia opmaakte dat meester Bloat zich verlustigde in een positie waarin hij niet geboren was. 'En zijn vrouw?'

In antwoord op haar vraag plooide Gyltha haar mond in een meesmuilende glimlach, pakte de bierzak op en hield haar pink gekromd terwijl ze deed alsof ze eruit dronk. De Bloats stonden haar dus niet echt aan.

'Maar zij lijken mij onwaarschijnlijke moordenaars,' zei Adelia. 'Wie nog meer?'

'Hun aanstaande schoonzoon.'

Nog iemand die een geldige reden had om naar Godstow te komen. 'Aaah. Dus de knappe, galante dichter was zijn bruid komen opeisen; wat fijn voor dat dartele, charmante wicht, wat fijn dat de liefde althans voor een poosje het winterse duister zou verlichten. 'Hoe is hij hier gekomen?'

Gyltha haalde haar schouders op. 'Hij kwam uit Oxford voordat de sneeuwstorm losbarstte, net als de anderen. Hij schijnt een landgoed te bezitten aan de overkant van de brug, al is hij daar niet vaak. Volgens Polly is dat een aftandse ruïne.' Gyltha had vriendschap gesloten in de

179

keuken. 'Zijn vader stond aan Stephens kant in de oorlog en heeft een kasteel verderop aan de rivier, dat koning Hendrik heeft laten verwoesten.'

'Is hij zo knap als Emma zegt?'

Maar Adelia zag dat ook deze man in Gyltha's ogen geen genade had kunnen vinden, en niet zo zuinig ook. 'Wat heet knap,' zei die. 'Hij was ouder dan ik had gedacht en ook een echte heer van stand, zoals hij mensen rondcommandeerde. Hij is eerder getrouwd geweest, maar z'n vrouw is overleden. De Bloats likken zijn laarzen omdat hij hun de gunst bewijst hun dochter tot edelvrouw te maken' – Gyltha boog zich iets naar voren en vervolgde – 'en dat hij tweehonderd gouden marken heeft aangenomen bij wijze van bruidsschat.'

'Tweehonderd mark?' Dat was veel geld.

'Dat zegt Polly. In goud.' Gyltha knikte. 'Hij zit niet om geld verlegen, onze meneer Bloat.'

'Dat zal wel niet, nee. Maar toch, als hij bereid is het geluk van zijn dochter te kopen...' Ze zweeg even. 'Is ze eigenlijk wel gelukkig?'

Gyltha haalde haar schouders op. 'Ik heb haar niet gezien. Ze is steeds in het klooster gebleven. Ik had anders wel gedacht dat ze op die lord Wolvercote af zou vliegen...'

'Wolvercote?'

'Zo heet hij. Het is ook wel een naam die hem past; hij zag er behoorlijk wolfachtig uit.'

'Gyltha, Wolvercote, dat is de man; hij is degene die voor de koningin een leger bij elkaar heeft gebracht. Hij zou in Oxford wachten tot Eleanora zich bij hem voegt.'

'Nou, daar is hij niet. Hij is hier.'

'Nu? Maar...' Adelia had zich vast voorgenomen het lichtje van de romantiek achterna te gaan, waar het ook heen leidde. 'Hij is ook geen waarschijnlijke moordenaar. Het pleit voor hem als hij bereid is een oorlog uit te stellen omdat hij niet kan wachten om met de jonge Emma te trouwen.'

'Die stelt hij uit,' verklaarde Gyltha nader, 'voor de jonge Emma plus tweehonderd mark. In goud.' Ze boog zich naar voren en wees met haar breinaald. 'Weet je wat het eerste is wat er gebeurde toen hij terugkwam in het dorp? Daar betrapte hij een paar boeven die zijn landgoed leeghaalden en als de gesmeerde bliksem hing hij ze op.'

'De twee op de brug? Ik vroeg me al af hoe dat zat.'

'Zuster Havis is er niet blij mee. Volgens Polly heeft ze er een hele heisa over gemaakt. Zie je, de brug is van de abdij en de zusters zien niet graag dat hij getooid wordt met lijken. "Haal ze er nu af," zei ze tegen meneer. Maar hij zegt dat het zíjn brug is, dus dat hij dat niet doet. En hij heeft het ook niet gedaan.'

'Goeie help.' Tot zover de romantiek. 'En, wie was de vierde die hier kwam?'

'Een jurist. Ene Warin. En die heeft me toch een vragen lopen stellen! Hij maakte zich kennelijk grote zorgen om zijn neef, die voor het laatst werd gezien toen hij stroomopwaarts reed.'

'Warin, Warin... Hij had de brief geschreven die de jongen bij zich had.' Het was net of er een barrière van ijs smolt, zodat alles weer terug kon vloeien naar haar geheugen. *Je toegengn neef Wlm Warin, rechtskundige, die je hierbij stuurt: 2 zilvrn marken als een voorschot op je Erfenis, waarvan de rest kan worden Opgeëist wanneer wij elkaar ontmoeten.*

Brieven, steeds maar weer brieven. Een brief in de zadeltas van de dode man. Een brief op de tafel van Rosamunde. Brachten die de twee moorden met elkaar in verband? Niet per se. Mensen schreven nu eenmaal brieven, als ze al konden schrijven. Aan de andere kant...

'Wanneer kwam meester Warin hier om zijn neef te zoeken?'

'Gisteravond laat, voor de sneeuwstorm. En hij is een jankerd. Hij huilde de ogen uit zijn hoofd omdat zijn neef misschien was overvallen door de sneeuw, of dat zijn beurs hem door struikrovers afhandig zou zijn gemaakt. Hij wilde de brug oversteken en navraag doen in het dorp, maar het begon zo te sneeuwen dat hij niet weg kon.'

Adelia telde een en een bij elkaar op. 'Dan was hij er dus snel achter dat de jongen verdwenen was. Talbot van Kidlington – hij moet degene zijn die in het ijshuis ligt – werd nog maar een nacht eerder vermoord.'

'Is dat een aanwijzing?' Gyltha kreeg een roofdierachtige blik in haar ogen.

'Ik weet niet. Waarschijnlijk niet. O lieve god, wat nu?'

De kerkklok aan de overkant was begonnen te luiden; de klepel trilde in de klok en stuurde de vibraties door het bed heen. Allies mond ging open om een keel op te zetten, en Adelia haastte zich naar haar toe om haar oren af te dekken. 'Wat is dat? Wat is dat?' Dit was geen oproep tot gebed.

Gyltha had haar oor tegen de luiken gelegd en probeerde de kreten in de steeg beneden te verstaan. 'Iedereen naar de kerk.'

'Is er brand?'

'Geen idee. Het is eerder een soort oproep.' Gyltha rende naar de rij pennen waar hun jassen aan hingen. Adelia begon Allie in haar bont te wikkelen.

Buiten kwamen er van beide kanten van de steeg groepjes mensen aangerend om zich aan te sluiten bij het gedrang in het lawaaiige kerkportaal; ze ratelden opgewonden, stelden elkaar vragen waar niemand een antwoord op had. Ze namen het geluid mee naar binnen... en vielen daar stil.

Hoewel het er vol was, was de kerk in stilte en grotendeels in duisternis gehuld. Alle licht was geconcentreerd op het koor, waar mannen op de koorbanken zaten – mannen! –, van wie sommigen in maliën. De zetel van de bisschop was voor het altaar gezet, zodat koningin Eleanora erop kon plaatsnemen; ze droeg haar kroon, maar oogde kleintjes op de enorme zetel.

Naast haar stond een gehelmde ridder, met zijn mantel naar achteren geslagen zodat het rood-zwarte blazoen van een wolvenkop op de borst van zijn tabbaard te zien was. Een gehandschoende hand rustte op het gevest van zijn zwaard. Hij stond zo stil dat hij wel een beeld had kunnen zijn, maar desondanks trok zijn gestalte de aandacht.

De geluiden die met de nieuwkomers mee naar binnen kwamen gesijpeld vielen stil. De hele bevolking van Godstow was hier nu aanwezig, althans iedereen die kon lopen. Adelia, die bang was dat het kind in haar armen geplet zou worden, keek om zich heen naar een vrij plekje en werd omhooggeholpen een graftombe op door de mensen die daar al op stonden. Gyltha en Hoeder voegden zich bij haar.

Het klokgelui viel stil; het had alleen een achtergrond gevormd bij het hele gebeuren en viel pas op doordat het nu ophield. De ridder knikte en een man in livrei bij de koorbanken draaide zich om en opende de deur naar de consistoriekamer, de ingang die door de geestelijken werd gebruikt.

Moeder Edyve kwam binnen, leunend op haar stok, gevolgd door de nonnen van Godstow. Ze bleef even staan toen ze bij het koor kwam en keek de mannen aan die daar de plaatsen in beslag namen die normaal gesproken voor haar en de zusters waren gereserveerd. De abt van Eynsham zat er, evenals Schwyz, Montignard en anderen. Niemand van hen roerde zich.

Er klonk een verbijsterd gesis van de congregatie, maar moeder Edyve hield alleen haar hoofd schuin en hinkte langs hen heen, een vinger opgestoken om naar haar kudde te wenken toen ze de treetjes af liep om bij de congregatie te gaan staan.

Adelia tuurde om een hoekje het schip van de kerk door, zoekend naar Mansur. Ze zag hem nergens; in plaats daarvan bleef haar oog hangen bij de gemaliede mannen die op gelijke afstanden met getrokken zwaard langs de muren stonden, alsof er aan de oude stenen ineens riviertjes van staal en ijzer waren ontsproten.

Bewakers.

Ze draaide zich weer om. De ridder in het koor had het woord genomen. 'Jullie weten allemaal wie ik ben. Ik ben de heer van Wolvercote en van nu af aan eis ik het gebied van Godstow op in naam van Onze-Lieve-Heer en mijn genadige leenvrouw koningin Eleanora van Engeland, om het te verdedigen tegen de vijanden van de koningin totdat het hele land haar zaak is toegedaan.'

Hij had een verrassend hoge, zwakke stem voor zo'n lange man, maar in de stilte hoefde die ook niet krachtig te zijn.

Er steeg een ongelovig geroezemoes op. Achter Adelia zei iemand: 'Waar heeft hij het over?'

Iemand anders mompelde: 'Herejezus, wil hij soms beweren dat we in oorlog zijn?'

Vanuit het schip werd geroepen: 'Wat voor vijanden mogen dat dan wel zijn? Wij hebben geen vijanden, die hebben we allemaal onder de sneeuw geschoffeld.' Het klonk Adelia in de oren als de stem van de molenaar die bisschop Rowley vragen had gesteld. Overal werd zenuwachtig gegniffeld.

Onmiddellijk kwamen er twee krijgers vanaf de zuidmuur naar voren denderen, die met het vlak van hun zwaard mensen opzijstootten totdat ze bij de onderbreker waren aanbeland.

Het was inderdaad de molenaar. Adelia ving een glimp op van zijn ronde gezicht, zijn mond in ontzetting geopend. De mannen die hem wegsleepten droegen het blazoen met de wolvenkop. Er rende een jongen achter hen aan, die riep: 'Vader! Laat mijn vader met rust!' Ze kon niet zien wat er daarna gebeurde, maar de deuren vielen met een klap dicht en opnieuw daalde er stilte neer.

'Van ongehoorzaamheid zal geen sprake zijn,' zei de hoge stem. 'Deze abdij staat nu onder militair gezag en jullie mensen vallen onder de krijgswet. Er zal een avondklok worden ingesteld...'

Ongelovig haalde Adelia haar schouders op. Het meest schokkende van wat er gebeurde was nog wel dat het zo stompzinnig was. Precies de mensen die Wolvercote zolang het sneeuwde nodig had als vrienden vervreemdde hij van zich. Nodeloos. Zoals de molenaar had gezegd, wás er geen vijand. Het laatste wat ze had gehoord was dat de dichtstbijzijnde legermacht al bij Oxford was, en dat was die van Wolvercote.

O god, domme mensen zijn de gevaarlijkste dieren die er maar bestaan.

In de koorbanken glimlachte Montignard de koningin toe. De meeste anderen keken naar de menigte in het schip, maar de abt van Eynsham bestudeerde zijn vingernagels, terwijl de frons op het gezicht van Schwyz deed denken aan die van een man die gedwongen wordt naar een aap te kijken die zijn kleren draagt.

Híj zou dit niet hebben gedaan, bedacht Adelia; hij is een professional. Ik zou het niet hebben gedaan, en ik weet niets van oorlog voeren.

'... de heilige vrouwen blijven in hun klooster, zolang we ingesneeuwd zijn zullen er rantsoenen worden ingesteld en één maaltijd per dag zal gezamenlijk worden gebruikt – edelen in de refter, horigen in de schuur. Afgezien van de kerkdiensten zullen er geen samenkomsten zijn. Het is verboden groepen te vormen van meer dan vijf personen.

'Dan kan hij die verrekte maaltijden van 'm wel schudden,' fluisterde Gyltha.

Adelia grijnsde. Dit was dommer dan dom: er werkten alleen al twintig mensen in de keuken; als ze niet bij elkaar mochten komen, zou er niet worden gekookt. Waar die man ook op uit is, dacht ze, dit is niet de manier om dat aan te pakken.

Vervolgens dacht ze: maar hij kent geen andere manier. Voor hem zijn bange mensen gehoorzame mensen. En bang zijn we zeker. Ze voelde hoe een collectieve herinnering zich als een koude rilling door de warmte van zoveel lichamen in de kerk boorde. Een oude hulpeloosheid. De Ruiters waren bij hen; door een man die zo stom was als het achtereind van een varken waren ze hun vredige leventje binnengereden.

En waarom eigenlijk?

Adelia keek naar waar Schwyz en de abt zaten; ze straalden verwarring uit. Als dit de oorlog van de koningin is, bedacht ze, dan staan ze allemaal aan dezelfde kant. Bevestigt Wolvercote zijn positie tegenover zijn bondgenoten voordat hij kan worden uitgedaagd? Doet hij nú een greep naar de macht? Noch de abt van Eynsham, noch Schwyz, noch

184

een ander zou roem verwerven, als er al iemand roem verwierf. Toen Wolvercote was gearriveerd had hij de koningin van Engeland vlakbij aangetroffen en hij had zich vast voorgenomen zich als haar redder op te werpen voordat iemand anders dat kon doen. Als zij slaagde onder zijn generaalschap, kon Wolvercote weleens de ware bestuurder van Engeland worden.

Ik sta te kijken naar een man die een dobbelsteen werpt, dacht Adelia.

Hij was aan het einde van zijn orders gekomen. Hij draaide zich om, knielde voor Eleanora, zijn zwaard uitgestoken met het gevest naar voren zodat zij het kon aanraken. 'Altijd uw dienaar, lady. Ik zweer trouw aan u en aan God in majesteit.'

En Eleanora raakte het gevest aan. Ze stond op. Liep rakelings langs hem heen naar de treetjes van het koor. Hief haar kleine vuist. Zag er prachtig uit.

'Ik, Eleanora, koningin van Engeland, hertogin van Aquitanië, zweer dat jullie mijn onderdanen zijn en dat ik jullie zal liefhebben en dienen zoals ik mijn genadige heer Jezus Christus dien en liefheb.'

Als ze applaus verwachtte, dan kreeg ze dat niet. Maar ze glimlachte; ze was zeker van haar charme. 'Mijn beste en trouwe vazal, lord Wolvercote, is een man van oorlog, maar ook een man van liefde, zoals moge blijken uit zijn huwelijk met een van de uwen over een dag of twee – een feestelijke gebeurtenis waarvoor iedereen hier wordt uitgenodigd.'

Ook dat bracht haar geen applaus, maar van ergens uit de diepte van de congregatie liet iemand een wind. Keihard.

De krijgers draaiden hun hoofd alle kanten op, zoekend naar de boosdoener. Maar hoewel er een huivering door de menigte voer, bleven alle gezichten in de plooi.

Wat hou ik toch van de Engelsen, bedacht Adelia.

De abt van Eynsham was gaan staan en redde de situatie door een zegen uit te spreken. Bij het 'Ga in vrede' gingen de deuren open en mochten ze naar buiten lopen tussen een rij van gewapende mannen door die hun maanden zonder te praten naar huis te gaan.

Weer terug in hun kamer trok Gyltha haar mantel uit. 'Zijn ze nou allemaal van lotje getikt, of ben ik gek?'

'Zij zijn gek.' Adelia legde Allie in bed; het kind had zich in de kerk verveeld en was in slaap gevallen.

'Wat valt erbij te winnen?'

'Een verborgen machtsstrijd,' zei Adelia. 'Hij zorgt ervoor dat hij de voorvechter van de koningin is voordat ze een andere kan krijgen. Zag je dat gezicht van Schwyz? O, die arme Emma.'

'De voorvechter van de koningin?' schamperde Gyltha. 'Als Godstow eerder al niet voor Hendrik Plantagenet was, dan is het dat nu wel – dát is wat de voorvechter van de koningin voor elkaar heeft gekregen.'

Er werd op de deur geklopt.

Het was de huurling, Cross, strijdlustig als altijd. Hij richtte zich tot Gyltha, maar gebaarde met zijn kin naar Adelia. 'Zij moet met me meekomen.'

'En jij bent? Hier, je bent een van hen.' Nijdig gaf Gyltha de man een zet. 'Zij gaat nergens met jou heen, piraat, en zeg maar tegen die zak van een Wolvercote dat ik dat gezegd heb.'

De huurling wankelde in zijn verweer tegen de aanval. 'Ik kom niet van Wolvercote, maar van Schwyz.' Hij deed een beroep op Adelia. 'Zeg dat tegen haar.'

Gyltha bleef tegen hem aan duwen. 'Je bent een bastaard-Vlaming, wie je ook bent. Wegwezen!'

'Zuster Jennet heeft me gestuurd.' Weer richtte hij zich tot Adelia; zuster Jennet was de ziekenzuster van Godstow. 'De dokter heeft u ergens voor nodig. Dringend.'

Gyltha staakte haar geduw. 'Welke dokter?'

'Die donkere. Ik dacht dat hij een schipper was, maar hij blijkt dokter te zijn.'

'Een patiënt,' zei Adelia opgelucht; dit was tenminste iets waar ze mee overweg kon. Ze bukte zich om Allie een kus te geven en ging haar tas halen. 'Wie is het? Wat is het probleem?'

Cross zei: 'Het gaat om Poyns, ommers', alsof zij dat kon weten. 'Hij mankeert iets aan zijn arm.'

'Wat mankeert daaraan?'

'Die is groen uitgeslagen.'

'Hmm.' Adelia voegde haar bundeltje messen aan haar tas met spullen toe.

Zelfs toen ze wegliepen, vergezeld door Hoeder, gaf Gyltha de huurling nog kleine duwtjes. 'En je brengt haar ongedeerd terug, ouwe boef, of je krijgt met mij te maken. En hoe zit het met die rottige avondklok van je?'

'Het is niet míjn avondklok,' riep Cross terug, 'maar die van Wolvercote.'

De avondklok was al van kracht. Hoeder gromde in reactie op het geblaf van een vos ergens in de velden, maar afgezien daarvan was alles rustig in de abdij. Toen ze langs de kerk liepen en bij de schuur kwamen, stapte er een bewaker uit de deuropening van de ronde peperbusvormige gebouwtje dat fungeerde als het cachot van het klooster. De toorts boven de deuropening scheen op zijn helm. Hij had een piek in zijn hand. 'Wie daar?'

'Ziekenzaal, vriend,' liet Cross hem weten. 'Dit hier is een verpleegster. Een vriend van me is er slecht aan toe.'

'Wachtwoord!'

'Welk wachtwoord, verdorie? Ik ben een soldaat van de koning, net als jij.'

'In naam van lord Wolvercote, geef ons het wachtwoord, of ik rijg je aan mijn piek.'

'Luister eens even, vriend...' Terwijl hij de piek omzeilde, schuifelde Cross naar de bewaker toe, ogenschijnlijk om hem uitleg te geven, en gaf hem een kaakslag.

Cross was geen lange man, maar de langere bewaker ging tegen de grond alsof hij geveld was door een bijl.

Cross keurde hem geen blik waardig. Hij gebaarde naar Adelia. 'Kom nou maar mee, wilt u?'

Voordat ze gehoorzaamde bukte ze zich om zich ervan te verzekeren dat de wachter nog ademhaalde. Dat deed hij, en hij begon te kreunen.

'Ik kom eraan.'

Zuster Jennet bracht haar onsterfelijke ziel in gevaar door een man bij een van haar zieken te halen van wie ze meende dat hij een heidense dokter was. Ze maakte het er bovendien niet beter op door te berusten in de aanwezigheid van zijn 'assistente', een vrouw wier relatie met de bisschop tot speculaties onder de zusters had geleid.

Maar diezelfde bisschop had tijdens zijn bezoek gezegd hoe goed en veelomvattend de Arabische geneeskunde in het algemeen was, en hoe vaardig deze beoefenaar ervan in het bijzonder, en ook al was zuster Jennet non, ze was óók een gemankeerde dokter; het druiste tegen al haar natuurlijke instincten in om een van haar patiënten te zien sterven aan iets wat zij niet kon behandelen terwijl een Saraceen dat wel kon.

Aan de woede waarmee ze Adelia begroette was duidelijk te merken dat ze innerlijk werd verscheurd. 'U hebt er de tijd voor genomen, meesteres. En laat die hond maar buiten. Het is al erg genoeg dat ik huurlingen op de ziekenzaal moet dulden.' De ziekenzuster wierp een dreigende blik op Cross, die zich klein maakte.

Adelia had wel ziekenzalen meegemaakt waar Hoeders aanwezigheid de geur zou hebben verbeterd. Zo niet hier. Ze keek om zich heen; de langgerekte zaal was zo schoon als maar kon. Er lag vers stro op de plankenvloer, de geur van brandende kruiden kringelde op uit de komforen, witte lakens, het haar van elke patiënt kortgeknipt tegen de luizen, het gedisciplineerde geredder van de nonnen die voor hen zorgden – alles deed vermoeden dat hier efficiënt voor de zieken werd gezorgd.

Ze sloot Hoeder buiten. 'Misschien kun je me zeggen wat ik kan doen.'

Zuster Jennet was uit het veld geslagen; Adelia's manier van doen en de eenvoud van haar jurk waren onverwacht voor de vriendin van een bisschop. Enigszins vermurwd legde de ziekenzuster uit wat ze nodig had van dr. Mansur. '... Maar we zitten allebei gevangen in de verdoemde toren van Babel.'

'Aha,' zei Adelia, 'je kunt hem niet verstaan.' Mansur verstond zuster Jennet waarschijnlijk heel goed, maar kwam zonder Adelia niet in beweging.

'En hij mij ook niet. Daarom heb ik u ook laten halen. U spreekt zijn taal, heb ik begrepen.' Ze zweeg even. 'Is hij net zo vaardig als bisschop Rowley beweert?' Toen ze de naam noemde keek ze Adelia met knipperende ogen aan, waarna ze haar blik afwendde.

'Je zult niet worden teleurgesteld,' beloofde Adelia haar.

'Nou, alles is beter dan de barbier uit het dorp. Blijf daar niet staan. Kom mee.' Ze keek de huurling vuil aan. 'En jij ook, neem ik aan.'

De patiënt lag aan de andere kant van de zaal. Ze hadden gevlochten wilgenschermen om het bed gezet, maar de geur die erachter vandaan kwam bevestigde dat zuster Jennet inderdaad om onchristelijke hulp verlegen zat.

De patiënt was een jonge man en zijn angst voor de omgeving waarin hij terecht was gekomen werd nog erger toen de lange, in wit gehulde gestalte met het donkere gezicht zich over hem heen boog. 'Het doet geen pijn,' herhaalde hij almaar. 'Het doet geen pijn.'

Mansur zei in het Arabisch: 'Waar zat je nou?'

In dezelfde taal antwoordde Adelia: 'Ik moest naar de kerk. We staan onder militair gezag.'

'Tegen wie moeten we vechten?'

'Joost mag het weten. Sneeuwmannen. Wat hebben we hier?' Mansur boog zich voorover en verwijderde voorzichtig een laag pluksel van de linkerarm van de jongen.

'Geen tijd te verliezen, lijkt me.'

En dat klopte inderdaad. De gehavende arm was zwart en scheidde stinkende gele etter af.

'Hoe is het gebeurd?' vroeg Adelia in het Engels, en zoals ze zo vaak moest doen voegde ze eraan toe: '... wil de dokter weten.'

Cross nam het woord. 'Hij is ermee onder een karrenwiel gekomen tijdens de mars naar de toren, de stoethaspel. U kunt er wel wat zalf op doen, zeker?'

'Kun je zijn elleboog sparen?' vroeg Mansur in het Arabisch.

'Nee.' De veelzeggende tekenen van necrose stegen al in snel tempo boven het gewricht verder naar omhoog. 'We mogen blij zijn als het ons nog lukt om hem het leven te redden.'

'Waarom heeft dat vrouwtje het zelf niet al eerder gedaan?'

'Dat kan ze niet; ze mag geen bloed vergieten.'

De Kerk had zich onverbiddelijk uitgesproken tegen chirurgisch ingrijpen; zuster Jennet moest zich daar wel aan houden.

Manur trok zijn haviksneus in rimpels. 'Zouden ze hem dan zomaar dood hebben laten gaan?'

'Ze wilden de barbier van Wolvercote erbij halen.' De rillingen liepen haar over de rug. 'Een barbíér, godbetert.'

'Een barbier die bloed vergiet? Die hoeft mij niet te scheren, insjallah.'

Ook als hij erbij zou zijn gehaald, zou de barbier deze klus hebben moeten klaren in de keuken, zodat Gods neus niet werd ontriefd door bloedvergieten in het heilige klooster. Dat gold ook voor Adelia. Deze extra strijd tussen de geneeskunde en het geloof bracht zuster Jennet zo van streek dat ze in een stortvloed van felle bevelen voorbereidingen trof voor de operatie en toekeek hoe Mansur haar patiënt van de zaal af droeg alsof ze hen allebei niet kon luchten of zien. 'En jij,' riep ze tegen de verachte Cross, 'kruip jij maar weer terug naar je hok. Jou kunnen ze er niet bij gebruiken.'

'Jawel,' liet Adelia haar weten. 'Hij... eh... hij weet wat het wachtwoord is.'

Maar de stoet van dokter, patiënt, doktersassistente, hond, huurling en twee nonnen die schoon linnengoed en een strozak droegen werd niets in de weg gelegd toen ze via de deur van de ziekenkapel naar buiten kwamen en links afsloegen naar de keuken.

Adelia liet de anderen eerst naar binnen gaan en greep Cross voordat hij over de drempel kon stappen bij de voorkant van zijn wambuis. Ze zou hem nog nodig hebben; de patiënt zou minder bang zijn als zijn vriend erbij aanwezig was. Ze mocht Cross niet zo – en hij mocht haar ook niet –, maar dacht dat ze er wel van op aankon dat hij zijn mond zou houden. 'Luister eens even, de arm van die jongen moet eraf en ik...'

'Hoe bedoelt u, moet eraf?'

Ze hield het simpel. 'Er verspreidt zich gif door de arm van je vriend. Als dat bij zijn hart komt, gaat hij dood.'

'Kan die zwarte dan geen toverspreuk of zoiets opzeggen?'

'Nee, hij moet de arm amputeren – eraf snijden. Of liever gezegd: dat ga ik voor hem doen, maar...'

'Dat kan niet. U bent een vrouw.'

Adelia schudde hem door elkaar; hier was geen tijd voor. 'Heb je gezien hoe de handen van de dokter eraan toe zijn? Die zitten helemaal in het verband. Je zult hem horen praten en mij aan het werk zien, maar –'

'Hij vertelt u dan zeker wat u moet doen, gaat het zo?' Cross was enigszins gerustgesteld. 'Maar allemachtig, hoe moet mijn maat nou verder zonder zijn arm?'

'Wat moet hij als hij straks niet meer leeft?' Adelia schudde de man weer door elkaar. 'Het gaat erom... Je moet zweren dat je er tegen niemand, echt tegen niemand ooit iets zegt over wat je vanavond te zien krijgt. Begrijp je dat?'

Cross' weinig beminnelijke, gekwelde gezicht klaarde op. 'Het is wél tovenarij, hè? Die zwarte gaat toverkunsten uithalen; daarom mogen de nonnen het natuurlijk niet zien.'

'Wie is je beschermheilige?'

'Sint-Acacias, natuurlijk. Die heeft altijd goed over me gewaakt.'

'Zweer bij hem dat je er niets over zult vertellen.'

Dat deed Cross.

De keuken was voor de avond verlaten. De nonnen legden de strozak en schone lakens op het enorme hakblok, zodat de patiënt daarop kon liggen, bogen toen en maakten zich uit de voeten.

De ogen van de jonge Poyns puilden bijna uit zijn hoofd en hij haalde gejaagd adem; hij had koorts en was doodsbang. 'Het doet geen pijn. Het doet helemaal geen pijn.'

Adelia glimlachte hem toe. 'Nee, zeker niet. En het gaat ook geen pijn doen, want jij gaat slapen.' Ze pakte de opiumfles en een schone doek uit haar tas. Mansur liet al haar netje met messen in een kokende pan water zakken die aan een haak boven het vuur hing; warm staal sneed beter dan koud.

Maar het licht in de keuken was onvoldoende. 'Jij daar,' zei ze tegen Cross. 'Twee kaarsen. Eén in elke hand. Laat ze schijnen waar ik zeg dat ze moeten schijnen, maar ze mogen niet druipen.'

Cross keek toe hoe Mansur de messen uit de pan haalde en ze met zijn verbonden handen uit het net haalde. 'Weet u zeker dat hij weet wat hij doet?'

'Kaarsen!' fluisterde Adelia hem dringend toe. 'Help mee of ga naar buiten.'

Hij hielp mee; tenminste, hij hield de kaarsen vast, maar toen ze de in opium gedrenkte doek over het gezicht van de patiënt legde, probeerde hij tussenbeide te komen. 'Je smoort hem, stom wijf.' Mansur hield hem tegen.

Ze had maar een paar tellen; de jongen mocht de opium niet te lang inademen. 'Die arm moet eraf. Dat besef je toch, hè? Misschien gaat hij toch wel dood, maar als ik niet meteen opereer blijft hij hoe dan ook niet in leven.'

'Híj zegt toch wel wat u moet doen?' Cross was inmiddels vol ontzag voor Mansur, die met zijn kracht, zijn gewaad en zijn keffiyeh erg indrukwekkend was. 'Hij is een tovenaar, hè? Daarom praat hij zo raar.'

'Je moet doen alsof je mij instructies geeft,' zei Adelia in het Arabisch tegen Mansur.

Vervolgens begon Mansur te bazelen.

Ze moest snel werken, en dankte God op haar blote knieën dat er een heleboel opium groeide in de veenlanden van Cambridge en dat ze een flinke voorraad had ingeslagen, maar ze moest de voordelen ervan afwegen tegen de gevaren.

De wereld versmalde zich tot een tafelblad.

Aangezien hij moest blijven praten, koos Mansur als thema *Kitab Alf Layla wa-Layla*, ook wel bekend onder de titel *Vertellingen uit duizend-en-een nacht*. En aldus weergalmde door een kloosterkeuken in Oxfordshire de hoge stem van een castraat die in het Arabisch verhalen vertelde die de Perzische Sheherazade driehonderd jaar geleden had bedacht voor haar echtgenoot de sultan teneinde haar executie uit te stellen. Adelia hoorde er niet meer van dan van het geknetter en geknapper van het vuur.

Als Rowley, gered uit de koude wateren, de keuken was binnengekomen, zou Adelia niet eens hebben opgekeken, en als ze dat wel had gedaan, zou ze hem niet hebben herkend. Als iemand de naam van haar kind had genoemd, zou dat haar de reactie hebben ontlokt: 'Wie zeg je?' Alleen de patiënt bestond nog voor haar; en zelfs hij niet echt, maar alleen zijn arm. Sla de huidflappen naar achteren.

'*Suturae*.'

Mansur legde met een klapje een naald met een draad erin in haar uitgestoken hand en begon bloed op te vegen.

Arteriën, venen.

Het bot doorzagen of klieven? Hoe de patiënt met maar één schouderstomp door het leven zou moeten was niet haar probleem; haar gedachten gingen niet sneller dan het tempo waarin de operatie vorderde.

Er viel een zwaar voorwerp in de afvalmand van de keuken.

Nog meer steken. Zalf, pluksel, verband.

Op het laatst veegde ze met haar onderarm over haar voorhoofd. Langzaam verbreedde haar blikveld zich, tot ze de plafondbalken, potten en een laaiend vuur weer kon zien.

Er vroeg iemand haar aandacht. 'Wat zegt hij? Komt het goed met hem?'

'Ik zou het niet weten.'

'Maar dat was een mooi stukje werk, toch?' Cross schudde Mansur hartelijk de hand. 'Zeg maar tegen hem dat hij een mirakel is.'

'Je bent een mirakel,' zei Adelia in het Arabisch.

'Weet ik.'

'Hoe is het met je handen, arme ziel?' vroeg ze. 'Kun je hem terugdragen naar de ziekenzaal?'

'Jawel.'

'Pak hem dan maar warm in en zorg dat je snel bent, voordat de verdoving uitgewerkt raakt. Pas op met zijn schouder. Zeg tegen zuster Jennet dat hij waarschijnlijk zal braken als hij bijkomt. Ik kom zelf ook zo.'

'Nu blijft hij leven, hè? Met die knul komt nu toch alles goed?'

Ze draaide zich om naar de man die haar aansprak. Op dergelijke momenten was ze altijd slechtgehumeurd; het was een wedren geweest, en net als een renner had ze tijd nodig om daarvan te herstellen, en Cross – was het toch? – gaf haar die niet.

'De dokter weet het niet zeker,' zei ze – ze maakte zich ineens niet meer druk om diplomatiek doktersgedrag aan het bed van een patiënt; deze man was immers in de boot bepaald niet aardig tegen haar geweest. 'Je vriend is gelukkig nog jong, maar er heeft te lang vergif in zijn wond gezeten en' – ze zette zich schrap voor de aanval – 'hij had al veel eerder behandeld moeten worden. Ga nu maar weg en laat me alleen.'

Ze keek hem na toen hij achter Mansur met zijn last aan sjokte, waarna ze zelf bij het vuur ging zitten en in gedachten lijstjes opstelde. Wilgenbast was er godzijdank genoeg; die zou de patiënt nodig hebben tegen de pijn. Als hij het haalde.

De stank van verrotting die uit de afvalemmer opsteeg baarde haar zorgen; dit was tenslotte de keuken waarin hun eten werd klaargemaakt. Er kwam een rat achter een kast vandaan en zijn snorharen trilden in de richting van de afvalbak. Adelia reikte naar de houtstapel en gooide een houtblok naar het dier.

Wat moest je doen met afgesneden ledematen? In Salerno zorgden andere mensen voor haar dat die werden opgeruimd; ze had altijd zo'n idee gehad dat ze ze door het varkensvoer mengden, wat een van de redenen was waarom ze niet graag varkensvlees at.

Nadat ze haar mantel om zich heen had geslagen en de emmer had opgepakt, zette ze koers naar de steeg om een plekje te zoeken waar ze zich ervan kon ontdoen. Het was er schrikbarend koud na de warmte van de keuken, en pikkedonker.

Verderop in het steegje begon iemand te schreeuwen. En bleef schreeuwen.

'Ik kan het niet,' zei Adelia hardop. 'Ik kan het gewoon niet.' Maar toch strompelde ze naar het geluid toe, in de hoop dat iemand anders er het eerst bij zou zijn en zich erom zou bekommeren, wat het ook was.

Er kwam een lantaarn door het donker dansen, vergezeld door het geluid van rennende voetstappen. 'Wie is daar?' Het was de boodschapper Jacques. 'O, bent u het, meesteres.'

'Ja. Wat is er aan de hand?'

'Ik heb geen idee.'

Ze draafden op het geluid af en onderweg daarnaartoe voegden zich andere lantaarns bij hen, in het licht waarvan ze glimpen opvingen van gealarmeerde gezichten en in pantoffels gehulde voeten.

Langs het washuis, langs de smidse, langs de stallen – allemaal déjà vu en verschrikkelijk, omdat Adelia nu wist waar de kreten vandaan kwamen.

De deuren van de koeienschuur stonden open en ervoor had zich een groep mensen verzameld, van wie sommigen een hysterisch melkmeisje probeerden te sussen, hoewel de meesten met open mond stonden toe te kijken en hun lantaarns hoog ophieven, zodat het licht op de bungelende gestalte van Bertha viel.

Ze hing aan een strop om haar hals aan een haak in een balk. Haar blote tenen wezen omlaag naar een melkkrukje, dat op zijn kant tussen het stro lag.

De nonnen weeklaagden om het dode meisje. Wat, zo vroegen ze, kon haar hebben bezield om zelfmoord te plegen, die zo verschrikkelijke zonde? Wist ze dan niet dat haar leven God toebehoorde en dat ze dus een onrechtmatige daad tegen Gods eigen heerschappij beging, die verboden werd in de Schrift en door de Kerk?

Nee, dacht Adelia nijdig; dat had Bertha niet geweten, want niemand had het haar geleerd.

Schuldgevoel, zeiden de zusters. Zij was degene geweest die Rosamunde de giftige paddenstoelen had gegeven, en daar had ze wroeging om gekregen. Maar ze waren rechtschapen en barmhartige vrouwen, en hoewel Bertha in ongewijde grond buiten hun kloostermuren begraven zou moeten worden, namen ze het lichaam wel mee naar hun eigen kapel om er tot die tijd een wake voor te houden. Onderweg daarnaartoe reciteerden ze gebeden voor de doden. De menigte die bij de koeienschuur had gestaan liep achter hen aan.

Er was om Bertha nog nooit zoveel drukte gemaakt. In zo'n kleine gemeenschap was de dood tenslotte altijd een hele gebeurtenis; zelfdoding was iets ongehoords en verdiende veel aandacht.

Terwijl ze de stoet volgde door de donkere steegjes, bleef Adelia ontstemd, want ze bedacht dat het heel verkeerd was dat een wezen dat in haar korte leven zoveel tekortgekomen was nu ook niet eens een christelijke begrafenis zou krijgen.

Jacques, die naast haar voortliep, schudde zijn hoofd. 'Wat verschrikkelijk, meesteres, dat ze zichzelf heeft opgehangen, die arme ziel. Ze zal zich wel verantwoordelijk hebben gevoeld voor de dood van lady Rosamunde.'

'Maar dat was ze niet, Jacques. Jij was erbij. "Niet mijn fout, niet mijn fout." Dat zei ze telkens weer.' Het was het enige waar Bertha duidelijk over was geweest.

'Nou, dan moest ze doodsbang zijn geweest voor vrouw Dakers. Ze durfde haar zeker niet onder ogen te komen.'

Ja, ze was bang geweest voor Dakers. Dat zou het geweest moeten zijn: ofwel Bertha had ondraaglijk veel spijt gehad van de dood van haar meesteres, ofwel ze was zo bang voor wat Dakers haar zou kunnen aandoen dat ze nog liever zichzelf het leven benam.

'Het is verkeerd,' zei Adelia.

'Een zonde,' stemde Jacques met haar in. 'Maar ik hoop dat God haar toch genadig is.'

Maar het wás verkeerd, alles was verkeerd. Het tafereel van Bertha die aan de haak hing was verkeerd geweest.

Ze naderden de kapel. De leken die het lichaam hadden vergezeld bleven staan; dit was het terrein van de nonnen – zij moesten buiten blijven. Zelfs als ze door had kunnen lopen, had Adelia er niet meer tegen gekund – niet tegen Jacques met zijn sombere praatjes, niet tegen de verwijtende mannen en vrouwen die hen vergezelden, niet tegen het gereciteer van de nonnen. 'Hoe kan ik van hieruit het gastenverblijf vinden?'

Jacques wees haar hoe ze terug moest lopen. 'Slaap maar lekker, meesteres. Dat kunt u goed gebruiken.'

'Ja.' Maar het was geen vermoeidheid – ook al was ze inderdaad hondsmoe; het kwam doordat alles zo verkeerd was. Het hamerde tegen haar hersenpan alsof er iemand binnen wilde komen.

De boodschapper lichtte haar bij en ging er vervolgens mompelend en hoofdschuddend vandoor.

Gyltha had het geschreeuw zelfs in hun kamer kunnen horen en had uit het raam geroepen of iemand wist wat het was. 'Kwalijke zaak,' zei ze. 'Ze zeggen dat ze het uit verdriet heeft gedaan, die arme meid.'

'Of misschien was ze bang dat vrouw Dakers haar zou omtoveren in een muis en haar aan de kat zou voeren. Ja, ik weet het wel zeker.'

Gealarmeerd keek Gyltha op van haar breiwerk. 'O ja? Wat dan?'

'Dat het verkeerd is.' Adelia krauwde Hoeder achter zijn oren en duwde de hond vervolgens weg.

Gyltha's ogen vernauwden zich tot spleetjes, maar ze zei niets meer over het onderwerp. 'Hoe gaat het met de Vlaming?'

'Ik denk niet dat hij in leven blijft.' Adelia slenterde naar hun gemeenschappelijke bed en streek het haar van haar slapende dochtertje naar achteren.

'Net goed.' Gyltha had niet veel op met huurlingen; tijdens de oorlog tussen Stephen en Matilda had het er zo van gewemeld dat ze alom werden gehaat. Of ze nu uit Vlaanderen kwamen of niet – en de meesten kwamen daarvandaan –, de benaming 'Vlaming' was een eufemisme geworden voor verkrachting, plundering en wreedheid. 'Over de koning kun je in elk geval wel zeggen dat hij alle schurken uit de weg had geruimd,' zei ze, 'maar Eleanora brengt ze nu weer terug.'

'Hmm.'

Gyltha trok haar wenkbrauwen op. Ze had warme kandeel gemaakt – het rook in de kamer heerlijk naar warme melk en brandewijn. Ze overhandigde Adelia een beker. 'Weet je wel hoe laat het is?' Ze wees naar de uurmerken op de kaars bij het bed. 'Het wordt tijd dat je naar bed gaat. Het is bijna ochtend. Straks zingen ze de metten.'

'Er deugt allemaal niets van, Gyltha.'

Gyltha slaakte een zucht; ze kende de tekenen. 'Tot morgen houdt het wel.'

'Nee, dat doet het niet.' Adelia stond op en maakte haar mantel opnieuw vast. 'Een meetlint, ik heb een meetlint nodig. Hebben we touw?'

Ze hadden het touw waarmee ze hun bagage hadden vastgebonden. 'Ik wil het wel terug hebben,' zei Gyltha. 'Het is een goed stuk. Waar ga je heen?'

'Ik heb mijn medicijntas in de keuken laten staan. Die kan ik beter even gaan ophalen.'

'Jij blijft hier,' gaf Gyltha haar scherp te verstaan. 'Jij gaat nergens heen zonder dat die ouwe Arabier met je meegaat.'

Maar Adelia was al weg, met medeneming van het touw en een lantaarn. Niet naar de keuken. Ze zette koers naar de kapel van de nonnen. De dag brak aan.

Ze hadden Bertha's lichaam op een baar in het kleine schip gelegd. Het laken waarmee ze het hadden bedekt trok al het vage licht dat door de hoge ramen viel naar zijn eigen langgerekte witheid, zodat de rest van de ruimte ertoe veroordeeld was in een stoffige mist gehuld te blijven.

Adelia beende door het schip naar voren, waarbij het geritsel van haar voeten op het stro de stilte verstoorde, zodat de non die op haar knieën aan de voet van de baar zat zich omdraaide om te kijken wie eraan kwam.

Adelia besteedde geen aandacht aan haar. Ze zette de lantaarn op de grond en sloeg het laken terug.

Bertha's gezicht had een blauwige tint; het puntje van haar tong dat uit haar ene mondhoek stak was nog net zichtbaar. In combinatie met haar kleine neusje gaf dit haar iets brutaals, als van een elfenkind.

De non – eentje die Adelia niet kende – gaf met sisgeluidjes uiting aan haar bezorgdheid toen Adelia de lantaarn oppakte en, met haar andere hand, Bertha's oogleden terugtrok om naar haar oogbollen te kunnen kijken.

In het oogwit zaten vlekjes bloed. Ze had niet anders verwacht.

Terwijl ze op haar knieën ging zitten, bracht Adelia de lantaarn dicht bij de hals van het meisje. Daar zaten moeten in van de randen van de strop waar ze aan had gehangen, maar er waren ook andere markeringen zichtbaar: groeven die omlaagliepen over haar keel. En horizontaal rondom de hals, onder de kneuzingen van de strop, liep een rij kleine, ronde inkepingen.

De non was overeind gekomen en probeerde Adelia met handengewapper van het lichaam weg te jagen. 'Wat doet u? U verstoort de doden.'

Adelia negeerde haar; ze hoorde haar niet eens. Ze bedekte Bertha's gezicht weer met het laken en sloeg het aan de andere kant terug, waarna ze de rokken van het meisje optilde om naar haar onderlichaam te kijken.

De non spurtte de kapel uit.

De vagina vertoonde geen rijtsporen, of, zover ze kon zien, een spoor van sperma.

Adelia legde het laken weer terug.

Verdorie. Er wás een manier om erachter te komen. Haar oude leraar, Gordinus, had die haar voorgedaan door de hals open te snijden van gevangenen die waren opgehangen en hun tongbeen te vergelijken met dat van mensen die waren verwurgd – een vorm van executie die kenmerkend was voor het district Pavia, die hem van de Romeinen hadden overgenomen. *Zie je, kind? Het bot wordt door verwurging zelden gebroken, terwijl dat bij ophanging vrijwel altijd wel gebeurt. Dus als we vermoeden dat iemand gewurgd is, kunnen we zien of die persoon dat zichzelf heeft aangedaan of dat hij is aangevallen door een ander. Bij mensen die zichzelf ophangen zie je ook zelden bloedingen in de nekspieren, terwijl als we bloedingen aantreffen bij een lijk waarvan alleen wordt gezégd dat het een zelfmoordgeval is, we redenen hebben om aan te nemen dat we met een geval van moord te maken hebben.*

Een ontleedanalyse... Kon ze maar een ontleedanalyse doen. Nou ja, ze zou moeten vertrouwen op de metingen...

'En wat heeft dit te betekenen?' De donkere stem galmde door de kapel en verdreef de rust; op de een of andere manier leek hij de stofdeeltjes te verstoren en het licht scherper te maken.

De non kakelde: 'Ziet u haar, my lord? Die vrouw –'

'Ik zie haar.' Hij wendde zich tot Adelia, die het touw dat ze had meegenomen van Bertha's kruin naar haar blote tenen had gelegd. 'Bent u niet wijs? Waarom onteert u de doden, meesteres? Zelfs zo'n dode als zij?'

'Hmm.' Nadat ze een knoop in het touw had gelegd, wond Adelia het om haar hand en liep weg in de richting van de deur.

De abt, die er zowel in de lengte als in de breedte als in zijn kleurrijkheid indrukwekkend uitzag, versperde haar de weg. 'Ik vroeg u, meesteres, waarom u de arme ziel die hier ligt niet met rust wilt laten.' Zijn West Country-accent was verdwenen en had plaatsgemaakt voor de klinkers van iemand die had schoolgegaan.

Adelia liep langs hem heen. De strop, dacht ze; misschien hangt die nog in de koeienschuur. En mijn kettinkje.

De abt keek haar na toen ze wegliep en gebaarde met een armzwaai dat de non haar wake kon hervatten.

Ondanks een zelfmoord, de aanwezigheid van een koningin, de bezetting door haar huurlingen en de verschrikkelijke kou, draaide buiten het wiel van het dagelijks leven in de abdij gewoon door. Glibberend op vuil, bobbelig ijs haastten de bewoners van Godstow zich langs Adelia heen om door vocht gedoofde vuren weer nieuw leven in te blazen en hun werk te hervatten.

Jacques haalde Adelia in toen ze langs de stallen kwam. 'Ik heb gewacht, meesteres. Wat moet hiermee gebeuren?' Hij droeg een emmer en zwaaide daarmee voor haar neus heen en weer, zodat ze hem wel moest tegenhouden. Er lag een arm in. Adelia staarde er even naar voordat ze zich herinnerde dat ze in wat een ander leven leek een amputatie had uitgevoerd.

'Geen idee. Ergens begraven, zou ik zeggen.' Ze repte zich verder.

'Ergens begraven,' zei Jacques, haar nakijkend. 'In die keiharde grond zeker.'

In de koeienschuur was het warm in het daglicht, ook al stonden de deuren open. De zon scheen op de bespatte vloer; alles was stil, op het ritmische geruis uit een van de stallen na waar een jonge vrouw zat te melken. Het krukje waar ze op zat was hetzelfde dat onder Bertha's hangende lichaam was weggetrapt.

Haar naam, zei ze, luidde Peg, en zij was degene die toen ze 's ochtends vroeg de schuur was binnengekomen voor de eerste melkronde Bertha had ontdekt. Bij die aanblik had ze het op een krijsen gezet en ze had terug moeten rennen naar huis voor een drupje van haar moeders brandewijn voordat ze ertegen opgewassen was om weer terug te gaan en aan haar werk te beginnen.

'Daarom ben ik vandaag ook zo laat. Die arme beesten hebben staan loeien of ik wilde komen om ze te verlossen, maar ik was me wild geschrokken, snapt u. Toen ik de deuren opendeed, hing ze daar ineens. Ik kom er vast nooit overheen. Deze oude schuur wordt nooit meer hetzelfde, voor mij niet.'

Adelia kon zich wel voorstellen hoe ze zich voelde: er was inbreuk gemaakt óp de vertroostende geur van darmgassen en stro, op de onschuldige huiselijkheid van de plek. Een stokoude balk waaraan een lichaam had gehangen was nu in een galg veranderd. Zij zou er ook niet overheen komen. Hier was Bertha gestorven, en van alle recente sterfgevallen deed dat van Bertha het hardst een beroep op haar.

'Kan ik u helpen, meesteres?' wilde Peg weten, terwijl ze doorging met melken.

'Ik ben op zoek naar een halsketting, met een kruisje eraan. Dat had ik aan Bertha gegeven. Ze heeft het nu niet om en ik zou het haar graag meegeven in haar graf.'

Pegs kap bewoog naar opzij toen ze haar hoofd schudde zonder contact te verliezen met de ribben van de koe. 'Heb ik niet gezien.'

Voor haar geestesoog riep Adelia het tafereel op van een uur of wat geleden. Een man – ze dacht dat het Fitchet was, de poortwachter – was aan komen rennen, had de kruk onder Bertha's voeten rechtop gezet, was erop gaan staan en had het lichaam opgetild, zodat de strop waaraan het hing loskwam van de haak aan de zolderbalk.

En toen? O ja, andere mannen hadden hem geholpen het lichaam neer te leggen. Iemand had de strop losgemaakt en hem weggegooid. De mensen die zich om het dode meisje verdrongen en vergeefs probeerden haar weer tot leven te wekken, hadden het Adelia onmogelijk gemaakt te zien of ze haar kruisje nog om haar hals droeg. Als Bertha het nog om had gehad, zou de strop de ketting hebben bedekt en die strak tegen de huid van het meisje hebben gedrukt toen ze hing, zodat de schakeltjes zich in haar vel boorden en die afdrukken veroorzaakten. Maar als ze het kettinkje níét had om gehad...

Adelia keek om zich heen.

In een hoekje vol spinnenwebben vond ze de strop. Die bestond uit een riem, en een oude ook. Een afgesleten oogje liet zien waar hij gewend was hem vast te maken, maar aan het uiteinde van de leren reep was een ander oogje helemaal uitgerekt op de plek waar de riem over de haak aan de balk was geslagen en vervolgens Bertha's lichaamsgewicht had moeten houden.

'Ik vraag me af waar zij nou een riem vandaan had kunnen halen,' vroeg Adelia zich hardop af, en ze sloeg die over haar schouder.

'Ik zou het niet weten, zij droeg nooit een riem,' zei Peg.

Klopt... Ze had geen riem gedragen. Langzaam liep Adelia naar de andere kant van de koeienschuur, terwijl ze ondertussen plukken hooi omhoogschopte om te zien of er iets onder lag.

Achter haar klonken het geruis van de melk die in de emmer stroomde en Pegs peinzende stem: 'Het arme kind, ik zou niet weten wat haar ineens bezielde. Ze was natuurlijk de slimste niet, maar dan nog...'

'Heeft ze tegen jou iets gezegd?'

'Ze zei zoveel; ze zat daar verderop altijd een eind weg bazelen, zo erg dat je er kippenvel van kreeg, maar ik besteedde geen aandacht aan haar.'

Adelia kwam bij de stal die Bertha's onderkomen was geweest. Hier was het donker. Ze liet de lantaarn boven op de scheidingswand balanceren en zakte op haar knieën om het stro te doorzoeken en daardoorheen haar handen over de aangestampte aarde te laten gaan.

Ze hoorde Peg tegen de koe zeggen: 'Ziezo, klaar, mevrouwtje', waarna het melkmeisje haar een vriendelijk klapje op haar lijf gaf om naar de volgende te gaan; en er klonken voetstappen toen er iemand de schuur binnenkwam. Peg zei: 'Ook goedemorgen, meester Jacques.'

'Ú een goede morgen, meesteres Peg.'

In beide stemmen klonk een flirterige ondertoon door die de dag een zonnig tintje gaf. Jacques, zo bedacht Adelia, moest ondanks zijn afstaande oren en overgrote gretigheid een verovering hebben gemaakt.

Hij kwam het gangpad op en bleef staan om naar de rondscharrelende Adelia te kijken. 'Ik heb het begraven, meesteres.'

'Hè? O, mooi zo.'

'Kan ik u helpen met wat u ook aan het doen bent, meesteres?' Hij begon gewend te raken aan haar buitenissige gedrag.

'Nee.'

Want ze had het al gevonden. Haar vingers waren op de harde metalen draad gestoten, klein en gebroken; het kruisje zat er nog aan vast doordat het werd tegengehouden door de sluiting, maar verderop waren de schakels gebroken.

God sta ons bij. Dus hier was het gebeurd. In deze donkere stal had Bertha naar haar hals gegrepen in een poging het kettinkje los te trekken onder de sterke handen die haar wurgden vandaan.

O, het arme kind.

Adelia zag Bertha weer snuffelend naar zich toe kruipen en hoorde haar weer vertellen dat de oude vrouw in het bos die haar de paddenstoelen voor Rosamunde had gegeven net zo had geroken als zij.

Lekker. Net as u.

De herinnering was onverdraaglijk. Het korte, droeve jonge leven dat met geweld beëindigd was... Waarom? Door wie?

'Meesteres?' Jacques begon zich zorgen te maken omdat ze helemaal niets zei.

Adelia herpakte zich. Met de ketting in haar hand liep ze samen met de boodschapper naar de plek waar Peg haar volle emmer met schuimende melk overgoot in een groter vat, terwijl ze bij Jacques' nadering uitdagend met haar achterste wiegde.

De melkkruk. Ze wist nu dat Bertha vermoord was, maar er was nog één bewijs...

Toen Peg het krukje wilde meenemen naar de volgende koe, was Adelia haar voor. 'Mag ik dit even hebben?'

Peg en Jacques staarden haar aan toen ze de kruk pakte en hem recht onder de haak in de balk zette. Ze wond het stuk touw dat ze in haar hand had af en duwde ermee tegen Jacques aan. 'Meet mij eens op.'

'U opmeten, meesteres?'

'Ja.' Ze dreigde haar geduld te verliezen. 'Van top tot teen.'

Met een schouderophalen hield hij het ene uiteinde van het touw tegen Adelia's kruin en liet het toen omlaagvallen. Hij bukte zich en pakte het vast op de plek waar het de grond raakte. 'Ziezo. U bent niet bijzonder lang, meesteres.'

Ze probeerde naar hem te glimlachen – zijn eigen gebrek aan lichaams-

201

lengte zat hem dwars; zonder zijn verhoogde laarzen zou hij niet veel langer zijn dan zij. Toen ze naar de plek keek waar hij het touw vasthield, zag ze dat dat maar een klein stukje verder was dan de knoop die ze erin had gelegd toen ze het lijk op de baar had opgemeten. Ze was zo'n vijf centimeter langer dan Bertha.

En nu eens kijken.

Peg zei: 'Ze raakte gisteren ergens opgewonden over, rond melktijd 's avonds, bedenk ik nu ineens.'

'Wie? Bertha?'

'Ze zei dat ze de vrouw met het kruis iets te vertellen had en rende naar buiten. Waarschijnlijk bedoelde ze een non, denk ik, en wist ze daar het woord niet voor.'

Nee, bedacht Adelia, ik was het. Ik was de vrouw met het kruis. 'Waar ging ze heen?'

'Ver kan het niet geweest zijn,' zei Peg, 'want ze was algauw weer terug en gedroeg zich alsof ze de duivel had gezien te midden van zwaveldampen. Ze zei iets over akkers.'

'Over Dakers misschien?' vroeg Jacques.

'Zou kunnen.'

'Dat moet vrouw Dakers wel zijn geweest,' zei Jacques. 'Ze was doodsbang voor dat mens.'

Adelia vroeg: 'Zei ze niet wat ze die non wilde gaan vertellen?'

'Ze mompelde almaar iets van dat zij het niet was, maar hij.'

Adelia zocht steun bij een halsbeugel van een van de stallen en klemde zich eraan vast. 'Zou ze gezegd kunnen hebben: "Het was geen zij, maar een hij"?'

'Zou kunnen.'

'Hmm.' Ze wilde erover nadenken, maar de koeien verderop in de rij loeiden van ongemak en Peg werd er ongedurig van dat haar melkkruk haar was afgepakt.

Adelia haalde de riem door de gesp, sloeg hem om haar nek en trok hem aan. Terwijl ze op de kruk stapte, probeerde ze het vrije uiteinde van de riem aan de haak te hangen, maar ze slaagde er alleen in er met het uiteinde van het leer langs te strijken; er bleef ruimte tussen de haak en het oogje. Ze ging op haar tenen staan; het oogje en de haak kwamen nog steeds niet bij elkaar – en zij was nota bene langer dan Bertha.

'Hij is te kort,' zei ze. 'De riem is te kort.'

Dat was wat haar had dwarsgezeten. De aanblik van het bungelende lichaam was te schokkend geweest om het op dat moment tot haar te laten doordringen, maar haar brein had het wel geregistreerd: Bertha's voeten konden nooit tot aan de kruk zijn gekomen om die weg te schoppen.

Ze begon te kokhalzen en probeerde naarstig om de gesp weer los te krijgen, totdat onzichtbare armen haar optilden en de riem aan de haak hingen; ze kreeg geen adem.

Jacques' handen friemelden aan haar nek en ze probeerde ze van zich af te slaan, zoals Bertha zich teweer had gesteld tegen haar moordenaar. 'Het is goed, meesteres,' zei hij. 'Kalm. Kalm nou maar.' Toen hij de riem los had, pakte hij haar bij de arm en streelde haar over de rug alsof hij een verschrikte kat wilde kalmeren. 'Kalm maar. Kalm.'

Peg staarde hen aan alsof ze gek waren. Jacques knikte haar toe en wees naar het krukje, en opgelucht pakte ze het op en ging terug naar haar koeien.

Adelia bleef staan waar ze stond en luisterde hoe Pegs vaardige, van kou gekloofde handen in de koeienuiers knepen en zich dan weer ontspanden, zodat de melk met de regelmaat van een zachte trommelslag in de emmer stroomde.

'Het was geen zij, maar een hij.'

Jacques' ogen keken haar vragend aan; hij had wel begrepen wat ze aan het doen was.

'Nou,' zei Adelia. 'Nu kan Bertha tenminste in gewijde grond worden begraven.'

'Geen zelfmoord?'

'Nee. Ze is vermoord.'

Ze zag weer hoe oud zijn jonge gezicht kon worden.

'Dakers,' zei ze.

9

e nonnen dachten hetzelfde.

'Begrijp ik je nou goed,' zei moeder Edyve, 'dat je wilt beweren dat vrouw Dakers dat arme kind heeft opgehangen?'

Ze bevonden zich in de kapittelzaal; de abdis was in conclaaf met haar oudere nonnen.

Ze hadden Adelia niet hartelijk ontvangen. Zij hadden tenslotte ernstige zaken om over na te denken: hun abdij was zo goed als ingenomen; gevaarlijke huurlingen hielden die bezet; er hingen lijken aan hun brug; als het bleef sneeuwen, zouden ze binnenkort zonder voorraden zitten. Ze wilden niet luisteren naar het bizarre, verontrustende verslag van een moord – een moord! – in hun midden.

Maar Adelia had één ding goed gedaan: ze had Mansur meegenomen. Gyltha had haar overreed: 'Naar jóú luisteren ze niet,' had ze gezegd, 'maar misschien wel naar die ouwe Arabier.' En na een paar uur slaap had Adelia besloten dat ze gelijk had. Mansur was de nonnen aangeraden door hun bisschop; hij zag er mystiek uit, hij was een man en legde als zodanig meer gewicht in de schaal dan zij, ook al was hij dan een buitenlander.

Het viel nog niet mee om gehoor te krijgen voordat de kapittelvergadering voorbij was, maar Adelia had geweigerd te wachten. 'Dit is een zaak voor de koning,' had ze gezegd. Dat was immers ook zo: wanneer er een moord werd gepleegd, moest de koning daarover rechtspreken. Heer Mansur, vertelde ze hun, was er heel goed in misdrijven op te lossen, en was oorspronkelijk naar Engeland ontboden om voor Hendrik II de dood van een paar kinderen uit Cambridge te onderzoeken – wat in zekere zin ook zo was – en de moordenaar hadden ze toen te pakken gekregen.

Nadat ze zich had verontschuldigd voor het feit dat Mansur hun taal niet zo goed beheerste, had ze gedaan of ze voor hem tolkte. Ze had hun gesmeekt zelf de afdrukken op Bertha's hals te onderzoeken, had hun het bewijsmateriaal getoond waarmee ze de moord had bewezen... en

204

haar stem even vruchteloos tegen hen horen krabbelen zoals Bertha's vingers naar de halsketting hadden gegrabbeld die haar verstikte.

Ze antwoordde moeder Edyve: 'Heer Mansur beschuldigt vrouw Dakers niet. Hij zegt alleen dat íemand Bertha heeft opgehangen. Ze heeft geen zelfmoord gepleegd.'

Ze vonden de gruwel te groot. Hier, in hun vertrouwde Engelse kapittelzaal van gewelfd hout, stond een lange gestalte in exotische kledij – een heiden, of hij nu door de koning hiernaartoe was gehaald of niet – hun dingen te vertellen die ze helemaal niet wilden horen, door bemiddeling van een vrouw met een twijfelachtige reputatie.

Ze hadden geen onderzoekende geesten. Het leek wel of geen van hen, zelf niet de krasse oude abdis, over de nietsontziende nieuwsgierigheid beschikte die Adelia zelf aan den dag legde – over geen enkele nieuwsgierigheid zelfs. Voor hen werden door de herrijzenis van Jezus Christus en door de regels van Sint-Benedictus alle vragen beantwoord.

Om aardse rechtvaardigheid maakten ze zich ook niet al te druk. Over de moordenaar, als er al een moordenaar was, zou als hij voor de Grote Rechter stond veel verschrikkelijker geoordeeld worden, want Hij kende alle zonden, dan door een menselijke rechtbank.

De riem, de gebroken ketting en het meettouw lagen opgerold op de tafel voor hen, maar ze wilden er niet naar kijken.

Nou, ja, zeiden ze, was het gebrek aan afstand tussen Bertha's voeten en de melkkruk dan echt zo belangrijk? Die arme, misleide meid kon toch op de een of andere manier op de koeienstallen zijn geklommen, met de riem om haar nek, en een sprong hebben gemaakt? Wie wist hoeveel kracht wanhopigen hadden? Zeker, Bertha was bang geweest voor wat vrouw Dakers haar zou kunnen aandoen, maar wees dat op zich al niet op zelfmoord?

Rowley, was je maar hier...

'Het was moord,' hield Adelia vol. 'Heer Mansur heeft bewezen dat het moord was.'

Moeder Edyve dacht over de zaak na. 'Ik had niet gedacht dat Dakers zo sterk was.'

Adelia wanhoopte. Het was net of of ze aan een spit was geregen: de kant die naar het vuur was gekeerd, werd daar telkens vandaan gedraaid om de andere kant aan de vlammen bloot te stellen. Als Bertha vermoord was, dan was Dakers, die Rosamundes dood wilde wreken, de moordenaar geweest – want wie kon het anders zijn? Als Dakers de moordenaar níét was, was Bertha niet vermoord.

'Misschien heeft een van de Vlamingen het gedaan – iemand van Wolvercote of Schwyz,' zei zuster Bullard, die de kelders beheerde. 'Dat zijn wellustige, gewelddadige mannen, zeker als ze een slok op hebben. Wat me eraan doet denken, moeder, dat we een bewaker in de kelders moeten neerzetten. Ze zijn al bezig onze wijn te stelen.'

Dat was het begin van een vloedgolf van klachten. 'Moeder, hoe moeten we ze allemaal te eten geven?', 'Moeder, de huurlingen – ik vrees voor onze jonge vrouwen', 'En voor onze mensen – kijk maar hoe ze die arme molenaar hebben mishandeld', 'De hovelingen zijn nog erger, moeder. De wulpse liedjes die ze zingen...'

Adelia had met hen te doen. Ze hadden niet alleen een heleboel zorgen aan hun hoofd, maar zaten ook nog eens opgescheept met twee vreemdelingen, die in Godstow waren gearriveerd in het gezelschap van een vermoorde man die op de brug had gelegen, en die nu beweerden dat er een andere moordenaar binnen de muren van de abdij bezig was.

De zusters verweten hun deze sterfgevallen niet – dat konden ze ook niet –, maar uit de zijdelingse blikken die de nonnen vanonder hun sluiers wierpen maakte Adelia wel op dat Mansur en zij argwanend werden bekeken.

'Ook al is wat heer Mansur zegt waar, moeder,' zei zuster Gregoria, de almoezenierster, 'wat kunnen we eraan doen? We zijn ingesneeuwd; de lijkschouwer van de drost kunnen we niet laten komen voordat het gaat dooien.'

'En zolang het blijft sneeuwen kan koning Hendrik ons niet redden,' legde zuster Bullard uit. 'En totdat hij dat wel kan, verkeren onze abdij en onze eigen levens, in gevaar.'

Dat was wat hun dwarszat: hun abdij had het ene conflict tussen oorlogvoerende vorsten overleefd, maar dat zou misschien niet voor het volgende gelden. Als de koningin de koning wist te verdrijven, zou ze natuurlijk die schurk van een Wolvercote, die de overwinnig voor haar zeker had gesteld, belonen – en lord Wolvercote had al heel lang een oogje op Godstow en de bijbehorende landerijen. De nonnen zouden dan voortaan op straat hun kostje bij elkaar moeten bedelen.

'Laat heer Mansur zijn onderzoek voortzetten,' pleitte Adelia. 'Begraaf Bertha in elk geval niet in ongewijde grond voordat alle feiten bekend zijn.'

Moeder Edyve knikte. 'Zeg maar tegen heer Mansur dat we dankbaar zijn voor zijn belangstelling,' zei ze met haar fluitende, emotieloze stem. 'Laat ons vrouw Dakers maar ondervragen. Daarna zullen we bidden om leiding in dezen.'

Dat was een bevel om te gaan. Mansur en Adelia moesten een buiging maken en vertrekken.

Nog bijna voordat ze bij de deur waren brak achter hen al een discussie los, maar die ging niet over Bertha. 'Ja, maar waar ís de koning dan? Hoe kan hij ons nou te hulp komen als hij niet eens weet dat we daarom verlegen zitten? We mogen er niet van uitgaan dat bisschop Rowley hem heeft weten te bereiken – ik vrees voor zijn leven.'

Toen het tweetal de deur van de kapittelzaal door stapte, zei Mansur: 'De vrouwen zijn bang. Ze zullen ons niet helpen om de moordenaar te zoeken.'

'Ik heb hen er niet eens van overtuigd dat er een moordenaar ís,' zei Adelia.

Ze liepen langs de ziekenzaal, toen achter hen ineens een stem Adelia's naam riep. Het was de priores. Hijgend kwam ze naar hen toe. 'Mag ik even iets zeggen, meesteres?' Adelia knikte, maakte een buiginkje om afscheid te nemen van Mansur en draaide zich om.

Even liepen de vrouwen in stilte voort.

Havis, besefte Adelia, had tijdens de discussie in de kapittelzaal haar mond niet opengedaan. Ze was zich er tevens van bewust dat de non haar niet mocht. Naast haar voortlopen was net zoiets als voortlopen naast het toppunt van de kilte die de abdij in zijn greep had; er ging geen enkele warmte van haar uit en ze leek net zo bevroren als de ijspegels die als speren aan de randen van de daken hingen.

Buiten de kapel van de nonnen bleef de priores staan. Ze hield haar gezicht van Adelia af gekeerd en haar stem klonk hard. 'Ik kan u niet goedkeuren,' zei ze. 'Rosamunde keurde ik ook niet goed. De tolerantie die moeder-overste aan den dag legt tegenover de zonden des vlezes is niet de mijne.'

'Als dat alles is wat je te zeggen hebt...' zei Adelia, weglopend.

Havis beende achter haar aan. 'Dat is het niet, maar het moet wel gezegd zijn.' Ze trok een gehandschoende hand onder haar scapulier vandaan en stak die uit om te beletten dat Adelia wegliep. In die hand hield ze de gebroken ketting, het meettouw en de riem. Ze zei: 'Ik ben van plan deze voorwerpen net zo aan te wenden als u hebt gedaan, voor onderzoek. Ik zal naar de koeienschuur gaan. Wat uw zwakke punten ook mogen zijn, meesteres, een analytisch brein herken ik wel.'

Adelia bleef staan.

De priores hield haar smalle gezicht weggedraaid. 'Ik maak geregeld reizen,' zei ze. 'Het is mijn werk om onze landerijen door het hele land te beheren, wat tot gevolg heeft dat ik meer van de mestvaalt van de mensheid te zien krijg dan mijn zusters. Die zie ik in zijn onbillijkheid en dwalingen, zijn veronachtzaming van het hellevuur dat wacht.'

Adelia bleef zwijgen. Dit was niet zomaar een preek over zonde; Havis had haar iets mede te delen.

'Maar toch,' vervolgde de priores, 'bestaat er nog een groter kwaad. Ik zat aan de sponde van Rosamunde Clifford, ik was getuige van haar gruwelijke einde. Zo overspelig als ze was, die vrouw had niet zo aan haar eind mogen komen.'

Adelia bleef wachten.

'Onze bisschop had haar een dag of wat eerder bezocht; hij ondervroeg haar bedienden en ging weer weg. Toen mankeerde Rosamunde nog niets, maar uit wat hij te horen had gekregen maakte hij op dat iemand een welbewuste poging had gedaan haar te vergiftigen, wat, zoals u en ik weten, later ook gelukt bleek te zijn.' Opeens draaide de priores haar hoofd om en keek ze Adelia dreigend in de ogen. 'Heeft hij het u zo verteld?'

'Ja,' zei Adelia. 'Daarom heeft hij ons hiernaartoe gebracht. Hij wist dat de koningin de schuld zou krijgen. Hij wilde de echte moordenaar aan de kaak stellen en een oorlog voorkomen.'

'Dan had hij wel hoge verwachtingen van u, meesteres.' Het klonk spottend.

'Dat had hij inderdaad,' voegde Adelia haar nijdig toe. Haar voeten waren gevoelloos door het staan en haar verdriet om Rowley maakte haar van streek. 'Vertel me nou maar wat je me wilt vertellen of laat me gaan. In godsnaam, gaan we het over Rosamunde, over Bertha of over de bisschop hebben?'

De priores knipperde met haar ogen; ze had niet op kwaadheid gerekend.

'Bertha,' zei ze op een soort verzoenende toon. 'We hebben het over Bertha. Misschien interesseert het u om te weten, meesteres, dat ik me gisteren over vrouw Dakers heb ontfermd; die vrouw is gestoord en ik wilde niet dat ze door de abdij rondzwief. Vlak voor de vespers heb ik haar voor de nacht ingesloten in de warme kamer.'

Adelia's hoofd ging omhoog. 'Om hoe laat wordt er 's avonds gemolken?'

'Ná de vespers.'

Ze hadden hun loopritme op elkaar afgestemd. 'Toen leefde Bertha nog,' zei Adelia. 'Het melkmeisje heeft haar gezien.'

'Ja, ik heb Peg gesproken.'

'Ik wíst wel dat het Dakers niet was.'

De priores knikte. 'Niet zolang die arme vrouw niet door een dikke vergrendelde deur heen kan lopen. Al geloven de meeste van mijn zusters dat ze dat wel degelijk kan.'

Woedend bleef Adelia staan. 'Waarom heb je dat niet allemaal in de kapittelzaal gezegd?'

De priores keek haar aan. 'Omdat u het er zo druk mee had ons te bewijzen dat Bertha was vermoord. Ik wist toevallig dat Dakers haar niet vermoord kon hebben. Vervolgens was natuurlijk de vraag: wie dan wel? En waarom? Ik wilde niet hebben dat er een wolf zou ronddwalen onder de zusters, want die hebben het al moeilijk genoeg en zijn al bang zat.'

Aha. Eindelijk, bedacht Adelia, bleek ze dan toch logisch te kunnen nadenken. Vijandig, koud als de winter, maar dapper. Hier, naast haar, stond een vrouw die bereid was verschrikkelijke gebeurtenissen tot aan hun verschrikkelijke afloop te volgen. Ze zei: 'Bertha wist het een en ander over degene die haar in het bos de paddenstoelen gaf. Ze wist niet dat ze dat wist. Gisteren bedacht ze het pas, en ik denk, ik dénk, dat ze de koeienschuur uit was gegaan om het mij te vertellen. Iets – of misschien was het iemand – hield haar tegen en ze ging weer terug. Waarna ze werd gewurgd en vervolgens opgehangen.'

'Dus niet zomaar een moord?'

'Dat geloof ik niet. En zover ik kan nagaan waren er ook geen seksuele handelingen met haar gepleegd. En het was ook geen beroving, want haar zilveren kettinkje was niet gestolen.'

Zonder dat ze het in de gaten hadden, ijsbeerden ze nu allebei heen en weer voor de kapel. Adelia voegde eraan toe: 'Tegen Peg zei ze dat het geen zij was, maar een hij.'

'Bedoelde ze degene in het bos?'

'Dat denk ik wel. Ik dénk dat Bertha zich iets herinnerde, iets over de oude vrouw die haar de paddenstoelen voor Rosamunde gaf. Volgens mij bedacht ze dat het helemaal geen oude vrouw was – haar beschrijving klonk ook al zo... ik weet niet, zo vreemd.'

'Zijn oude vrouwen die met vergiftigde paddenstoelen lopen te venten dan niet vreemd?'

Adelia glimlachte. 'Overdreven dan. Gespeeld. Ik denk dat Bertha me dát wilde vertellen. Niet een zij, maar een hij.'

'Een man? Verkleed als vrouw?'

'Ik denk het wel.'

De priores sloeg een kruisje. 'Dat zou dus betekenen dat Bertha ons had kunnen vertellen wie Rosamunde had vermoord...'

'Ja.'

'... maar werd gewurgd voordat ze ons op de hoogte kon brengen – door diezelfde persoon.'

'Ik denk het ook.'

'Ik was er al bang voor. De duivel waart in stilte onder ons rond.'

'In menselijke vorm, zeker.'

'"Ik zal niet vrezen,"' citeerde zuster Havis. '"Ik zal niet vrezen voor de pijl die vliegt overdag, voor wat zich in het donker ophoudt, noch voor de duivel op het midden van de dag."' Ze keek Adelia aan. 'En toch ben ik bang.'

'Ik ook.' Maar gek genoeg niet zo erg als eerst; het had iets vertroostends om wat ze wist te hebben doorgegeven aan het gezag, en hier was bijna het enige gezag dat het klooster te bieden had, ook al was het haar persoonlijk vijandig gezind.

Na een poosje zei Havis: 'We hebben het lichaam waarmee jullie aankwamen uit het ijshuis moeten halen. Er kwam een man om vragen, een neef, zei hij – ene meester Warin, een jurist uit Oxford. We hebben het lichaam in de kerk gelegd voor de wake en zodat hij het kon identificeren. Kennelijk is het dat van een jongeman die Talbot van Kidlington heet. Is hij ook een slachtoffer van de duivel?'

'Dat weet ik niet.' Ze realiseerde zich dat ze de hele tijd 'ik' had gezegd. 'Ik zal er heer Mansur naar vragen; dan kan hij het uitzoeken.'

Heel even kreeg het gezicht van de priores een geamuseerde uitdrukking; zij wist wie de echte onderzoeker was. 'Ja, doe dat alstublieft,' zei ze.

Vanuit het klooster voor hen klonken gelach en gezang. Adelia besefte ineens dat het al een tijdje aan de gang was. Dus muziek en blijdschap bestonden nog steeds.

Werktuiglijk liep de priores in de richting van het geluid. Adelia liep met haar mee.

Op de binnenplaats doken een paar van de jongere nonnen kraaiend van plezier weg voor de sneeuwballen die een in het scharlakenrood geklede jongeman naar hen toe gooide. Een andere jongeman tokkelde op een luit en zong, zijn hoofd geheven naar een raam boven in de woning van de abdis, waarachter Eleanora stond te lachen om al deze vrolijkheid.

En dat op deze heilige plaats. Waar geen leek voet zou mogen zetten. En tot nu toe waarschijnlijk ook nooit hád gezet.

Vanuit Eleanora's raam daalde een geur neer even ongrijpbaar als een luchtspiegeling, zinderend van sensualiteit, een sirenengeur die je naar met palmen omzoomde eilanden lokte, een geur zo verrukkelijk dat Adelia's neus zelfs op het moment dat ze hem ontleedde – bergamot, sandelhout, rozen – verlangend speurde naar de luxe ervan, voordat de ijskoude lucht hem weer van haar wegnam.

O Heer, wat heb ik genoeg van de dood en de kou.

Havis stond naast haar, strak van afkeuring, en zei niets. Maar even later zagen de spelers haar. Het tafereel verstarde onmiddellijk: het lied van de troubadour bleef steken in zijn keel; de sneeuwbal viel zonder schade aan te richten uit de hand van zijn metgezel; de jonge nonnen namen een houding aan van opperste vroomheid en liepen verder alsof ze hun stappen niet hadden onderbroken. De sneeuwballengooier veegde het zweet van zijn voorhoofd en liet zijn kin zogenaamd vol berouw op zijn borst zakken.

Eleanora zwaaide vanuit haar raam. 'Sorry,' riep ze, en ze sloot de luiken.

Dus ik ben niet de enige smet, dacht Adelia geamuseerd. De koningin en haar mensen brachten de rijke kleuren van het wereldse leven het zwart-witte domein van het klooster binnen; de aanwezigheid van Eleanora, die een hele kruistocht had ondermijnd, was voor de fundamenten van Godstow veel bedreigender dan Wolvercote met zijn huurlingen.

Toen vervloog haar geamuseerdheid. Had zij een moordenaar met zich meegebracht?

Adelia was te moe om de rest van de ochtend veel te doen, behalve dan op Allie letten terwijl Gyltha naar de keuken ging, waar ze met haar vriendinnen had afgesproken. Daar ving ze een heleboel informatie en roddels op.

Toen ze terugkwam, zei ze: 'Nu die ouwe Wolfie is op komen dagen zijn ze druk aan het koken geslagen voor de bruiloft van de jonge Emma. Dat arme kind, ik zou geen trek hebben om met die adder te trouwen. Ze vragen zich af of ze bedenkingen heeft – ze blijft in het klooster en heeft nog geen woord tegen hem gezegd, beweren ze.'

'Het brengt ongeluk om je bruidegom voor je bruiloft te zien,' zei Adelia afwezig.

'Hém zou ik erna ook niet willen zien,' zei Gyltha. 'O, en later gaan de zusters iets doen aan die gehangenen aan de brug. De abdis vindt het tijd worden dat die worden begraven.' Ze deed haar mantel uit. 'Dat kan nog interessant worden. Die ouwe Wolfie is net zo'n type als degenen die de brug tooien.' Haar ogen glinsterden. 'Misschien hebben ze wel samen gevochten. O Heer, waar ga je nú weer heen?'

'Naar de ziekenzaal.' Adelia had ineens weer moeten denken aan haar patiënt.

Zuster Jennet begroette haar hartelijk. 'Misschien kunt u heer Mansur mijn dank overbrengen. Wat een keurig nette, schone wond, en de patiënt maakt het uitstekend.' Er verscheen een melancholieke blik in haar ogen. 'Wat zou ik graag bij de operatie aanwezig zijn geweest.'

Uit die woorden sprak het instinct van een dokter, en Adelia moest denken aan al die vrouwen die voor haar beroep verloren waren gegaan, zoals deze vrouw, en dankte haar God voor het voorrecht dat Salerno was geweest.

Ze werd naar de zaal gebracht. Alle patiënten waren mannen – 'Vrouwen behandelen zichzelf meestal' –, van wie de meesten leden aan congestie van de longen, wat volgens de ziekenzuster veroorzaakt werd door een leven op laaggegelegen gronden, onder allerlei ongezonde dampen uit de rivier.

Drie van hen waren op leeftijd; ze kwamen uit Wolvercote. 'Ze zijn ondervoed,' zei de ziekenzuster over hen, zonder de moeite te nemen haar stem te dempen. 'Lord Wolvercote verwaarloost zijn dorpelingen schandelijk; ze hebben niet eens een kerk om in te bidden, niet sinds de vorige is ingestort. Godzijdank zijn wij dicht in de buurt.'

Ze liep verder naar een ander bed, waar een non warm water in het oor van de patiënt liet lopen. 'Bevriezing,' zei ze.

Met een steek van schuldgevoel herkende Adelia Oswald, Rowleys krijger. Ze was hem vergeten, maar hij was een van degenen geweest die, samen met Mansur, de sloep hadden voortgeboomd die het klooster naar Wormhold had gezonden.

Walt zat naast zijn bed. Hij fronste zijn voorhoofd toen Adelia naderbij kwam.

'Het spijt me,' zei ze tegen Oswald. 'Is het heel erg?'

Het zag er niet best uit. Op de buitenrand van zijn oor waren donkere blaren ontstaan, zodat het wel leek of er een paddenstoel aan 's mans hoofd vastzat. Hij keek haar uitdagend aan.

'Had-ie z'n kap maar op z'n kop moeten houden,' zei Walt vrolijk.

'Dat deden wij ook, toch, meesteres?' De zware boottocht had een band tussen hen geschapen.

Adelia glimlachte hem toe. 'Wij hebben geluk gehad.'

'We houden het oor in de gaten,' zei zuster Jennet al even opgewekt. 'Ik heb tegen hem gezegd dat het er ofwel af valt, ofwel eraan blijft zitten. Kom maar verder.'

Er stonden nog steeds schermen om het bed van de jonge Poyns – niet zozeer om hem privacy te gunnen, zo legde zuster Jennet uit, als wel om te voorkomen dat hij de rest van de ziekenzaal aanstak met zijn kwalijke huurlingengewoonten.

'Hoewel ik moet zeggen dat hij sinds hij hier ligt nog geen één keer heeft gevloekt, en dat zie je niet vaak bij Vlamingen.' Ze haalde het scherm weg, nog steeds aan het woord. 'Dat kan ik over zijn vriend niet zeggen.' Ze zwaaide met haar vinger naar Cross, die net als Walt op bezoek was.

'Wij zijn helemaal geen Vlamingen, verdorie,' zei Cross vermoeid.

Adelia mocht niet naar de wond kijken. Dokter Mansur had dat kennelijk al gedaan en had te kennen gegeven dat hij tevreden was.

De stomp was goed verbonden en – Adelia rook even – er kwam geen rottingsgeur vanaf. Mansur, die haar zo vaak bij operaties had vergezeld, zou het zijn opgevallen als er tekenen waren van weefselafsterving.

Poyns zelf zag bleek, maar hij had geen koorts en at ook. Even stond Adelia het zichzelf toe over hem in haar nopjes te zijn, zo trots als een pauw op wat ze voor hem had kunnen doen, al verbaasde ze zich erover wat een mens allemaal kon verdragen.

Ze vroeg naar vrouw Dakers – nog iemand die ze had verwaarloosd en voor wie ze zich verantwoordelijk voelde.

'We houden haar in de warme kamer,' zei zuster Jennet, alsof ze een voorwerp was dat daar werd tentoongesteld. 'Toen ze eenmaal was hersteld, kon ik haar hier niet laten – mijn patiënten werden bang van haar.'

In een monnikenklooster zou de warme kamer het scriptorium zijn geweest waar monniken die over die vaardigheid beschikten hun dagen doorbrachten met het kopiëren van manuscripten, terwijl zorgvuldig bewaakte komforen voorkwamen dat hun arme vingers verkrampten van de kou. Maar hier waren alleen zuster Lancelyne en vader Paton – hij kwam als een verrassing, want Adelia was ook het bestaan van Rowleys secretaris vergeten. Ze zaten allebei te schrijven, hoewel niet aan boeken. Een mager winterzonnetje scheen op hun gebogen hoofden en op de documenten, waar met lint, dat de tafel waaraan ze zaten overdekte, grote zegels waren vastgemaakt.

Adelia stelde zich voor. Vader Paton kneep zijn ogen samen en knikte vervolgens; hij was haar ook vergeten.

Zuster Lancelyne vond het leuk met haar kennis te maken. Ze was iemand die geen belangstelling had voor roddels, tenzij het literaire roddels waren. Ze leek ook niet te weten dat Rowley vermist werd. 'Natuurlijk, u bent met het gezelschap van de bisschop meegekomen, toch? Breng meneer alsjeblieft mijn dank over voor vader Paton; ik zou niet weten wat ik zonder hem zou moeten... Ik had me vast voorgenomen ons cartularium en register op orde te brengen, een taak die me boven het hoofd groeide, totdat meneer de bisschop deze Hercules naar mijn Augiasstal zond.'

Het beeld van vader Paton als een Hercules was wel iets om van te genieten – en dat gold ook voor zuster Lancelyne zelf: een oude, kleine, gnoomachtige vrouw, met de heldere, edelsteenachtige ogen van een pad; en het gold eveneens voor de kamer, van vloer tot plafond van planken voorzien, elke plank volgestouwd met rollen van aktes en oorkondes die met hun rommelige, van zegels voorziene uiteinden de kamer in wezen.

'Alfabetische volgorde, ziet u,' zong zuster Lancelyne. 'Daar moeten we naartoe, en een kalender waar je op kunt zien welke tiende ons op welke dag toekomt, welke pacht... Maar u kijkt naar ons boek, zie ik.'

Het was het énige boek, een dun deel gebonden in kalfsleer. Het had een eigen plank toebedeeld gekregen die als een sieradenkistje met fluweel was bekleed. 'We hebben een Testament, natuurlijk,' zei zuster Lancelyne, zich verontschuldigend voor het gebrek aan een bibliotheek, 'en een breviarium. Die zijn allebei in de kapel, maar – o hemeltje...' Want Adelia was naar het boek toe gelopen. Toen ze tussen duim en wijsvinger de rug beetpakte om het naar zich toe te trekken, slaakte de non een zucht van verlichting. 'Ik zie dat u voorzichtig met boeken omgaat. Veel mensen halen het van bovenaf met een wijsvinger naar zich toe en breken –'

'Boetius,' constateerde Adelia met genoegen. '"O gelukkig mensenras als de liefde die de sterren regeert ook regeert over uw hart."'

'"Om goddelijkheid te bereiken, om goden te worden,"' jubelde zuster Lancelyne, '"... *omnis igitur beatus deus...* door daaraan deel te hebben." Daar hebben ze hem voor gevangengezet.'

'En vermoord. Ik weet het, maar zoals mijn pleegvader zegt: als hij niet in de gevangenis had gezeten, zou hij nooit de *Vertroosting der wijsbegeerte* hebben geschreven.'

'Wij hebben alleen *Fides et Ratio*,' zei zuster Lancelyne. 'Ik verlang – nee, *mea culpa*, ik húnker – naar de rest zoals koning David smachtte naar Bathseba. In de bibliotheek in Eynsham hebben ze een hele *Vertroosting* en ik heb gesoebat bij de abt of ik die mocht lenen om te kopiëren, maar hij schreef terug dat hij te kostbaar was om te versturen. Hij heeft weinig fiducie in vrouwen en geleerdheid, en dat kun je hem uiteraard niet kwalijk nemen.'

Adelia was zelf geen geleerde – haar lectuur had noodzakelijkerwijs grotendeels bestaan uit medische verhandelingen –, maar ze had veel respect voor degenen die dat wel waren; gesprekken met haar stiefvader en haar leermeester, Gordinus, hadden een poort geopend naar de literatuur van de geest, zodat ze een glimp had opgevangen van het glanzende pad naar de sterren dat ze, waar ze, zo nam ze zich heilig voor, ooit haar schreden toe zou wenden. Ondertussen was het leuk het hier op de planken aan te treffen, evenals de geur van vellum en het nog steeds niet gedoofde verlangen van deze kleine oude vrouw naar kennis.

Voorzichtig zette ze het boek terug. 'Ik hoopte vrouw Dakers bij je aan te treffen.'

'Nog zo iemand die fijn meehelpt,' zei zuster Lancelyne blij, en ze wees naar een gestalte die met een kap op op de vloer gehurkt zat, half verborgen door de planken.

Ze hadden Rosamundes huishoudster een mes gegeven waarmee ze hun ganzenveren kon slijpen. Die lagen naast haar en ze hield er eentje in haar hand, met een schoot vol stukjes snijsel. Een onschuldig klusje, en iets wat ze al wel honderd keer voor Rosamunde moest hebben gedaan, maar toch moest Adelia onwillekeurig denken aan iets levend dat in stukken werd gesneden.

Ze hurkte naast de vrouw neer. De twee klerken waren weer aan het werk gegaan. 'Herinner je je mij nog, meesteres?'

'Ik weet heus wel wie je bent.' Dakers ging door met de ganzenveer afschaven en maakte snelle bewegingen met het mes.

Ze had gegeten en gerust; ze zag er minder bleek uit, maar al werd ze nog zo welgedaan, er zou nooit veel vlees op Dakers' botten komen, en haar haat zou ze zich niet uit het hoofd laten praten. De ogen die op haar werk waren gericht gloeiden er nog van. 'Heb je de moordenaar van mijn schat al gevonden?' vroeg ze.

'Nog niet. Heb je gehoord van Bertha's dood?'

Dakers' mond verbreedde zich en ze liet haar tanden zien. Daar was ze van op de hoogte – en het nieuws deed haar goed.

'Ik heb mijn meester opgedragen haar te straffen, en dat heeft hij gedaan.'

'Welke meester?'

Dakers draaide haar hoofd zo dat Adelia haar recht in haar gezicht keek; het was alsof je in een knekelkuil keek. 'Er is alleen de Ene.'

Cross stond buiten op haar te wachten en beende met woeste stappen naast haar voort. 'En,' zei hij, 'wat gaan ze doen met Giorgio?'

'Wie? O, Giorgio. Nou, ik neem aan dat de zusters hem wel zullen begraven.' In Godstow hoopten de lijken zich op.

'Waar dan? Ik wil dat hij een behoorlijke begrafenis krijgt. Hij was een christen, Giorgio.'

En een huurling, dacht Adelia, waardoor hij, in Godstowse ogen, waarschijnlijk tot dezelfde categorie behoorde als anderen die van hun recht op een christelijk graf afstand hadden gedaan. Ze zei: 'Heb je het aan de nonnen gevraagd?'

'Ik kan niet met ze praten.' Cross vond de heilige zusters maar intimiderend. 'Vraagt u het maar.'

'Waarom zou ik?' De onbeschaamdheid van die kerel ook...

'U komt toch van Sicilië? Net als Giorgio. Daar had u het over, dus moet u zorgen dat hij fatsoenlijk wordt begraven, met een priester erbij en de zegen van... hoe heette die heilige ook weer die haar tieten liet afsnijden?'

'Ik neem aan dat je Sint-Agnes bedoelt,' zei Adelia kil.

'Ja, die.' Cross' onappetijtelijke gelaatstrekken plooiden zich tot een wellustige grijns. 'Dragen ze op feestdagen haar tieten nog steeds rond?'

'Ik vrees van wel.' Zij had dat altijd een onzalige gewoonte gevonden, maar het uitermate afschuwelijke martelaarschap van de arme Sinte-Agnes werd in Palermo nog steeds herdacht met een processie waarin de replica's van twee afgehakte borsten op een dienblad werden rondgedragen, als taarten met tepels.

'Giorgio, die moest vaak aan Sinte-Agnes denken. Dus zegt u het maar tegen ze.'

Adelia deed haar mond open om hém eens even iets te zeggen, maar toen ze de huurling zag kijken deed ze er het zwijgen toe. De man maakte zich grote zorgen om zijn overleden vriend, zoals hij zich ook zorgen had gemaakt om de gewonde Poyns; hij had een hart, hoe lelijk het er ook uitzag.

'Ik zal mijn best doen,' zei ze.

'Mooi zo.'

Op het grote open stuk achter de graanschuur liep een van Wolvercotes mannen in livrei op en neer voor het peperbusvormige cachot, hoewel Adelia geen idee had wat hij bewaakte.

Verderop stond de smid van het klooster op het ijs op de vijver in te hakken om een wak te slaan, zodat een paar misnoegde eenden bij het water konden. Kinderen – waarschijnlijk de zijne – scheerden op van bot gemaakte schaatsen die ze onder hun laarzen hadden gebonden langs de randen van de vijver.

Weemoedig bleef Adelia staan kijken. Zij had pas laat met de genoegens van het schaatsen kennisgemaakt – pas toen ze een winter op de veengronden had doorgebracht, waar bevroren rivieren wegen en speelplaatsen vormden. Ulf had het haar geleerd. Veenbewoners konden heel goed schaatsen.

Hiervan wegrijden, vrij, en de doden de doden laten begraven... Maar ook al zou dat kunnen, ze kon niet weg zolang degene die Bertha aan een haak had opgehangen alsof ze een stuk vlees was nog vrij rondliep...

'Kunt u schaatsen?' vroeg Cross, die haar gadesloeg.

'Jawel, maar we hebben geen schaatsen,' zei ze.

Toen ze de kerk naderden, kwamen er een stuk of tien nonnen, voorgegaan door hun priores, als een rij gedisciplineerde, vastberaden kerkkauwen de deur uit. Ze zetten koers naar de poorten van het klooster en de brug daarachter, terwijl een van hen een tweewielig karretje voortduwde. Een flink aantal van Godstows lekeninwoners haastte zich vol verwachting achter hen aan. Adelia zag dat Walt en Jacques er ook bij waren en voegde zich bij hen; Cross ging met haar mee. Toen ze langs het gastenverblijf kwamen, kwam Gyltha de trap af met Mansur, met Allie in haar armen. 'Daar wil ik bij zijn,' zei ze.

Bij de poorten klonk helder de stem van priores Havis. 'Doe maar open, Fitchet, en breng me een mes.'

Buiten was een pad gegraven door de sneeuw op de brug, om het verkeer tussen het dorp en het klooster te vergemakkelijken. Aangezien het nergens anders heen leidde, snapte niemand waarom lord Wolvercote het nodig had gevonden er een wachter neer te zetten. Maar dat had hij wel gedaan – en wel een wachter die, als hij tegenover een troep in het zwart geklede, gesluierde vrouwen kwam te staan, elk met een kruis op de borst, nog steeds vond dat hij moest vragen: 'Wie gaat daar?'

De priores liep naar hem toe, zoals Cross de avond tevoren bij zijn collega had gedaan. Adelia verwachtte bijna dat ze hem tegen de grond zou slaan; daar leek ze toe in staat. In plaats daarvan duwde ze met de rug van haar hand de geheven piek opzij en beende verder.

'Ik zou maar niet in de weg lopen, vriend,' raadde Fitchet de wachtpost bijna meelevend aan. 'Niet als ze een goddelijke missie hebben.'

Toen ze vanuit de boot de lichamen had zien hangen, had Adelia het te koud gehad en was ze te bang en te gepreoccupeerd geweest om haar gedachten te laten gaan over de manier waarop ze waren opgehangen; alleen het beeld van hun bungelende voeten was haar bijgebleven.

Nu zag ze het. De twee mannen waren, met vastgebonden armen, op de brug neergezet, terwijl het ene eind van het touw om hun nek zat en het andere was vastgebonden aan de stutten van de brug. Vervolgens waren ze over de balustrade gekieperd.

Bruggen waren een manier waarop mensen met elkaar konden communiceren en waren te heilig om ze als galgen te gebruiken. Adelia wenste dat Gyltha Allie niet had meegebracht; dit zou geen tafereeltje worden waarvan ze haar dochter graag getuige wilde laten zijn. Aan de andere kant keek haar kind blij-geconcentreerd om zich heen; het landschap om haar heen was een welkome afwisseling na de gaanderijen van het klooster waarin ze dagelijks mee naar buiten werd genomen. De brug maakte deel uit van een wit tableau; hij werd volmaakt weerspiegeld in de beijsde rivier eronder, en de waterval aan de kant van de molen was bevroren tot gebeeldhouwde pilaren. Het molenrad erachter stond doodstil en glinsterde van de ijspegels alsof er duizend stalactieten aan hingen. Verwrongen dode lichaamen hoorden in deze omgeving helemaal niet thuis. 'Pas maar op dat ze de lijken niet ziet,' voegde ze Gyltha toe.

'Daar kan ze anders maar beter aan wennen,' zei Gyltha. 'Ze zal in haar leven nog genoeg gehangenen te zien krijgen. Mijn vader nam mij er voor het eerst mee naartoe toen ik drie was. Ik vond het prachtig.'

'Ik wil niet dat zij het prachtig gaat vinden.'

Het zou niet makkelijk worden om de lichamen omhoog te halen; ze waren verzwaard door het ijs dat zich erop had afgezet en de touwen waar ze aan hingen waren zo strak over de brugleuning gespannen dat die ook bevroren waren.

Walt voegde zich bij Adelia. 'De priores zegt dat we niet mogen helpen; blijkbaar willen ze het zelf doen.'

Zuster Havis dacht even na en gaf toen haar orders. Terwijl de een met het mes van Fitchet het ijs van de touwen schraapte, boog de langste van de nonnen, die de kelder beheerde, zich voorover en reikte naar het haar van een van de gehangenen. Toen ze omhoogkwam gaf ze het touw wat speling.

Een meeuw die aan de ogen van de man had gepikt vloog met een kreet weg door de heldere lucht.

'Trekken, zusters.' De stem van de priores galmde de vogel achterna. 'Trekken maar, bij de barmhartige Maria.'

Een rij van zwarte ruggen boog zich over de balustrade. Ze trokken, en hun adem steeg in wolkjes op.

'Wat zijn jullie vrouwen in vredesnaam aan het doen?'

Lord Wolvercote stond op de brug, maar de zusters besteedden al even weinig aandacht aan hem als aan de meeuw. Met zijn hand op zijn zwaard stapte hij naar voren. Fitchet en Walt en nog een paar mannen rolden hun mouwen op. Wolvercote keek om zich heen. Het hulpeloze schouderophalen van zijn wachter vertelde hem dat hij geen hulp zou krijgen tegenover het vrouwenbataljon van God. Hij stond tegenover een overmacht. In plaats daarvan brulde hij: 'Laat ze met rust! Dit is míjn land, míjn brughelft, en daar worden boeven aan opgehangen als ík dat nodig vind!'

'Het is onze brug, my lord, zoals u heel goed weet.' Dat was Fitchet, met luide stem, maar die klonk moe omdat hij een oud argument weer moest herhalen. 'En moeder-overste ziet niet graag dat die getooid wordt met lijken.'

Ze hadden nu één lichaam omhooggehaald; het was te stijf om het te buigen, dus de zusters moesten het verticaal over de balustrade tillen, waarbij het schuin gevallen hoofd zich onderzoekend toe boog naar de man die hem ter dood had veroordeeld. De nonnen legden hem op de kar en keerden terug naar de brugleuning om zijn vriend omhoog te hijsen.

Door alle gekrakeel was de familie van de molenaar naar de ramen gekomen: boven de vensterbanken keek een hele rij gezichten toe naar de wolkjes die als drakenadem opstegen van de twee ruziënde mannen.

'Het waren schurken, sukkel!' drong lord Wolvercote aan. 'Dieven. Die gestolen goed in hun bezit hadden. En ik heb hen tot voorbeeld willen stellen, en als *infangthief* heb ik daar ook het recht toe. Laat ze met rust!'

Hij was lang en donker, een jaar of dertig oud, en zou knap zijn geweest als zijn magere gezicht niet zo getekend was door rimpels van verachting, die op dat moment nog eens werden geaccentueerd door zijn woede. Emma had vol vreugde over de poëzie van haar toekomstige echtgenoot gesproken, maar Adelia zag hier helemaal niets poëtisch. Alleen dommigheid. Hij had de twee dieven tot voorbeeld gesteld, ze hingen hier nu al twee dagen, en aangezien er geen verkeer op de rivier was betekende dat dat iedereen die ze zou zien ze al had gezien. Een verstandiger man zou zich in het onvermijdelijke hebben geschikt, zijn zegen hebben gegeven en zijn weggelopen.

Maar dat kan Wolvercote niet, dacht Adelia. Hij vindt dat de zusters zijn gezag ondermijnen, en dat maakt hem bang. Als hij niet het haantje kan spelen, stelt hij helemaal niks voor.

Infangthief... Ze groef in haar geheugen. Die term had te maken met het Engelse gewoonterecht; Rowley had er ooit iets over opgemerkt, tegen haar gezegd: 'Infangthief? Nou, dat is een soort recht dat bepaalde ambachtsheren van oudsher hebben om dieven die op hun terrein worden gevangen ter dood te brengen. De koning wil er niets van weten; hij zegt dat die smeerlappen op die manier iedereen kunnen ophangen die ze maar willen.'

'Waarom schaft hij dat recht dan niet af?'

Maar oude rechten kon je kennelijk niet zomaar afschaffen zonder dat er verzet tegen kwam, of zelfs opstand, van degenen aan wie ze toekwamen. 'Dat zal hij op een gegeven moment ook wel doen.'

Het tweede lichaam was nu omhooggehaald en over beide mannen werd jute heen gelegd. De nonnen begonnen hun beladen kar terug te duwen over de brug, waarbij hun voeten wegslipten op het ijs.

Priores Havis bleef staan toen ze Wolvercote passeerden, en haar stem was kouder dan de dode mannen. 'Hoe luidden hun namen?'

'Namen? Waarom wil je hun namen weten?'

'Voor hun graf.'

'Ze hadden geen namen, verdorie. Als ik ze niet had tegengehouden, hadden ze de miskelk van jullie eigen verrotte altaar gepikt. Ze waren dieven, mens!'

'Dat waren de twee die samen met Onze-Lieve-Heer gekruisigd werden ook; ik kan me niet herinneren dat Hij hun Zijn genade onthield.' De priores draaide zich om en ging haar zusters achterna.

Hij kon het niet laten en riep haar na: 'Je bent een bemoeizuchtig oud kreng, Havis! Geen wonder dat je nooit een kerel hebt kunnen vinden.'

Ze keek niet achterom.

'Ze gaan ze begraven,' zei Adelia. 'O hemel!'

Jacques, die vlak bij haar stond, grijnsde haar toe. 'Dat gebeurt met doden wel vaker,' zei hij.

'Jawel, maar ik heb niet naar hun laarzen gekeken. En jij,' zei ze tegen Gyltha, 'breng dat kind naar huis.' Ze haastte zich achter de nonnen aan en vertraagde de kar door zich ervoor te posteren. 'Mag ik? Heel even maar.'

Ze knielde neer in de sneeuw, zodat haar ogen op gelijke hoogte waren met de benen van de lijken, en tilde het jute op. Meteen moest ze weer denken aan de brug zoals ze die voor het eerst had gezien, in de nacht, toen de verschrikkelijke last die hij droeg en de voetstappen in de sneeuw haar hadden verteld wat er allemaal was gebeurd alsof de twee moordenaars de moord hadden bekend.

Ze hoorde haar eigen stem tegen Rowley zeggen: 'Zie je? De een draagt schoenspijkers, de andere laarzen hebben dwarsstrepen op de zolen, misschien wel klompen met repen eromheen. Ze zijn te paard gekomen en hebben hun paarden naar die bomen gebracht... Tijdens het wachten hebben ze iets gegeten...'

Tegenover haar bevond zich een paar stevige van spijkers voorziene laarzen. Het andere lijk had de voetbedekking aan zijn rechtervoet verloren, maar de klomp op de linker was blijven hangen door de strakke leren banden die onder de zool door liepen en kruislings om het onderbeen waren geslagen.

Voorzichtig sloeg ze het jute terug, en ze stond op. 'Dank jullie wel.'

De nonnen, die er niets van begrepen, vervolgden hun weg met de kar. Havis' ogen bleven even in die van Adelia rusten. 'Waren zij het?'

'Ja.'

Walt hoorde het. 'Hebben deze boeven dat arme paard doodgemaakt?'

Adelia glimlachte hem toe. 'En de reiziger. Ja, dat denk ik wel.' Ze draaide zich om en zag dat Wolvercote naderbij was gekomen om te kijken wat ze aan het doen was. De menigte mensen van de abdij bleef staan om te horen wat ze tegen elkaar zouden zeggen.

'Weet u waar ze vandaan kwamen?' vroeg ze hem.

'Wat kan het jou schelen waar ze vandaan kwamen? Ik betrapte ze op heterdaad toen ze mijn huis aan het leeghalen waren; ze hadden een zilveren beker, míjn zilveren beker, bij zich, en toen wist ik genoeg.' Hij wendde zich tot de poortwachter. 'Wie is die vrouw? Wat doet ze hier?'

'Ze is met de bisschop meegekomen,' gaf Fitchet hem kort te verstaan.

Bezitterig voegde Walt eraan toe: 'Ze hoort bij de donkere dokter. Ze kan dingen verklaren, dat kan ze. Ze kijkt ernaar en weet dan precies wat er is gebeurd.'

Dat was niet zo handig uitgedrukt; Adelia dook in elkaar terwijl ze wachtte op het onvermijdelijke.

Wolvercote wierp haar een blik toe. 'Een heks dus,' zei hij.

Het woord zoefde neer door de lucht zoals inkt neervalt in ongerept water, en dat verkleurt en het doorweeft met zwarte, grillige sporen, waarna het voorgoed grauw wordt.

Net zoals de opmerking dat Havis een gefrustreerde maagd was een etiket was dat haar zou blijven aankleven, zo zouden de omstanders die Adelia 'heks' hadden horen noemen dat nooit meer vergeten. Het woord had ertoe geleid dat vrouwen werden gestenigd en op de brandstapel belandden; je kon je er niet tegen verweren. Het liet zijn sporen na op de gezichten van de mannen en vrouwen die stonden te luisteren. Zelfs Jacques en Walt gaven blijk van nieuwe twijfel.

Ze gispte zichzelf. God, wat stom – waarom kon ik niet even wachten? Ze had best op een ander moment naar de laarzen van de mannen kunnen kijken voordat ze werden begraven. Maar nee hoor, ze had het meteen willen checken. Dom, dom...!

'Verdikkeme,' zei ze. 'Verdikkeme!' Ze wierp een blik over haar schouder. Lord Wolvercote was weggegaan, maar alle anderen keken haar kant op; ze kon ze horen roezemoezen. Het leed was al geschied.

Hijgend kwam Jacques met lange passen naar haar toe. 'Ik geloof niet dat u een heks bent, meesteres. Maar blijf wel op uw kamer, hè? Uit het oog, uit het hart. Zoals de heilige Mattheus zegt: "Dat is wel weer genoeg ellende voor één dag."'

Maar de dag was nog niet voorbij. Toen ze de poorten van het klooster door gingen, kwam er een dikke man met een verwilderde blik in zijn ogen uit de kerkdeur verderop naar buiten. Hij gebaarde naar Jacques. 'Hé daar,' riep hij. 'Ga de ziekenzuster eens halen!'

Adelia wankelde naar buiten. Wel weer genoeg... Er is genoeg narigheid geweest, en voor een deel heb je dat aan jezelf te wijten. Wat dit ook te betekenen heeft, het is niet voor jou bedoeld.

Maar de geluiden die van binnen uit het gebouw opklonken waren noodkreten.

Ze ging toch naar binnen.

De zonneschijn drong niet goed door in de grote kerk, waar overdag geen kaarsen werden aangestoken. IJzige banen zonlicht sneden door de hoge, smalle ramen boven de lichtbeuk als lansen het donkere interieur in, hier en daar botsend tegen een pilaar en in dunne strepen door het schip vallend, maar niet in het midden, waar het noodlot had toegeslagen.

Adelia kon pas zien wat er aan de hand was toen haar ogen zich aan het contrast hadden aangepast. Langzaam nam het vorm aan: er stond een katafalk, en twee potige gestalten, een man en een vrouw, probeerden daar iets af te sjorren.

Dat iets, zag ze nu, was de jonge vrouw, Emma. Ze hield zich heel stil, maar haar handen grepen de andere kant van de katafalk vast, zodat haar lichaam niet van het lichaam dat onder haar lag af getrokken kon worden.

'Laat hem, meisje. Kom op nou. Dit is gênant. Goddorie, wat heeft ze nou toch?' De stem van de dikke man.

Die van de vrouw klonk vriendelijker, maar niet minder verontrust. 'Doe dat nou niet, liefje, dat vindt je vader echt niet leuk. Wat moet je met die dode? Kom op nou.'

De dikke man keek vertwijfeld om zich heen en zijn blik viel op Adelia die in de deuropening stond, uitgelicht door de zon achter haar. 'Kom ons eens even helpen. Onze dochter is geloof ik flauwgevallen.' Adelia kwam naderbij. Emma was niet flauwgevallen; haar ogen waren groot en staarden in het niets; ze had zich zo neer laten vallen dat ze over het lichaam onder haar gebogen lag; de knokkels van haar grijpende handen tekenden zich als witte kiezelsteentjes af tegen het zwarte hout van de katafalk.

Adelia kwam nog wat dichterbij en keek omlaag.

De nonnen hadden munten op de oogleden gelegd, maar het gezicht was dat van de dode jonge man op de brug die Rowley en zij in het ijshuis hadden neergelaten. Dit was meester Talbot van Kidlington. Daarnet nog maar had ze de laarzen van zijn moordenaars onderzocht.

Ze werd zich ervan bewust dat de dikke man tekeerging, maar niet tegen haar. 'Lekker klooster is dit, als ze overal zomaar dooien laten liggen. Onze dochter is er helemaal door van slag, en dat verbaast me niks. Betalen we hier soms onze tienden voor?'

De ziekenzuster was de kerk in gekomen; ze had Jacques bij zich. Uitroepen en aansporingen zorgden voor galmende echo's, zuster Jennets kortaffe stem – 'Kom, kom, kind, zo is het wel genoeg' – afgewisseld door het getier van de vader, die woedend was en een zondebok zocht, terwijl de zorgelijkheid van de moeder met beide een zachter contrast vormde.

Adelia raakte zachtjes Emma's geklauwde hand aan. Het meisje hief haar hoofd op, maar wat ze met haar gekwelde ogen zag had Adelia niet kunnen zeggen. 'Ziet u wat ze hebben gedaan? Met hem, met hém?'

De vader van het meisje en zuster Jennet stonden nu een stukje verderop openlijk te ruziën. De moeder liep weg van haar dochter om zich bij hen te voegen.

'Beheers u, meester Bloat. Waar hadden we een lichaam anders moeten leggen dan in de kerk?' Zuster Jennet voegde er niet aan toe dat ze, wat Godstow en lichamen betrof, ruimtegebrek begonnen te krijgen.

'Niet waar iedereen eroverheen kan vallen. Daar betalen we onze tienden niet voor.'

'Dat klopt, vader, dat klopt...' Dat was meesteres Bloat. 'We werden net rondgeleid, toch? Onze dochter leidde ons rond.'

Emma's ogen staarden nog steeds in die van Adelia alsof ze in een bodemloze put keken. 'Ziet u het? O God, ziet u het?'

'Ik zie het,' verzekerde Adelia haar.

En ze zag het ook, terwijl ze zich afvroeg hoe ze zo blind kon zijn geweest dat ze het niet eerder had gezien. Dus dáárom was Talbot van Kidlington vermoord.

10

'Waar wilden jullie heen vluchten?'

'Naar Wales.'

Het meisje zat op een kruk in de hoek van de kamer van Adelia en Gyltha. Ze had haar sluier af getrokken en haar lange witblonde haar zwierde over haar gezicht terwijl ze heen en weer wiegde. Allie, die van slag raakte door zoveel vertoon van verdriet om zich heen, had het op een brullen gezet en werd weer tot rust gebracht in haar moeders wiegende armen. Hoeder, die onverwacht medeleven toonde, lag met zijn kop op Emma's laarzen.

Ze had gevochten om daar te kunnen zijn, letterlijk. Toen ze haar ten slotte van het lichaam weg hadden weten te trekken, had ze haar armen naar Adelia uitgestrekt. 'Ik ga met haar mee. Zij begrijpt het, zij weet wat het is.'

'Dan begrijpt ze meer dan ik,' had meester Bloat gezegd, en Adelia had met hem te doen gehad – dat wil zeggen, totdat hij had geprobeerd zijn dochter los te trekken en een hand over haar mond had geslagen zodat de geluiden die ze maakte niet nog meer aandacht zouden trekken.

Emma was tegen hem opgewassen geweest en had gekronkeld en gekrijst om hem van zich af te slaan. Op het laatst had zuster Jennet een compromis voorgesteld. 'Laat haar nu maar even met die dame meegaan. Zij weet het een en ander van geneeskunde en misschien kan ze haar kalmeren.'

Verder konden ze niets doen, maar als ze de gezichten van meester en meesteres Bloat zo zag toen ze hun dochter naar het gastenverblijf hielp, besefte Adelia heel goed dat ze nóg twee mensen aan haar groeiende lijst met vijanden had toegevoegd.

Ze slaagde erin het meisje zover te krijgen dat ze een drankje opdronk van venusschoentje en dat kalmeerde haar genoeg om vragen te beantwoorden – hoewel Gyltha, die zachtjes Emma's nek masseerde met rozenolie, elke keer fronste als Adelia er een stelde. Zonder het met zoveel woorden te zeggen waren ze het niet met elkaar eens.

Laat dat arme kind in vredesnaam met rust.
Dat kan ik niet.
Haar hart breekt.
Dat heelt wel weer. Dat van Talbot niet.

Gyltha mocht dan te doen hebben met de getroffene, maar Adelia vond dat ze een plicht te vervullen had tegenover Talbot van Kidlington, die van Emma Bloat had gehouden en door de sneeuw naar het klooster was komen rijden om haar daar weg te halen en met haar te trouwen – een schaking die financieel zo rampzalig was voor een derde partij – Adelia's gedachten bleven hangen bij lord Wolvercote – dat die opdracht had gegeven hem te vermoorden.

Meester Schoenspijkers en meester Klompen hadden niet op een nacht vol met sneeuw op een afgelegen brug staan wachten tot er een oude reiziger voorbijkwam; ze mochten dan nog zulk tuig van de richel zijn, een greintje verstand hadden ze nog wel. Ze wisten, omdat iemand hun dat had verteld, dat er op een bepaalde tijd een bepaalde man naar de kloosterpoort zou komen rijden.

Ze hadden hem vermoord, en vervolgens waren ze over de brug naar het dorp gevlucht – om vervolgens zelf vermoord te worden.

Maar de man dan die hen had ingehuurd?

O ja, Wolvercote paste heel goed in dat plaatje.

Hoewel toch misschien niet helemaal. Adelia zat nog steeds met de kwestie waarom er zoveel moeite was gedaan om ervoor te zorgen dat het lichaam als dat van Talbot werd geïdentificeerd. Ze nam aan dat áls het Wolvercote was, hij zou hebben gewild dat Emma zo snel mogelijk wist dat haar minnaar dood was en dat haar hand – en haar fortuin – nu weer de zijne waren.

Jawel, maar als Talbot niet kwam opdagen, lag die weg waarschijnlijk sowieso open. Waarom moest het lichaam haar als het ware onder de neus worden gewreven? En waarom moest dat gebeuren onder omstandigheden die zo duidelijk Wolvercote zelf als schuldige aanwezen?

Ziet u wat ze hebben gedaan?

Wie waren de 'ze' die dat volgens Emma hadden gedaan?

Adelia zette Allie op de grond, gaf haar de bijtring die Mansur voor het kind uit bot had gesneden, en ging zelf bij Emma zitten, die ze over haar lange haar streek, terwijl ze over haar hoofd heen naar Gyltha mimede: 'Ik moet dit echt doen.'

Het meisje was bijna apathisch door de schok. 'Mag ik hier bij jullie blijven?' vroeg ze telkens maar weer. 'Ik wil ze niet zien, geen van beiden. Ik kan het niet. U hebt van een man gehouden, u hebt zijn kind gekregen. U begrijpt het. Zij niet.'

'Natuurlijk kun je hier blijven,' stelde Gyltha haar gerust.

'Mijn geliefde is dood.'

De mijne ook, dacht Adelia. Het verdriet van het meisje was het hare. Ze zette het van zich af. Er was een moord gepleegd en de dood was haar stiel. 'Dus jullie wilden naar Wales?' vroeg ze. 'In de winter?'

'We moesten wachten, ziet u. Tot hij eenentwintig was. Anders kreeg hij zijn erfenis niet.' De zinnen kwamen er bij stukken en brokken uit, op een afwezige doffe toon.

Aan Talbot van Kidlington, Dat de Heer en Zijn engelen je moge zegenen op deze Dag die je binnenvoert in het Mandom.

En op die dag was Talbot van Kidlington op pad gegaan om Emma Bloat te schaken met, als Adelia zich goed herinnerde, de twee zilveren marken die bij de brief van meester Warin waren gevoegd.

'Bestond zijn erfenis uit twee zilveren marken?' Op dat moment schoot haar te binnen dat Emma niets van de marken wist, omdat ze niet van de brief op de hoogte was.

Het meisje merkte de interruptie amper op. 'Het land in Wales. Zijn moeder heeft het hem nagelaten, Felin Fach...' Ze sprak de naam zachtjes uit, alsof ze hem al vaak had genoemd, iets zoets dat haar met de stem van haar minnaar werd voorgehouden. '"Felin Fach", zei hij altijd. "De vallei van de Aêron, waar zalm opspringt naar de hengel en de aarde van goud is."'

'Goud?' Adelia keek Gyltha vragend aan. 'Is er in Wales goud te vinden?' Gyltha haalde haar schouders op.

'Hij wilde het in bezit nemen zodra hij meerderjarig zou zijn. Het maakte deel uit van zijn erfenis, ziet u. We zouden erheen gaan. Vader Gwilym stond al klaar om ons te trouwen. "Grappig mannetje, geen woord Engels"...' Ze citeerde weer iemand, bijna met een glimlach, '"... maar in het Welsh kan hij net zo'n sterke huwelijksknoop leggen als willekeurig welke priester in het Vaticaan."'

Dit was heel verschrikkelijk; Gyltha veegde over haar ogen. Ook Adelia voelde mededogen, diep mededogen. Als je getuige moest zijn van dergelijk lijden was dat bijna hetzelfde als zelf pijn lijden, maar ze moest de antwoorden horen.

'Emma, wie wist dat je je zou laten schaken?'

'Niemand.' Nu glimlachte ze echt. '"Geen mantel, want dan zouden ze het raden. Ik zorg wel dat je er een krijgt. Fitchet doet de poort wel open..."'

'Fitchet?'

'Nou, natuurlijk wist Fitchet wel van ons af; Talbot had hem betaald.' Kennelijk beschouwde Emma de poortwachter als iemand die niet echt meetelde.

Het gezicht van het meisje verbleekte. 'Maar hij kwam niet. Ik wachtte in het poortwachtershuis... Ik wachtte... Ik dacht... Ik dacht... O, lieve Jezus, heb genade, ik beschúldigde hem ervan...' Ze begon in de lucht te klauwen. 'Waarom hebben ze hem vermoord? Hadden ze niet genoeg aan alleen zijn beurs? Waarom moest hij ook nog eens dood?'

Adelia's blik ving weer die van Gyltha. Dus Emma schreef de moord op haar minnaar toe aan de rovers – en in dit stadium was dat misschien maar beter ook. Het had geen zin haar op te zetten tegen Wolvercote totdat er bewijs was van zijn schuld. Wellicht was hij wel onschuldig. Als hij niet op de hoogte was geweest van de schaking... Maar Fitchet had ervan geweten.

'Dus het was een geheim?'

'De kleine Priscilla wist het. Zij had het geraden.' Weer liet ze zich als in een roes meevoeren naar het verleden; de schaking was kennelijk erg opwindend geweest. 'En Fitchet, die smokkelde onze brieven naar binnen en naar buiten. En meester Warin, natuurlijk, omdat hij de brief naar Felin Fach moest schrijven, zodat Talbot het in bezit kon nemen, maar ze hadden allemaal gezworen er niets over te zeggen.' Opeens greep ze Adelia's arm. 'Fitchet... Hij zou het toch niet tegen de rovers hebben gezegd? Dat kón hij niet.'

Adelia gaf haar een verzekering die ze niet voelde; het aantal niemanden dat van de schaking op de hoogte was nam almaar toe. 'Nee, nee, ik weet zeker van niet. Wie is meester Warin?'

'Stonden ze op hem te wachten?' Ze had haar nagels in Adelia's vel geboord. 'Wisten ze dat hij geld bij zich had? Wisten ze ervan?'

Gyltha kwam tussenbeide. 'Natuurlijk niet.' Ze haalde Emma's hand van Adelia's arm en nam hem in de hare. 'Ze waren gewoon een stelletje boeven. De wegen zijn voor niemand veilig.'

Met grote ogen keek Emma Adelia aan. 'Heeft hij geleden?' Dat was tenminste vaste grond. 'Nee. Hij kreeg een pijl in zijn borst. Hij moest aan jou denken en toen... niets meer.'

'Ja.' Het meisje liet zich achteroverzakken. 'Ja.'

'Wie is meester Warin?' vroeg Adelia nogmaals.

'Maar hoe moet ik nou zonder hem verder?'

Dat gaat lukken, dacht Adelia. We zullen wel moeten.

Allie was over de grond geschoven en had Hoeder weggeduwd om zelf op Emma's laarzen te gaan zitten. Ze legde een mollig handje op de knie van het meisje. Emma keek naar haar omlaag. 'We zouden een heleboel kinderen krijgen,' zei ze. Haar ontroostbaarheid was zo voelbaar dat de door het vuur verlichte kamer voor de andere twee vrouwen leek te veranderen in een kale winterse vlakte die zich tot in het oneindige uitstrekte.

Ze is nog jong, bedacht Adelia. Misschien dat voor haar de lente ooit weer zal aanbreken, al is die dan nooit meer zo fris als weleer. 'Wie is meester Warin?'

Gyltha maakte afkeurende geluidjes; het meisje was begonnen te trillen. *Hou daar nu mee op.*

Dat kan ik niet. 'Emma, wie is meester Warin?'

'Talbots neef. Ze waren erg aan elkaar verknocht.' De lippen van het arme kind trokken weer strak. '"Mijn neef Warin die de kat uit de boom kijkt. Een behoedzaam man, Emma, maar nog nooit heeft een pupil zo'n goede voogd gehad."'

'Was hij Talbots voogd? Behartigde hij zijn zaken?'

'O, val hem daar nou maar niet meer mee lastig. Hij zal wel heel... Ik moet hem zien. Nee, dat kan ik niet... Ik kan zijn verdriet niet aan... Ik kan niets aan.'

Emma's oogleden waren half dichtgezakt door de vermoeienissen van haar ondraaglijke leed.

Gyltha sloeg een deken om haar heen, leidde haar naar het bed, zette haar erop neer en tilde haar benen op, zodat ze er achterover op neerviel. 'Ga nu maar slapen.' Ze keerde terug naar Adelia. 'En kom jij maar eens met mij mee.'

Ze gingen aan de andere kant van de kamer staan fluisteren.

'Denk je dat Wolvercote de vriend van dat meisje om zeep heeft geholpen?'

'Misschien, al begin ik te denken dat die neef annex voogd wel veel te verliezen had als Talbot naar zijn landgoed kwam. Als hij Talbots zaken behartigde... Het begint op een samenzwering te lijken.'

'Nee, hoor. Het was louter en alleen roof, en daarbij heeft de jongen het leven gelaten.'

'Dat deed hij niet. De rovers wísten het.'

'Nee, ze wisten het niet.'

'Hoezo?' Ze had Gyltha nog nooit zo meegemaakt.

'Omdat die arme meid nu met die ouwe Wolfie moet trouwen, of ze het nou leuk vindt of niet, en het dus maar beter is als ze hem niet verdenkt van de moord op haar liefje.'

'Natuurlijk hoeft ze niet...' Met samengeknepen ogen keek Adelia de oudere vrouw aan. 'Gaat ze dat doen?'

Gyltha knikte. 'Dat zit er wel in. De Bloats hebben er hun zinnen op gezet. Híj heeft zijn zinnen erop gezet. Daarom wilde ze er ook vandoor gaan, zodat ze haar niet konden dwingen.'

'Ze kunnen haar niet dwingen. O Gyltha, dat kunnen ze niet doen!'

'Moet jij maar eens opletten. Ze is van hoge geboorte, en zo gaat dat met die lui.' Gyltha sloeg haar blik ten hemel en dankte God dat zij maar een gewone vrouw was. 'Achter mij heeft niemand aan gezeten vanwege m'n geld. Omdat ik dat niet had.'

Het kwam voor. Omdat het Adelia niet was overkomen, had ze er niet bij stilgestaan. Haar adoptiefouders, dat vrijgevochten stel, hadden haar haar opleiding laten volgen, maar om haar heen waren in Salerno jonge vrouwen van goeden huize die ze kende uitgehuwelijkt aan de mannen die hun vaders voor hen hadden uitgekozen, hoe ze zich daar ook tegen verzetten, omdat het deel uitmaakte van het plan van de ouders om de familie vooruit te helpen. Het was dát of steeds geslagen worden. Of de straat op. Of het klooster in.

'Ze had er volgens mij voor kunnen kiezen non te worden.'

'Ze is hun enige kind,' zei Gyltha. 'Meester Bloat wil geen non, hij wil een dame in de familie – dat is beter voor de zaken.' Ze slaakte een zucht. 'Mijn tante was kokkin van de Pringhams en die arme kleine Alys van hen werd krijsend uitgehuwelijkt aan baron Coton, een ouwe kaalkop.'

'Je moet je jawoord geven; volgens de Kerk is het anders niet rechtsgeldig.'

'Hmm. De kleine Alys heb ik anders nooit "ja" horen zeggen.'

'Maar Wolvercote is een bullebak en een stomkop. Dat weet je.'

'Ja, en?'

Adelia liet haar gedachten over Emma's toekomst gaan. 'Ze zou een beroep kunnen doen op de koningin; Eleanora weet wat het is om een ongelukkig huwelijk te hebben; zij is erin geslaagd te scheiden van Lodewijk.'

'O, ja,' zei Gyltha, haar ogen opslaand. 'De koningin strijkt de man die strijd voor haar levert vast tegen de haren in. Geen enkel probleem.' Ze klopte op Adelia's schouder. 'Zo erg is het vast niet voor die jonge Em...'

'O nee?'

'Dan krijgt ze baby's – en dat wil ze toch zo graag? Ik denk trouwens niet dat ze het lang met hem hoeft uit te houden. Niet als koning Hendrik hem te grazen neemt. Wolvercote is een verrader en Hendrik lust hem rauw.' Gyltha hield haar hoofd schuin om haar gedachten over de kwestie te laten gaan. 'Misschien zou dat helemaal zo'n slechte oplossing nog niet zijn.'

'Ik dacht dat je met haar te doen had.'

'Dat heb ik ook, maar ik probeer me voor te stellen hoe het haar zal vergaan. Met een beetje mazzel is ze voor het eind van het jaar weduwe, en dan krijgt ze zijn kind en zijn landerijen... Ja, dat kon best weleens goed aflopen.'

'Gyltha!' Adelia schrikte terug voor een pragmatisme dat ze zelfs achter deze pragmatische vrouw niet had gezocht. 'Dat is immoreel.'

'Het is zakelijk,' zei Gyltha. 'En huwelijken op hoog niveau zíjn toch ook zaken?'

Jacques had het die dag maar druk, met alle boodschappen die hij naar de vrouwen in het gastenverblijf moest brengen. De eerste was van de priores. 'Aan meesteres Adelia, groeten van priores Havis, en ze wil zeggen dat het meisje Bertha begraven zal worden op het kerkhof van de nonnen zelf.'

'Een christelijke begrafenis. Ik dacht dat je daar blij om zou zijn,' zei Gyltha toen ze Adelia's reactie zag. 'Dat wilde je toch?'

'Ja, dat wilde ik. En ik bén ook blij.' De priores had haar onderzoek afgesloten en had de abdis ervan weten te overtuigen dat Bertha niet door haar eigen toedoen gestorven was.

Maar Jacques was nog niet klaar. Plichtsgetrouw zei hij: 'En ik moest u waarschuwen, meesteres, dat u niet mag vergeten dat de duivel door de abdij rondwaart.'

Daar zat het venijn. Het feit dat de nonnen het erover eens waren dat er in Godstow een moordenaar los rondliep maakte zijn aanwezigheid echter en zijn persoon duisterder.

Later die ochtend verscheen de boodschapper opnieuw. 'Aan meesteres Adelia, met groeten van moeder Edyve, en of ze meesteres Emma naar het klooster terug wil brengen. Om de vrede te bewaren, zegt ze.'

'Wiens vrede?' wilde Gyltha weten. 'Die Bloats hebben zeker hun beklag gedaan?'

'En lord Wolvercote ook,' zei Jacques. Hij grimaste, kneep zijn ogen tot spleetjes en ontblootte zijn tanden als iemand die tegen zijn zin nog meer slecht nieuws komt brengen. 'Hij zegt... Nou ja, hij zegt...'

'Wat zegt hij?'

De boodschapper blies zijn adem uit. 'Ze zeggen dat meesteres Adelia meesteres Emma in haar ban heeft gebracht en haar opzet tegen haar wettige aanstaande echtgenoot.'

Gyltha kwam tussenbeide. 'Zeg van mij maar tegen die goddeloze lulhannes –'

Een hand op haar schouder bracht haar tot zwijgen. Emma sloeg haar mantel al om zich heen. 'Er zijn problemen genoeg geweest,' zei ze.

En weg was ze, al de trap af voordat iemand van hen in beweging kon komen.

In de abdij braken de diverse facties die binnen de muren ervan zaten opgesloten als bevroren glas uiteen. Er daalde een duister over Godstow neer dat niets te maken had met het afnemende winterlicht.

Uit protest tegen de bezetting trokken de nonnen zich terug naar hun eigen binnenhoven; ze betrokken hun eten uit de keuken van de ziekenzaal en oefenden hun godsdienstige praktijk in het klooster uit.

De aanwezigheid van twee bendes huurlingen begon problemen te veroorzaken. De mannen van Schwyz hadden de meeste ervaring en vormden een hechte groep die in oorlogen verspreid over heel Europa gevochten had; ze beschouwden de mannen van Wolvercote als niet meer dan boerenpummels die waren ingehuurd om amok te maken – wat velen van hen inderdaad waren. Maar de Wolvercotes hadden een mooier kostuum, betere wapens en een leider aan het hoofd – ze waren trouwens in de meerderheid; ze bogen voor niemand. Schwyz' mannen zetten een distilleertoestel in de smeltoven van de smidse en zopen zich lam; die van Wolvercote plunderden de kelder van het klooster en zopen zich lam. Het was onvermijdelijk dat ze daarna met elkaar slaags raakten.

De nachten werden een verschrikking. De vaste bewoners en de gasten hielden zich schuil in hun kamers en luisterden naar het geknok in de steegjes, bang dat de deur ineens zou worden ingetrapt en er dronken huurlingen binnen zouden komen vallen om te plunderen en te verkrachten.

In een poging hun eigendom en hun vrouwen te beschermen vormden de plaatselijke bewoners een eigen militie: Mansur, Walt, Aelwyn en Jacques liepen als plichtsgetrouwe mannen met de patrouilles mee, maar het gevolg was dat de nachtelijke straatruzies vaker wel dan niet alleen maar ontaardden in gevechten tussen drie partijen.

Aan een poging van de kapelaan, vader Egbert, om de kudde die de nonnen hadden verlaten te bedienen, kwam een einde toen Schwyz tijdens de zondagavondcommunie tegen Wolvercote brulde: 'Was je nog van plan die kerels van je discipline bij te brengen of moet ik dat doen?' Tussen hun aanhangers brak een gevecht uit dat zich verspreidde tot helemaal aan de kapel van Maria, waarbij lampen, een katheder en diverse hoofden het moesten ontgelden. Een van Wolvercotes mannen verloor een oog.

Het leek wel alsof de wereld was bevroren en niet meer doordraaide, zodat geen ander weer het belegerde Oxfordshire kon bereiken dan overdag een felle zon en 's nachts een hemel vol sterren, die geen van beide soelaas boden van de kou.

Elke ochtend duwde Adelia even de luiken open, zodat er frisse lucht hun kamer in kon stromen, en om naar buiten te kijken of... Ja, of wat? Of Hendrik Plantagenet en zijn leger er al aan kwamen? Rowley?

Maar Rowley was dood.

Er was nog meer sneeuw gevallen; de zijkanten van het pad dat naar de Theems was gegraven waren erdoor aan het zicht onttrokken. De rivier viel onmogelijk te onderscheiden van het land. Daar buiten was geen menselijk leven, en dierlijk leven was er amper. Kriskras lopende patronen, als rijen naaisteken, toonden aan dat vogels die een razende dorst hadden in de vroege ochtend hadden rondgehipt om hun snaveltjes met sneeuw te vullen. Maar waar waren ze gebleven? Misschien schuilden ze in de bomen die als ijzeren wachters aan de overkant van de rivier stonden. Zouden zij deze aanval kunnen weerstaan? Waar waren de herten? Zwommen er nog vissen onder het ijs?

Terwijl ze toekeek hoe een eenzame kraai wegwiekte door de blauwe lucht, vroeg Adelia zich af of die een dode, maagdelijke wereld zag waarin Godstow het enige kringetje leven vormde. Nog terwijl ze ernaar

stond te kijken, vouwde de kraai zijn vleugels in en stortte zich ter aarde
– een klein, verfomfaaid hoopje zwart te midden van al het wit.

Alsof de nachten nog niet erg genoeg waren, werden de dagen in Godstow versomberd door het gehak van pikhouwelen die graven dolven in
de bevroren aarde, terwijl de kerkklok almaar luidde voor de doden alsof hij voor niets anders meer kon luiden.

Adelia bleef zo veel mogelijk in het gastenhuis; de blikken van de
mensen die ze tegenkwam als ze naar buiten ging en hun neiging in het
langslopen een kruisje te slaan en het teken van het boze oog te maken
intimideerden haar. Maar naar bepaalde begrafenissen moest ze toe.

Bijvoorbeeld naar die van Talbot van Kidlington. De nonnen kwamen daar ook voor tevoorschijn. Een kleine man vooraan in de congregatie, van wie Adelia aannam dat het de neef was, meester Warin, zat de
hele tijd te huilen, maar vanaf het plekje achterin waar zij zat verscho-
len zag ze alleen Emma, die bleek en met droge ogen in het koor zat,
haar hand strak omvat door de kleine hand van zuster Priscilla.

Een begrafenis voor Bertha. Die werd 's avonds gehouden en in de be-
slotenheid van de kapel van de abdis, in aanwezigheid van de kapittelvergadering, een melkmeisje, Jacques en Adelia, die Bertha's handen om
een gebroken kettinkje en een zilveren kruisje had gevouwen voordat de
eenvoudige vurenhouten kist werd neergelaten in de aarde op het eigen
kerkhof van de nonnen.

Een begrafenis voor Giorgio, de Siciliaan. Geen nonnen ditmaal,
maar wel waren de meeste huurlingen van Schwyz erbij aanwezig, en
Schwyz zelf. Mansur, Walt en Jacques kwamen ook, zoals ze ook naar
Talbots begrafenis waren gekomen. En Adelia. Ze had een weerspannige
zuster Havis gesmeekt Giorgio als een christen te behandelen, met het
argument dat ze afgezien van zijn beroep niets kwaads over hem te mel-
den hadden. Dankzij haar werd de Siciliaan in een koud christengraf
begraven met de zegen van Sinte-Agnes.

Geen woord van dank van zijn vriend, Cross. Hij verliet het kerkhof
na de teraardebestelling zonder ook maar iets te zeggen, hoewel er later
drie paar prachtig gemaakte botschaatsen compleet met riempjes voor
Adelia's deur lagen.

Een begrafenis voor twee dorpelingen van Wolvercote die waren be-
zweken aan longontsteking; zuster Jennet en haar ziekenzusters waren
erbij, maar lord Wolvercote liet verstek gaan.

Een begrafenis voor de twee gehangenen. Daar was verder niemand bij behalve de dienstdoende priester, hoewel ook die lichamen in een graf op het kerkhof werden begraven.

Toen vader Egbert zijn plicht had gedaan, sloot hij de kerk en trok zich, net als de nonnen, weer terug in zijn schulp. Hij zei dat hij zolang er huurlingen deel uit konden maken van de congregatie geen regelmatige diensten zou verzorgen; de nadering van Christus' geboorte mocht niet worden bedorven door een stelletje ruziënde heidenen die de vredesduif nog niet zouden herkennen als die zou neerstrijken op hun hoofd. Wat hij niet hoopte, trouwens.

Het was een vonnis voor de hele gemeenschap. Geen Kérstmis?

Er klonk een kreet, de Bloats piepten het hardst; zij waren gekomen om hun dochter met kerst te zien trouwen. En die dochter beweerde nu, dankzij de verderfelijke invloed van een vrouw met een bedenkelijke reputatie, dat ze helemaal niet wilde trouwen. Dáár hadden ze hun tienden niet voor afgedragen.

Maar één stem klonk boven de hunne uit, en legde meer gewicht in de schaal. Zuster Bullard, de kelderbewaarster, was in materieel opzicht de belangrijkste persoon in de abdij en vond de meeste beproevingen op haar pad. Ook al deed de nieuwe militie van het klooster zijn uiterste best om de grote voorraadkelder te beschermen, toch werden daar 's nachts regelmatig aanvallen op de biertonnen, wijnvaten en etensvoorraden gedaan. Omdat ze bang was dat het hele klooster weldra niets meer te eten zou hebben, wendde ze zich tot de enige wereldse autoriteit die ze nog had: de koningin van Engeland.

Eleanora was in haar eigen vertrekken gebleven en besteedde weinig aandacht aan zaken die geen verband hielden met haar pogingen zich te amuseren. Omdat ze de rest van de abdij maar saai had gevonden, had ze zich aan de problemen niets gelegen laten liggen. Maar aangezien ze zolang het sneeuwde vastzat op het eiland van Godstow, moest ze wel luisteren naar zuster Bullard toen die haar vertelde dat ze te maken zou krijgen met twist en honger.

De koningin werd wakker.

Lord Wolvercote en meester Schwyz werden ontboden in haar vertrekken in de woning van de abdis, waar hun te verstaan werd gegeven dat ze alleen onder haar koninklijke banier bondgenoten konden aantrekken – en ze was niet van plan gepeupel aan te voeren, wat op het moment wel was wat zij en hun mannen dreigden te worden.

Er werden spijkers met koppen geslagen. De kerkdiensten zouden worden hervat – maar alleen wie nuchter was mocht erheen. De mannen van Wolvercote moesten elke nacht de brug over om te gaan slapen op het landgoed van hun heer in het dorp, en slechts zes van hen mochten achterblijven om samen met Schwyz' mannen toe te zien op naleving van de avondklok. Beide partijen werd verboden de kelder nog te plunderen; huurlingen die dat toch deden, of vechtend werden aangetroffen, zouden in het openbaar gegeseld worden.

Van de twee boosdoeners was lord Wolvercote degene die door deze afspraken bevoordeeld dreigde te worden; Schwyz werd tenslotte betaald voor zijn diensten, terwijl Wolvercote de zijne gratis verstrekte. Maar de abt van Eynsham was er ook bij, en die was niet alleen een vriend van Schwyz, maar kon ook gewiekster en overtuigender argumenteren.

Degenen die lord Wolvercote naar buiten zagen komen toen hij bij de koningin was geweest viel het op dat hij snauwde. 'Omdat hij de jonge Emma ook al niet krijgt,' bracht Gyltha verslag uit. 'Nog niet, in elk geval.'

'Weet je het zeker?'

'Heel zeker,' zei Gyltha. 'Het meisje heeft gepleit bij moeder Edyve en ze heeft om Eleanora's bescherming gevraagd, waarop de koningin zegt dat die ouwe Wolfie maar moet wachten.'

Ook dat had ze opgepikt in de kloosterkeuken; een vriendin van Gyltha, Polly, had de koninklijke bedienden geholpen verfrissingen rond te brengen toen de koningin in bespreking was met de huurlingenleiders, en daar was Polly een heleboel te weten gekomen, onder andere dat de koningin had ingestemd met moeder Edyves verzoek om Emma's huwelijk met Wolvercote tot onbepaalde datum uit te stellen. 'Totdat de jongedame is bijgekomen van de geestelijke nood waar ze nu in verkeert.' Gyltha wist te vertellen dat 'meneer Wolfie daar niet blij mee was'.

Adelia, opgelucht, dacht ook niet dat de Bloats blij zouden zijn. Maar inmiddels was iedereen ervan op de hoogte wat voor geestelijke nood Emma getroffen had, en volgens Gyltha leefde men over het algemeen met haar mee, wat zeker voor de helft te maken had met de al even algemeen gedeelde afkeer van Wolvercote.

Vanuit de keuken kwam meer goed nieuws. Nu de orde was hersteld, had Eleanora kennelijk aangekondigd dat de kerk weer open moest, dat de diensten moesten worden hervat en dat de Mis van Christus als het zover was feestelijk gevierd diende te worden.

'En dan wel op de ouderwetse Engelse manier,' zei Gyltha met een heidense glinstering in haar ogen. 'Kerstliedjes, lekker eten, toneelspelers, een joelblok en alle versieringen die erbij horen. Op dit moment zijn ze al bezig ganzen te slachten en ze weg te hangen.'

Het was echt iets voor Eleanora, bedacht Adelia, om nu ze de kloostervoorraad eten en drinken veilig had gesteld die vervolgens in gevaar te brengen. Het zou een gigantische en kostbare onderneming worden om de hele gemeenschap op een feestmaal te trakteren. Aan de andere kant waren de orders van de koningin noodzakelijk en fijngevoelig geweest; het zou goed kunnen dat ze ontspanning brachten in een situatie die ondraaglijk dreigde te worden. En als een feest voor wat blijdschap in Godstow kon zorgen, bij God, dan was het hard nodig.

Op de golf van Eleanora's terugkerende energie kwam er een uitnodiging. 'Aan meesteres Adelia, een oproep van hare goedgunstige majesteit, koningin Eleanora.' Jacques kwam ermee aan.

'Doe je nu ook al boodschappen voor het koningshuis?' vroeg Gyltha aan de deur. De boodschapper had ergens feller gekleurde kleren opgeduikeld, zijn oren gingen schuil achter krullen en Adelia, die door de kamer liep, ving een vleug van zijn reukwater op.

Hij had ook een nieuwe waardigheid gevonden. 'Meesteres, ik word zeer begunstigd. En nu moet ik naar heer Mansur. Ook hij wordt ontboden.'

Gyltha keek hem na. 'Hij aapt de hovelingen na,' zei ze afkeurend. 'Onze Rowley geeft hem een schop onder zijn kont als hij terugkomt.'

'Rowley komt niet terug,' zei Adelia.

Toen Mansur het vertrek van de vorstin binnenstapte, mompelde een van de hovelingen hoorbaar: 'En nu ontvangen we nog heidenen ook.' En toen Adelia achter hem aan kwam, met Hoeder in haar kielzog: 'O god, moet je die kap zien. En die hond – mijn hemel!'

Maar Eleanora was de vriendelijkheid zelve. Zwierig schreed ze naar voren en stak haar hand uit om die te laten kussen. 'Heer Mansur, wat zijn we blij u te zien.' En tegen Adelia: 'Mijn lieve kind, we zijn nalatig geweest. We hebben het druk gehad met staatszaken, natuurlijk, maar desondanks vrees ik dat we iemand hebben verwaarloosd met wie ik tegen duivelsgebroed heb gestreden.'

De lange bovenkamer was van de abdis geweest, maar nu was hij helemaal van Eleanora. Want moeder Edyve had hem niet geparfumeerd met de rijkdom van het heidense Oosten, of hem volgezet met allerlei kleurige spulletjes – sjaals, kussens, een luisterrijke herfstachtige triptiek – waarbij de naïeve Bijbelse pasteltekeningen op de muren verbleekten. Moeder Edyve zou nooit zijn neergeknield op een bidstoel van goud, en de stijlen van haar bed zouden ook niet hebben gebruld van de uitgesneden leeuwen; en er zou ook geen fijn gaas, vloeiend als een spinnenweb, van het hoofdeinde van het bed over het kussen zijn neergevallen, noch zouden er her en der mannelijke hovelingen hebben gestaan als standbeelden ter versiering, en ook zou er geen knappe minstreel de abbatiale lucht met een liefdeslied hebben gevuld.

Maar toch, vond Adelia, die nog steeds verbaasd bij het bed stond – hoe hadden ze dat ding op de boot weten te krijgen? –, was het effect niet seksueel. Zinnelijk zeker wel, maar dit was niet de kamer van een *houri*, maar meer van... Eleanora.

Jacques was er in elk geval danig van onder de indruk; hij stond wat te lummelen in een hoek, maakte een buiging voor haar, straalde en wapperde met zijn vingers. Daar was hij dan, en te oordelen naar de vreugde die hij uitstraalde, zijn nóg hogere laarzen en een nieuw kapsel dat zijn flaporen bedekte, bevond hij zich in het Aquitaanse modeparadijs.

De koningin stopte Mansur vol met gedroogde dadels en snoepjes met amandelpasta. 'Wij Outremer-gangers weten wel beter dan u wijn aan te bieden, heer, maar' – een knip van elegante koninklijke vingers naar een page – 'onze kokkin weet een sorbet in elkaar te draaien die ermee door kan.'

Mansur hield zijn gezicht onverstoorbaar in de plooi.

'O hemeltje,' zei Eleanora. 'Begrijpt de dokter me soms niet?'

'Ik vrees van niet, lady,' zei Adelia. 'Ik tolk voor hem.' Mansur sprak het Normandische Frans, dat hier de voertaal was, bijna vloeiend, maar het voorwendsel dat hij alleen het Arabisch beheerste was hun tweeën steeds goed van pas gekomen, en zou dat waarschijnlijk weer doen; het was verrassend zoveel als hij te weten kwam wanneer hij onder mensen verkeerde die meenden dat hij hen niet begreep. En als de moordenaar van Bertha zich ergens in dit gezelschap bevond...

Waar konden ze hem voor nodig hebben? Hij werd met alle egards behandeld voor iemand om wiens ras te verslaan de koningin op kruistocht was gegaan.

Ah, Eleanora vroeg haar Mansur te loven om zijn vaardigheid als arts omdat hij 'een van de huurlingen van de lieve Schwyz' het leven had gered – zuster Jennet had zó hoog van hem opgegeven.

Dus dat was het. Het was altijd prettig een goede arts in de buurt te hebben. De christelijke minachting voor Arabieren en Joden strekte zich niet tot dokters uit, wier genezingen onder hun eigen mensen – die volgens Adelia deels te danken waren aan de strikte spijswetten die hun geloof hun oplegde – hun een goed reputatie gaf.

Dus zijzelf was hier alleen als tolk.

Maar nee, kennelijk was ze een getuige van Eleanora's moed; de geschiedenis werd herschreven.

De koningin, die haar met een hand op haar schouder voor zich uit duwde, bracht de verzamelde menigte op de hoogte van wat er was gebeurd in de bovenkamer van Wormhold Tower, waar, in aanwezigheid van een ontbindend lichaam, een demon was verschenen die met een zwaard had gezwaaid.

Blijkbaar had Eleanora een hand opgestoken om hem tot bedaren te brengen: 'Ge zijt een duivel van Plantagenet, want dat ras stamt af van duivels. In naam van Onze Verlosser, keer terug naar je meester.'

En kijk aan, de duivel had zijn zwaard laten vallen en was teruggeslopen naar waar hij vandaan was gekomen.

Wat heb ík dan gedaan, vroeg Adelia zich af.

'... en dit vrouwtje hier, mijn eigen meesteres Athalia, pakte vervolgens het zwaard dat de duivel had laten vallen op, ook al voelde het nog heet aan en stonk het naar zwavel, en wierp het uit het raam.'

Graag gedaan, hoor. Adelia probeerde te bepalen of de koningin zelf geloofde in de onzin die ze ophing en besloot dat dat niet het geval was; misschien had de aanval van Dakers haar zo van haar stuk en in verlegenheid gebracht dat ze daar nu een voor haarzelf positieve draai aan moest geven. Of misschien speelde ze spelletjes; ze verveelde zich – ál deze mensen verveelden zich.

Nadat de hovelingen gedurende het hele verhaal o en ah hadden geroepen, klapten ze in hun handen – behalve Montignard, die, met een vuile blik op Adelia, losbarstte: 'Maar ík was degene die daarna voor u zorgde, lady, of niet soms?' –, maar zijn verslag van wat hij had gedaan werd overstemd door traag handgeklap van de abt van Eynsham, die tegen een van de beddenstijlen leunde.

Eleanora wendde zich abrupt naar hem toe. 'Onze verwaarlozing is eigenlijk de uwe, my lord. We hadden u opgedragen u te bekommeren om onze dappere meesteres Adelia, nietwaar?'

De abt liet zijn ogen over Adelia gaan, van de neuzen van haar besneeuwde laarzen tot de onaantrekkelijke kap met oorflappen die ze op haar hoofd had, en vervolgens weer naar beneden, tot zijn ogen de hare ontmoetten. 'Lady, ik dacht dat ik dat ook had gedaan,' zei hij.

De koningin was nog steeds aan het woord. Adelia, die gechoqueerd was, hoorde haar niet. De man wenste haar kwaad toe, hij had geprobeerd het haar aan te doen. Tegelijkertijd voelde ze zijn respect, als dat van de ene zwaardvechter die een andere groet. Op een manier die ze nog niet helemaal kon doorgronden was zij, Vesuvia Adelia Rachel Ortese Aguilar, op deze plek slechts bekend als het liefje van de bisschop van St. Albans en een nuttig opraapster van demonenzwaarden, belangrijk voor my lord de abt van Eynsham. Dat had hij haar zojuist kenbaar gemaakt.

De koningin hield haar handen vragend uitgespreid en ze glimlachte. De hovelingen lachten. Een van hen zei: 'De arme ziel is helemaal overdonderd.'

Adelia knipperde met haar ogen. 'Neem me niet kwalijk, lady.'

'Ik zei, beste kind, dat je je hier bij ons zou moeten voegen; we kunnen onze kleine helpster niet zomaar in een of ander hok laten wonen dat de abdij heeft aangewezen. Trek maar in bij mijn kameniersters, die hebben vast wel plek, en dan doe je mee met onze spelletjes. Je moet je daarginds wel dood vervelen.'

Jíj verveelt je dood, dacht Adelia weer. Misschien had Eleanora stiekem echt wel het gevoel dat ze bij Adelia in het krijt stond omdat die haar leven had gered, maar nog belangrijker was dat ze een nieuw speelkameraadje nodig had. De intense verveling was overal te bespeuren: in het gekrakeel van ruziënde vrouwen dat opklonk uit de belendende kamer, waar de kameniersters zich ophielden; in het kleingeestige gelach dat op haarzelf was gericht, in het gevoel dat ze verlegen zaten om een doelwit voor hun grappen en een nieuw nodig hadden.

Dit waren tenslotte een koningin en haar gevolg die uit het ene kasteel waren vertrokken toen het begon te stinken en naar het volgende waren gegaan, dat schoon werd gehouden en werd gevoed door een leger aan kooksters, vollers, wasvrouwen en bedienden, van wie er een heleboel waren achtergebleven op het oorlogspad dat Eleanora was ingeslagen, en van wie er nog meer vervolgens waren omgekomen in de sneeuw. Zonder al die hulp kwijnden ze weg.

241

Een van de hovelingen kneep boven Hoeder demonstratief zijn neus dicht, hoewel de jongeman zelf, laat staan zijn lijfgoed, amper lekkerder rook.

Bij hen allemaal intrekken, dacht Adelia. God beware me. Ze was niet van plan een uitnodiging aan te nemen om een overbevolkte hel in te stappen, ook niet als een koningin die haar deed toekomen.

Aan de andere kant: als een van hen Bertha's moordenaar was, zou het dan niet veel beter zijn hem zo op het spoor te komen, in plaats van door vragen te stellen en maar hopen dat ze daar antwoord op kreeg? Bij hen intrekken? Nee, maar als ze overdag toegang kon krijgen tot de koninklijke vertrekken...

Adelia maakte een buiging. 'Lady, u bent een en al goedheid. Zolang mijn baby uw nachtrust niet verstoort...'

'Een kind?' De koningin was geïntrigeerd. 'Waarom hebben ze me dat niet gezegd? Een kleine jongen?'

'Een meisje,' vertelde Adelia haar. 'Haar tandjes komen door en zodoende is ze nogal eens wakker...'

Montignard slaakte een lichte kreet. 'Tandjes?'

'Een synoniem voor brullen, naar ik heb begrepen,' zei Eynsham.

'Onze twee heren houden niet van baby's,' vertrouwde Eleanora Adelia toe.

'Ik wel, my lady.' Dat was de abt weer. 'Jazeker wel. Licht gebraden met wat peterselie erbij vind ik ze goed te pruimen.'

Adelia vervolgde: 'Ik moet ook mijn meester assisteren, dokter Mansur hier, wanneer hij 's nachts naar de ziekenzaal wordt geroepen, wat geregeld gebeurt. Ik beheer zijn drankjes.'

'Dat komt dus neer op stinkende en rammelende potten,' zei de abt.

Montignard had smekend zijn handen ineengeslagen. 'Lady, u krijgt geen moment rust. Alsof die klok die de uren slaat en de zingende zusters nog niet genoeg zijn! We zitten niet ook nog eens te wachten op babygekrijs en god mag weten wat voor duivelarij... U raakt nog helemaal uitgeput.'

God zegene hem, ging het door Adelia heen.

Eleanora glimlachte. 'Wat ben je toch genotzuchtig, jongeman.' Ze dacht even na. 'Ik heb mijn slaap nodig, maar toch voel ik er weinig voor het meisje niet te belonen.'

'O, laat haar in en uit lopen,' zei Eynsham vermoeid. 'Als het maar niet in die kleren is.'

'Natuurlijk, natúúrlijk. We zullen haar aankleden.'

Dat was een nieuwe afleiding die zou helpen de tijd door te komen. Het was tevens Adelia's paspoort – ook al moest ze daar wel een prijs voor betalen. Ze werd naar het vrouwenvertrek gedirigeerd, waarvan de deur niet helemaal dichtging, zodat de mannenhoofden die om het hoekje keken een koor van opmerkingen voegden bij de vernedering om tot op haar hemd te worden uitgekleed, terwijl er stofstalen tegen haar huid en kaploze hoofd werden gehouden die te zus of te zo werden bevonden: niet máúve, kind, niet met zo'n teint – zo lijkachtig. Waar had ze toch dat fijne witte linnen voor haar hemd vandaan? Was ze Saksisch, dat ze zo blond was? Nee, nee, Saksen hadden blauwe ogen; waarschijnlijk was ze een Wend.

Er werd haar niet eens gevraagd of ze wel een nieuwe japon wilde hebben. Dat wilde ze niet; ze kleedde zich altijd zo dat ze niet opviel. Adelia was een observator; de enige invloed die ze ooit wilde uitoefenen was op haar patiënten, en niet als vrouw. Nou ja... ze had wel invloed willen uitoefenen op Rowley, maar toen had ze helemaal geen kleren aangehad...

Die arme naaisters in het vrouwelijke gezelschap van de koningin werden al evenmin geraadpleegd, hoewel er flink wat naaiwerk nodig zou zijn om van het materiaal van hun keuze een tuniek voor haar te maken, het lijfje nauw aansluitend en met een volle rok, mouwen die tot aan de elleboog strak waren en vervolgens wijd uitliepen tot bijna tot op de grond, zeker gezien het feit dat Eleanora erop stond dat er filigreinborduursel aan de hals en armsgaten kwam en dat hij voor de kerst af moest zijn.

Adelia verbaasde zich erover dat er naaisters werden meegenomen naar een oorlog en dat iemand het nodig kon vinden om rekken vol met duizelingwekkend gekleurde soorten brokaat, zijde, linnen en fluweel mee te nemen op militair transport.

Uiteindelijk besloot Eleanora tot een diep donkerblauw fluweel, dat volgens haar 'de kleur had van Aquitaanse druiven'.

Als de koningin iets deed, deed ze het goed: een dunne sluier – ze liet zelf zien hoe die aan de barbette vastgemaakt moest worden –, een smalle gouden band, een gordel van tapisserie, geborduurde muiltjes, een mantel en kap van wol zo fijn dat je hem door een ring kon halen – al die dingen waren voor Adelia.

'Het komt je toe, m'n beste,' zei Eleanora met een klopje op haar

hoofd. 'Die demon was een enorm lastpak.' Ze wendde zich tot Eynsham. 'We zullen er nu geen last meer van hebben, nietwaar, abt? U zei
toch dat u ermee had afgerekend?'

Dakers. Wat hadden ze met Dakers gedaan?

'Die kon ik niet los laten rondlopen om de dame van mijn hart nog
een keer aan te vallen, of wel soms?' zei de abt op joviale toon. 'Ik vond
'm verstopt tussen de boeken van het klooster en wilde 'm al daar ter
plekke opknopen, want hij kon toch vast niet lezen. Maar daar staken
de brave zusters een stokje voor, dus moest ik 'm – *pendent opera inter-
rupta* – in het cachot van het klooster opsluiten. We nemen 'm wel met
ons mee als we weggaan, om 'm dan op te hangen' – hij knipoogde –
'als ie niet intussen al is doodgevroren.'

Er volgde een waarderend gelach, waarmee Eleanora meedeed, hoewel ze protesteerde: 'Nee, nee, my lord, die vrouw is bezeten, en beze-
tenen kunnen we niet ter dood brengen.'

'Bezeten door het kwaad van haar meesteres. Ze kan beter dood zijn,
lady, beter dood. Net als Rosamunde.'

Het werd een lange nacht. Niemand kon zich terugtrekken voordat
de koningin daar toestemming voor gaf, en Eleanora wist van geen ophouden. Er werden spelletjes gespeeld, bordspelletjes, Fox and Geese,
Alquerque, dobbelen. Iedereen moest een liedje zingen, zelfs Adelia, die
geen al te beste zangstem had en daarom werd uitgelachen.

Toen Mansur aan de beurt was, was Eleanora helemaal verrukt en
werd ze nieuwsgierig. 'Mooi, mooi! Is dat geen castraat?'

Adelia, die op een krukje aan de voeten van de koningin zat, bevestigde dat.

'Wat interessant. Ik heb ze in Outremer gehoord, maar nog nooit in
Engeland. Ze kunnen geloof ik een vrouw wel plezieren, maar kunnen
geen kinderen verwekken. Klopt dat?'

'Ik weet het niet, lady.' Het klopte wel, maar Adelia was niet bereid
om dat in dit gezelschap te bespreken.

Het werd warm in de kamer. Meer spelletjes, meer gezang.

Adelia begon te knikkebollen en schrok elke keer weer wakker van de
tocht als er mensen binnenkwamen of naar buiten gingen.

Jacques was weg – nee, daar was hij, met nog meer eten uit de keuken. Montignard was vertrokken en Mansur – nee, ze waren teruggekomen van waar ze waren geweest. De abt was weg en kwam terug met
een stukje touw om tegemoet te komen aan Eleanora's plotselinge ver-

langen om het afneemspel te spelen. Daar was hij weer, ditmaal met Mansur, een tafel tussen hen in, hun hoofd gebogen over een schaakbord. Er kwam een hoveling binnen met zijn handen vol sneeuw om de wijn te koelen... Een andere jongeman, degene die sneeuwballen naar de nonnen had gegooid, zong bij een luit...

Adelia dwong zichzelf ertoe op te staan. Bij de schaaktafel overzag ze het bord. 'Je bent aan de verliezende hand,' zei ze in het Arabisch.

Mansur keek niet op. 'Hij is beter, moge Allah hem vervloeken.'

'Zeg nog eens iets.'

Hij gromde. 'Wat wil je dat ik zeg? Ik ben deze mensen beu. Wanneer gaan we?'

Adelia richtte zich tot Eynsham. 'Mijn heer Mansur verzoekt me, my lord, om u te vragen wat u hem kunt vertellen over de dood van de vrouw, Rosamunde Clifford.'

De abt hief zijn hoofd op om haar aan te kijken, en weer was er die doordringende blik. 'O ja? En waarom zou meneer Mansur daarnaar informeren?'

'Hij is dokter, hij heeft belangstelling voor giffen.'

Eleanora had Rosamundes naam opgevangen. Dwars door de kamer heen riep ze: 'Wat is dat? Waar hebben jullie het over?'

Op slag veranderde de abt weer in een joviale plattelander. 'Die beste dokter wil weten hoe het zit met de dood van dat wijf, Rosamunde. Was ik niet bij jou, lieve, toen we daarover hoorden? Vertelden ze ons er niet over toen we net aan waren komen varen uit Normandië? Heb ik me niet op mijn knieën laten vallen om de Grote Wreker van alle zonden dank te zeggen?'

Eleanora stak haar handen naar hem uit. 'Inderdaad, abt, inderdaad.'

'Maar u kende Rosamunde daarvoor al,' zei Adelia. 'Dat zei u toen we in Wormhold waren.'

'Kende ik Rosamunde? O ja, ik kende haar. Ik kon in mijn eigen land toch geen laagheid onbestraft laten? Mijn oude vader zou zich diep schamen. Hoeveel dagen heb ik doorgebracht in dat duivelshol, als een Daniel die haar aanspoorde om niet langer ontucht te plegen?' Hij richtte zich tot de koningin, maar bleef ondertussen Adelia aankijken.

Nog meer spelletjes, nog meer liedjes, totdat zelfs Eleanora moe was. 'Naar bed, beste mensen. Ga naar bed.'

Toen hij met Adelia meeliep naar huis, was Mansur bedrukt, geërgerd omdat hij met schaken was verslagen, waar hij anders toch altijd zo goed in was. 'Die priester kan er wat van. Ik mag hem niet.'

'Hij heeft de hand gehad in Rosamundes dood,' zei Adelia. 'Dat weet ik zeker; hij daagde me op dat punt uit.'

'Hij was er niet eens.'

Dat was waar: Eynsham was aan de andere kant van het Kanaal geweest toen Rosamunde overleed. Maar er was wel íéts...

'Wie was die dikke die de pokken had?' vroeg Mansur. 'Hij nam me mee naar buiten om het te laten zien. Hij wil een zalfje.'

'Montignard? Heeft Montignard de pokken? Net goed.' Adelia was geprikkeld door vermoeidheid. Het was al bijna ochtend. Vanuit de richting van de kapel werden ze vergezeld door een antifoon voor de metten terwijl ze verder ploeterden.

Mansur hield de lantaarn omhoog om haar bij te lichten toen ze het trapje van het gastenverblijf op ging. 'Heeft de vrouw de deur voor je opengelaten?'

'Ik denk het wel.'

'Dat zou ze niet moeten doen. Het is niet veilig.'

'Dan moet ik haar wakker maken, hè?' zei Adelia terwijl ze de treetjes op liep. 'En ze heet Gyltha. Waarom noem je die naam nooit?' Verdorie, dacht ze, ze zijn zo goed als getrouwd.

Ze struikelde over iets groots dat op de bovenste tree lag, zodat ze bijna over het randje de steeg in tuimelde. 'O lieve god. Mansur. Mansur!'

Samen droegen ze de wieg de kamer in; het kind dat erin lag sliep door, in bont gewikkeld. Ze leek er geen nadeel van te hebben ondervonden dat ze in de kou was achtergelaten.

De kaars was uitgegaan. Gyltha zat roerloos in de stoel waarin ze had zitten wachten tot Adelia terugkwam. Een verbijsterend moment lang dacht Adelia dat ze vermoord was: de hand van de vrouw bungelde over de plek waar de wieg altijd stond.

Een snurkgeluid stelde haar gerust.

Nadat ze Gyltha wakker hadden gemaakt, bleven ze met z'n drieën dicht bij elkaar om de wieg heen zitten om naar de slapende Allie te kijken, alsof ze bang waren dat ze zou verdampen.

'Is hier iemand binnen geweest die haar heeft weggehaald? Haar op de trap heeft gezet?' Gyltha kon er maar niet over uit.

'Ja,' vertelde Adelia haar. Nog een paar centimeter verder op de tree, een centimetertje nog... Voor haar geestesoog zag ze de wieg al door de lucht zeilen en zeven meter lager in het steegje terechtkomen.

'Is hier iemand binnen geweest? En ik heb dat niet gehoord? Die haar buiten op de trap heeft gezet?'

'Ja!'

'Waar slaat dat nou weer op?'

'Geen idee.' Maar ze wist het wel.

Mansur merkte op: 'Hij wil je waarschuwen.'

'Dat weet ik.'

'Je stelt te veel vragen.'

'Dat weet ik.'

'Wat voor vragen?' Gyltha kon in haar paniek het gesprek niet volgen. 'Wíé wil niet dat je vragen stelt?'

'Ik weet niet.' Als ze het wel wist, zou ze naar hem toe zijn gekropen, kermend aan zijn voeten hebben liggen smeken. Jij hebt gewonnen. Jij bent slimmer dan ik. Doe wat je moet doen, ik zal me nergens mee bemoeien. Maar neem Allie niet van me af.

11

A delia's instinct was om zich met Allie in het figuurlijke lange gras te verbergen, als een haas en zijn kleintje in hun leger. Toen de koningin Jacques stuurde om te vragen waar ze bleef, meldde Adelia dat ze ziek was en niet kon komen.

De moordenaar voerde in haar hoofd een gesprek met haar.

Hoe onderworpen ben je nu?

Onderworpen, my lord. Volkomen onderworpen. Ik zal niets doen om u te mishagen, maar doe Allie niets aan.

Ze kende hem nu; ze wist niet wie hij was, maar wel wát hij was. Zelfs in het gebaar waarmee hij Allies wiegje onder de hand van de slapende Gyltha had weggenomen en het op de trap had gezet had hij zijn identiteit prijsgegeven.

Een heel simpel middel om zijn tegenstander uit te schakelen; als ze niet zo bang voor hem was, zou ze er bewondering voor hebben kunnen voelen: de vrijpostigheid, de economie, de verbeelding ervan.

En het had haar duidelijk gemaakt voor welke moorden hij verantwoordelijk was.

Er waren twee reeksen moorden geweest, wist ze nu, die niets met elkaar te maken hadden; alleen doordat zij binnen een kort tijdsbestek de lijken had gezien had er een verband tussen geleken.

De dood van Talbot van Kidlington was het duidelijkste geval, omdat hij was vermoord om een van de oudste redenen die er bestonden: gewin.

Wolvercote had een goede reden om de jongen om te brengen: als hij Emma zou hebben geschaakt, zou hij hem daarmee van een waardevolle bruid hebben beroofd.

Of de erfenis die Talbot op zijn eenentwintigste verjaardag zou toevallen zou zijn voogd van een inkomen hebben beroofd; want meester Warin had de jongen dan misschien wel bedrogen, het zou niet de eerste keer zijn dat als een erfgenaam aan zijn erfenis toe was daar niets van over bleek te zijn.

Of – en die mogelijkheid had Emma zelf opgeworpen, terwijl ze er geen geloof aan hechtte – Fitchet had twee vrienden ingeseind dat er 's nachts een jongeman met een buidel vol geld bij het klooster zou arriveren. De poortwachter had tenslotte als postillon d'amour gefungeerd – en waarschijnlijk niet voor niks –, wat aangaf dat hij omkoopbaar was.

Of – het minst waarschijnlijk – de Bloats hadden het plan van hun dochter ontdekt en hadden moordenaars ingehuurd om het te verijdelen.

Tot zover de moord op Talbot.

Maar niet één op de lijst van mogelijke moordenaars paste bij het karakter van de man die het gastenverblijf was binnengeslopen en het wiegje van Allie buiten op de trap had gezet. Hij gaf een andere geur af; die daad had niets van de onomwonden wreedheid waarmee Talbot uit de weg was geruimd.

Nee, deze man was... hoe moest je het noemen? Verfijnd? Een professional? *Ik moord alleen als het niet anders kan. Ik heb je een waarschuwing gegeven. Ik vertrouw erop dat je daarnaar luistert.*

Hij was de moordenaar van Rosamunde en Bertha.

Er viel nog meer sneeuw.

Het was Gyltha's taak hun eten uit de keuken te gaan halen, hun kamerpotten te legen in de latrine en brandhout van de houtstapel te halen.

'Gaan we nou helemaal nooit meer een luchtje scheppen met die arme kleine?' wilde ze weten.

'Nee.'

Ik sta buiten toe te kijken. Hoe onderworpen ben je?

Volkomen onderworpen, my lord. Doe mijn kind niets aan.

'Niemand kan haar wegnemen, niet als we die ouwe Arabier bij ons hebben.'

'Nee.'

'Dus we blijven hier zitten, met de deur op slot?'

'Ja.'

Maar natuurlijk konden ze dat niet...

Het eerste alarm klonk 's nachts. Ergens werd een handbel geluid en mensen schreeuwden door elkaar.

Gyltha boog zich uit het raam en keek de steeg in. 'Ze roepen dat er brand is,' zei ze. 'Ik ruik rook. O Lieve Heer, bewaar ons.'

Nadat ze Allie in bont hadden gewikkeld, kleedden ze zichzelf aan en graaiden zo veel mogelijk spullen mee voordat ze met haar het trapje afdaalden.

Het vuur, de grootste bedreiging die er maar bestond, had iedereen aan deze kant van de abdij naar buiten gedreven. Fitchet kwam vanaf de poorten aanrennen met twee emmers; uit het gastenverblijf kwamen mannen naar buiten, onder wie Mansur en meester Warin.

'Waar is de brand? Waar brandt het?'

Het geluid van de bel en het tumult kwamen uit de richting van de vijver.

'Schuur?'

'Het klinkt meer als het cachot.'

'O god,' zei Adelia. 'Dakers!' Ze overhandigde Allie aan Gyltha en zette het op een rennen.

Tussen de vijver en het cachot stond Peg een bel te luiden alsof ze er een ongehoorzame koe mee in het gareel wilde meppen. Onderweg naar het melken had ze de vlammen gezien. 'Daar.' Met de bel wees ze naar de smalle kier waardoor er lucht kon komen in het bijenkorfachtige stenen gebouwtje dat het cachot van het klooster vormde.

Vrijwilligers, die al een rij vormden, riepen dat de smid zich moest haasten terwijl die een ijzeren staak in de vijver dreef zodat ze hun emmers met water konden vullen.

Mansur kwam naast Adelia staan. 'Ik ruik geen vuur.'

'Ik ook niet.' Er hing een licht vleugje in de lucht, niets meer dan dat, en achter de kier van het cachot lekten geen vlammen.

'Nou, die waren er anders wel,' zei Peg.

De deur van het cachot ging open en er kwam een chagrijnige wachtpost naar buiten. 'Ach, ga toch naar huis,' riep hij. 'Er is helemaal geen reden tot paniek. Het stro heeft vlam gevat, dat is alles. Ik heb het uitgetrapt.' Het was Cross. Hij deed de deur achter zich op slot en gebaarde met zijn speer naar de menigte. 'Schiet op. Wegwezen jullie.'

Opgelucht en mopperend begonnen de mensen zich te verspreiden.

Adelia bleef staan waar ze stond.

'Wat is er?' wilde Mansur weten.

'Ik weet niet.'

Cross hief zijn speer naar haar op toen ze vanuit de schaduwen naar

hem toe kwam. 'Ga maar weer terug, er is niks te zien. Ga naar huis...
O, bent u het?'

'Is alles goed met haar?'

'Met die ouwe toverkol? Prima, hoor. Ze is een beetje tekeergegaan,
maar ze is nu weer helemaal in orde, een stuk beter dan jullie allemaal
hier. Warm. Ze krijgt geregeld te eten. Maar hoe zit het met die arme
kerels die haar moeten bewaken, vraag ik u?'

'Waardoor is de brand ontstaan?'

Cross zette een ondoorgrondelijk gezicht. 'Ze zal het komfoor wel
omver hebben getrapt.'

'Ik wil haar zien.'

'Dat gaat niet gebeuren. Kapitein Schwyz heeft tegen me gezegd:
"Niemand mag met haar praten. Niemand mag bij haar om haar eten
te brengen. En hou die deur verdorie op slot."'

'En wie heeft Schwyz die opdracht gegeven? De abt?'

Cross haalde zijn schouders op.

'Ik wil haar zien,' zei Adelia weer.

Mansur stak zijn hand uit en plukte met het gemak alsof hij een on-
kruidje uittrok de speer uit de handen van de huurling. 'Mevrouw wil
even binnen kijken.'

Cross blies zijn wangen bol, haakte een gigantische sleutel van zijn
riem en stak die in het slot. 'Alleen even om het hoekje dan. De kapitein kan hier elk moment zijn; hij heeft al die drukte vast gehoord.
Stomme boeren met hun stomme herrie!'

Verder dan om het hoekje kijken kwamen ze inderdaad niet. Mansur
moest Adelia optillen, zodat ze over de schouder van de huurling heen
kon kijken toen die in de deuropening ging staan om hun de doorgang
te beletten.

Het beetje licht dat er binnen was was afkomstig van brandende
houtblokken in een komfoor. Aan één kant was een gedeelte met as bedekt, maar verder liep er een brede baan stro langs de welving van de
stenen muren. Iets in dat stro roerde zich.

Adelia moest aan Bertha denken. Heel even werd de gloed van het
komfoor weerspiegeld in twee ogen, maar toen verdwenen ze weer.

Laarzen knerpten over het ijs terwijl hun eigenaar naar hen toe kwam.
Cross rukte zijn speer uit Mansurs handen. 'De kapitein komt eraan.
Wegwezen, in godsnaam!'

Ze gingen weg.

'En?' vroeg Mansur onder het lopen.

'Iemand heeft geprobeerd haar te verbranden,' zei Adelia. 'De spleet zit in de achtermuur, tegenover de ingang. Volgens mij heeft iemand daar een brandende lap doorheen gegooid. Als Cross de wacht hield bij de deur, kan hij niet hebben gezien wie het was. Maar hij weet wel dat het gebeurd is.'

'De Vlaming zei dat het komfoor was omgevallen.'

'Nee. Dat zit met bouten aan de vloer vast. Niets wees erop dat daar een brandend stuk hout uit was gevallen. Iemand wilde haar dood hebben, en dat was niet Cross.'

'Ze is een zielige dwaas. Misschien heeft ze geprobeerd zichzelf in brand te steken.'

'Nee.' Het was een natuurlijke reeks: Rosamunde, Bertha, Dakers. Alle drie hadden ze iets geweten – en Dakers wist dat nog steeds – wat ze maar beter niet konden weten.

Als Cross niet zo bijdehand was geweest om het vuur te doven, zou de laatste van hen tot zwijgen zijn gebracht.

De volgende ochtend vroeg stormden gewapende huurlingen de kapel binnen, waar de nonnen zaten te bidden, en voerden Emma Bloat met zich mee.

Adelia, die nog lag te slapen, hoorde ervan toen Gyltha zich terughaastte uit de keukens, waar ze ontbijt voor hen was gaan halen. 'Dat arme, arme kind. Wat een toestand. De priores probeerde ze tegen te houden, maar ze sloegen haar tegen de grond. In haar eigen kapel, ze sloegen haar gewoon tegen de grond!'

Adelia was zich al aan het aankleden. 'Waar hebben ze Emma mee naartoe genomen?'

'Het dorp. Het was Wolvercote, met zijn Vlamingen. Hij heeft haar naar zijn landgoed gevoerd. Ze schreeuwde moord en brand, zeiden ze, het arme kind.'

'Kunnen ze haar niet terughalen?'

'De nonnen zijn achter haar aan gegaan, maar wat kunnen zij uitrichten?'

Tegen de tijd dat Adelia bij de poort kwam, kwam de reddingsploeg van nonnen met lege handen terug over de brug.

'Valt er niets aan te doen?' vroeg Adelia toen ze langsliepen.

Priores Havis zag bleek en had een snee onder haar oog. 'We werden

252

met speren teruggejaagd. Een van zijn mannen lachte ons uit. Hij zei dat ze niks illegaals deden, omdat ze een priester bij zich hadden.' Ze schudde haar hoofd. 'Ik heb geen idee wat voor soort priester.'

Adelia ging naar de koningin.

Eleanora had het nieuws zelf net vernomen en ging tekeer tegen haar hovelingen. 'Voer ik soms het bevel over een stelletje wilden? Dat meisje viel onder mijn bescherming. Had ik Wolvercote nou wel of niet gezegd dat hij haar tijd moest gunnen?'

'Dat hebt u wel tegen hem gezegd, lady.'

'Ze moet worden teruggehaald. Zeg tegen Schwyz – waar is Schwyz? –, zeg tegen hem dat hij zijn mannen bij elkaar moet zamelen...' Ze keek om zich heen. Niemand had zich verroerd. 'Nou?'

'Lady, ik vrees dat het, eh... het kwaad al is geschied.' Dat zei de abt van Eynsham. 'Het blijkt dat Wolvercote een hagenpreker in het dorp heeft zitten. Ze zijn in de echt verbonden en hebben elkaar hun jawoord gegeven.'

'Het meisje niet, wil ik wedden, niet onder deze omstandigheden. Waren haar ouders erbij aanwezig?'

'Kennelijk niet.'

'Dan is er sprake van ontvoering.' Eleanora's stem klonk schril van de wanhoop van een vorst die dreigt de controle over zijn onderdanen te verliezen. 'Worden mijn orders op een dusdanige manier genegeerd? Leven we soms in de grotten van brute beesten?'

Afgezien van Adelia was de koningin de enige in het vertrek die kwaad was. De anderen, in elk geval de mannen, waren verstoord, mishaagd, maar ook vagelijk geamuseerd. Dat er een vrouw was ontvoerd en een bed in werd gesleurd, was lachen – zolang het maar niet hun eigen vrouw was.

Er was een heel klein spoortje van een knipoog te zien toen de abt zei: 'Ik vrees dat onze heer Wolvercote zich als een Romein heeft opgesteld tegenover onze arme Sabijnse.'

Er viel niets aan te doen. Een priester had de huwelijkstekst uitgesproken; Emma Bloat was getrouwd. Of ze het nu leuk vond of niet, ze was ontmaagd en had daar – daar moesten alle mannen aan denken – waarschijnlijk van genoten.

Hulpeloos ging Adelia de kamer uit, niet in staat de mensen die zich daarin bevonden te verdragen.

In de kruisgang blokkeerde een van Eleanora's jonge mannen, die zich totaal niet bewust was van wat er allemaal om hem heen gebeurde, haar de weg door heen en weer lopend zijn luit te stemmen en een nieuw lied uit te proberen.

Adelia gaf hem een duw, waardoor hij wankelde. De deur van de abdijkapel aan het eind van de gang wenkte haar en ze beende naar binnen, en het enige wat ze wist toen ze die tot haar opluchting leeg aantrof was dat ze hunkerde naar vertroosting, die – en dat wist ze ook – er niet in zat.

In het middenschip liet ze zich op haar knieën zakken.

Lieve Moeder Gods, bescherm en troost haar.

De ijzige, van wierook bezwangerde lucht had alleen het antwoord: *Ze is vee, zoals ook jij vee bent. Wen daar maar aan.*

Adelia sloeg met haar vuisten op het steen en sprak haar beschuldiging hardop uit. 'Rosamunde dood, Bertha dood, Emma verkracht. Waarom staat U dat toe?'

Het antwoord kwam: 'Uiteindelijk komt er wel een remedie voor je klacht, mijn kind. Jij zou dat, met jouw vermogen om te genezen, toch zeker moeten weten.'

De stem was een echte, droog en ogenschijnlijk zonder menselijke aansturing, alsof hij zich ritselend losmaakte uit de mond van degene die hem liet klinken, zodat hij op eigen vleugels omlaag kon fladderen van het kleine koor naar het schip.

Moeder Edyve was zo klein dat ze bijna helemaal schuilging in de bank waarop ze zat, haar handen gevouwen op haar wandelstok, haar kin op haar handen rustend.

Adelia stond op. Ze zei: 'Ik dring hier zomaar binnen, moeder. Ik ga wel weer.'

De stem daalde over haar neer terwijl ze wegliep naar de deur. 'Emma was negen jaar oud toen ze naar Godstow kwam en ons allemaal blij maakte.'

Adelia draaide zich om. 'Nu is er geen blijheid meer – niet voor haar en niet voor u,' zei ze.

Onverwacht vroeg moeder Edyve: 'Hoe neemt koningin Eleanora het nieuws op?'

'Ze is kwaad.' Omdat ze zelf ziedde van kwaadheid, voegde Adelia eraan toe: 'Kwaad omdat Wolvercote haar heeft beledigd, neem ik aan.'

'Ja.' Moeder Edyve wreef met haar kin over haar gevouwen handen. 'Je bent onrechtvaardig, volgens mij.'

'Tegenover Eleanora? Wat kan ze anders doen dan tekeergaan? Wat kan wie dan ook van ons doen? Dat heerlijke kind van u is voor haar leven de slaaf van een zwijn, en zelfs de koningin van Engeland staat daar machteloos tegenover.'

'Ik heb geluisterd naar de liedjes die ze voor haar zingen, voor de koningin,' zei moeder Edyve. 'De luit en de stemmen van de jonge mannen – ik heb hier over hen na zitten denken.'

Adelia trok haar wenkbrauwen op.

'Waar zingen ze over?' vroeg moeder Edyve. '*Cortez amors?*'

'Hoofse liefde. Een Provençaalse frase. Provençaalse vleierij en sentimentele onzin.'

'Hoofse liefde, aha. Een serenade voor de onbereikbare vrouwe. Het is heel interessant: aardse liefde als vorm van verheffing. We zouden immers kunnen stellen dat die jonge mannen in wezen hunkeren naar een soort Heilige Maria.'

Mal oud mens, dacht Adelia meedogenloos. 'Die jonge mannen talen anders bepaald niet naar heiligheid, abdis. Dat lied eindigt met een hoogdravende beschrijving van de geheime boogdoorgang. Dat is hun naam voor de vagina.'

'Seks, uiteraard,' zei de abdis verbazingwekkend genoeg. 'Maar dan wel met een mildere hunkering dan ik er ooit aan toe heb horen kennen. O ja, in feite richten ze zich tot meer dan ze zelf weten. Ze zingen tot God de Moeder.'

'God de Móéder?'

'God is zowel onze vader als onze moeder. Hoe zou het anders kunnen? Als je twee seksen schept en er eentje voortrekt, zou je geen goede ouder zijn, hoewel vader Egbert me berispt als ik dat zo stel.'

Geen wonder dat vader Egbert haar berispte; het mocht wel een mirakel heette dat hij haar niet excommuniceerde. God zowel mannelijk als vrouwelijk?!

Adelia, die zichzelf als een moderne denker beschouwde, raakte in de war door deze voorstelling van de Almachtige die in elke religie die ze kende de zwakke en zondige vrouw had geschapen voor het genoegen van de man: vrouwen als menselijke ovens om zijn zaad in te bakken. Een vrome jood dankte God dagelijks dat hij niet als vrouw ter wereld was gekomen. Maar deze kleine non plukte de baard van Gods kin en kende hem niet alleen de borsten, maar ook de geest van een vrouw toe.

Dat was een uiterst rebelse gedachte. Maar nu Adelia erover nadacht, wás moeder Edyve ook rebels, want anders zou ze niet bereid zijn de Kerk uit de dagen door op haar kerkhof ruimte ter beschikking te stellen voor het lichaam van een bijzit van de koning. Alleen een onafhankelijke geest kon zich tegelijkertijd welwillend opstellen tegenover een koningin die alleen maar drukte met zich mee had gebracht naar de abdij.

'Ja,' vervolgde het vogelachtige stemmetje, 'we treuren om de scheefheid van de wereld zoals de Almachtige vrouwelijkheid daarom moet treuren. Toch is Gods tijd niet onze tijd, wordt ons gezegd; voor de Alfa en de Omega is een mensenleven in een oogwenk voorbij.'

'Ja-a.' Met een frons kwam Adelia naderbij en ging met haar handen om haar knieën zijwaarts op de treetjes van het altaar naar de stille gestalte in het koor zitten staren.

'Ik heb bedacht dat we in Eleanora zo'n oogwenk zien passeren,' zei die.

'Huh?'

'Ja, voor het eerst, zover ik weet, hebben we een koningin die haar stem heeft verheven om de waardigheid van vrouwen te verdedigen.'

'Húh?'

'Moet je luisteren,' zei de abdis.

De trouvère in het klooster was klaar met het componeren van zijn lied. Nu bracht hij het ten gehore, en zijn prachtige tenor vloeide als honing de grauwe kapel binnen. '*Las! einssi ay de na mort exemplaire, mais la doleur qu'il me convendra traire, douce seroit, se un tel espoir avoie...*'

De zanger mocht dan sterven van liefde, hij had zijn pijn wel op muziek gezet die even fraai was als de lente. Onwillekeurig moest Adelia glimlachen; met die combinatie zou hij zijn dame vast voor zich winnen.

De muziek die Eleanora overal waar ze ging begeleidde was voor Adelia's ongeoefende oor gewoon een van haar vele aanstellerigheden, de vaste metgezel van een vrouw die alle zwaktes bezat die aan de vrouwelijke natuur werden toegeschreven: ze was ijdel, jaloers, onvoorspelbaar, iemand die er om zichzelf te doen gelden voor had gekozen ten oorlog te trekken om een man uit te dagen die groter was dan zij.

Maar de abdis luisterde er even aandachtig naar alsof het een tekst was uit de Heilige Schrift die werd voorgelezen.

Adelia luisterde met haar mee en liet haar gedachten er nog eens over gaan. Ze had niets met de ingewikkelde, smachtende poëzie van de mannelijke hovelingen, met hun belangstelling voor kleding en hun geparfumeerde krullen, omdat ze hen beoordeelde naar de norm van mannelijkheid die door een ruige mannenwereld werd bepaald. Maar was het echt zo decadent om waardering te hebben voor vriendelijkheid en schoonheid? Rowley, dacht ze, terwijl er een golf van innigheid door haar heen sloeg, zou zeggen van wel; hij vond het vreselijk als mannen iets vrouwelijks hadden, hij stelde de voorkeur van zijn eigen boodschapper voor reukwater gelijk aan de ergste excessen van keizer Caligula.

Maar Eleanora's versie viel niet echt decadent te noemen, omdat die nieuw was. Adelia ging overeind zitten. God, die was nieuw. De abdis had gelijk: of ze het nou met opzet deed of niet, de koningin bracht het ongecultiveerde erf van haar domeinen in contact met een beeld van vrouwen die respect vroegen en die gezien wensten te worden als mensen die geacht en gewaardeerd werden om hun persoonlijke waarde, in plaats van als verhandelbare goederen. Dat veronderstelde dat mannen vrouwen moesten verdíénen.

Heel even had Eleanora in de koninklijke appartementen Wolvercote tegenover haar hovelingen afgeschilderd niet als een sterke man die zich toe-eigende wat hem toekwam, maar als een bruut beest dat zijn prooi wegsleepte naar het bos om die te verslinden.

'U zult wel gelijk hebben,' zei ze bijna met tegenzin.

'... *vous que j'aim tres loyaument... Ne sans amours, emprendre nel saroie.*'

'Maar het is een voorwendsel, het is iets kunstmatigs,' protesteerde Adelia. 'Liefde, eer, respect – wanneer breiden ze die zaken uit tot doodgewone vrouwen? Ik vraag me af of die jongen zelf wel in praktijk brengt wat hij zingt. Het is... Het is schijnheiligheid die mooi klinkt.'

'O, bij mij staat schijnheiligheid in hoog aanzien,' zei de kleine non. 'Die bewijst lippendienst aan een ideaal, dat dus moet bestaan. Schijnheiligheid erkent het Goede. Op zijn eigen aparte manier is het een teken van beschaving. Onder de dieren des velds zul je geen schijnheiligheid tegenkomen. En ook niet bij lord Wolvercote.'

'Wat voor goeds richt het Goede uit als het niet wordt nagestreefd?'

'Dat heb ik me ook afgevraagd,' zei moeder Edyve kalm. 'En ik ben tot de conclusie gekomen dat de vroege christenen dat zich misschien ook afvroegen, en dat Eleanora misschien, op haar eigen manier, een beginnetje heeft gemaakt door een steen te leggen voor een fundament waarop mogelijk, met Gods hulp, de dochters van onze dochters een nieuw en beter Jeruzalem kunnen gaan bouwen.'

'Voor Emma is dat te laat,' zei Adelia.

'Nee hoor.'

Misschien niet, dacht Adelia somber. Alleen een stokoude vrouw kon haar hoop vestigen op een enkele steen die in een niemandsland werd neergelegd.

Ze bleven nog een poosje zitten luisteren. De zanger had zijn melodie en zijn onderwerp veranderd: ''s Avonds wil ik je naakt in mijn armen houden, met je in vervoering raken, mijn hoofd tegen jouw borst...'

'Maar ook dat is een vorm van liefde,' zei moeder Edyve. 'En misschien is het voor onze Grote Ouder, die onze lichamen heeft gemaakt zoals ze zijn, ook wel allemaal hetzelfde.'

Adelia glimlachte haar toe, terugdenkend aan hoe ze met Rowley in bed had gelegen. 'Ik ben ervan overtuigd geraakt dat dat waar is.'

'Ik ook, wat in het voordeel spreekt van de mannen die we hebben liefgehad.' Ze slaakte een peinzende zucht. 'Maar zeg dat maar niet tegen vader Egbert.'

De abdis stond moeizaam op en controleerde of haar benen haar gewicht konden dragen.

Met een warm gevoel schoot Adelia toe om haar te helpen haar mantel te schikken. 'Moeder,' zei ze in een impuls, 'ik vrees voor de veiligheid van vrouw Dakers.'

Een zwaar dooraderde kleine hand wuifde haar weg; moeder Edyve wilde graag gaan. 'Je bent een drukke ziel, kind, en daar ben ik dankbaar voor, maar laat de veiligheid van Dakers maar aan mij over.'

Terwijl ze weghobbelde naar buiten zei ze nog iets anders, maar het was niet te verstaan. Iets als: 'Ik bewaar tenslotte de sleutels van het cachot.'

Aan het eind van die dag was er een verandering over Adelia gekomen. Misschien kwam het door haar laaiende woede om de verkrachting van Emma Bloat. Misschien kwam het doordat ze boos was omdat er een aanslag op Dakers' leven was gepleegd. Misschien was het de moed waartoe moeder Edyve haar had geïnspireerd. Wat het ook was, ze besefte dat ze zich niet langer in het gastenverblijf kon blijven verschuilen terwijl er moordenaars en ontvoerders los rondliepen.

In wezen had de moordenaar van Rosamunde en Bertha een pact met haar gesloten: *zolang je mij met rust laat, is je kind in veiligheid.* Een schandelijk pact, maar desondanks had ze zich er best bij neer willen leggen en ervan uit willen gaan dat hij niet nóg een moord zou plegen. Maar toen had hij een brandend vod door de opening gegooid alsof de levende vrouw die zich daar binnen bevond een stuk vuil was.

Dat kan ik niet toestaan.

Ze was bang, heel bang; haar baby zou zo intensief moeten worden beschermd als geen kind ooit was beschermd, maar zij, Adelia, kon niet leven, haar dóchter kon niet leven, als daar andere mensen voor moesten sterven.

'Waar ga je heen?' riep Gyltha haar na.

'Ik ga vragen stellen.'

Ze trof Jacques in de kruisgang, waar hem door een van de troubadours werd geleerd hoe hij de luit moest bespelen. De hovelingen namen hier de hele boel over. En de nonnen, bedacht ze, zijn nu te geïntimideerd door alles wat er is gebeurd om hen tegen te houden.

Ze sleepte de onwillige boodschapper weg naar het aalmoezeniershuis, waar ze allebei gingen zitten op een opstapblok.

'Ja, meesteres?'

'Ik wil dat je me helpt erachter te komen wie opdracht heeft gegeven om Talbot van Kidlington te vermoorden.'

Hij was even van zijn stuk gebracht. 'Ik weet niet of ik dat wel voor elkaar krijg, meesteres.'

Ze negeerde hem en ging het lijstje verdachten nog eens na: 'Wolvercote, meester Warin, de poortwachter en de Bloats.' Ze begon aan een omstandige toelichting.

Hij wreef over zijn kin; die was nu glad geschoren, zoals die van alle jongemannen aan Eleonora's hof.

'Ik kan u dit wel vertellen, als het helpt,' zei hij. 'Raadsman Warin maakte een hoop drukte toen hij in de kerk werd voorgesteld aan my lord Wolvercote. "Zeer vereerd om met u kennis te maken, mijn heer. We kennen elkaar niet, maar ik heb al lang willen weten..." Enzovoort. Hij maakte er een hele toestand van – ik was erbij en hoorde hem praten. Hij zei wel drie of vier keer dat ze elkaar nog nooit eerder hadden gezien.'

'Hoe begroette Wolvercote meester Warin?'

'Net zoals hij iedereen behandelt: als iets wat naar buiten is geperst uit een achterwerk.' Hij trok een grimas, bang dat hij haar had beledigd. 'Neem me niet kwalijk, meesteres.'

'Maar jij denkt dat Warin zo nadrukkelijk stelde dat ze elkaar nooit eerder hadden ontmoet juist omdat dat wel zo was?'

Jacques dacht daar even over na. 'Ja, dat denk ik.'

Adelia huiverde. Hoeder was onder haar rokken gekropen en drukte zich tegen haar knieën op zoek naar warmte. Een waterspuwer aan de goot van de woning van de abdis tegenover haar, met een baard van ijspegels aan zijn kin, gaapte haar aan.

Ik hou je in de gaten.

Ze zei: 'Emma had welwillende gedachten over meester Warin, wat betekent dat Talbot ook zo over hem moet hebben gedacht, wat betekent dat de jongen hem vertrouwde...'

'En hem toevertrouwde dat hij van plan was weg te lopen?' De boodschapper begon het interessant te vinden.

'Ik weet dat hij dat heeft gedaan,' zei ze. 'Dat heeft Emma me verteld. De jongen vertelde Warin dat hij zijn verjaardag had uitgekozen als dag voor de schaking, omdat hij dan zijn erfenis kon opeisen...'

'Die meester Warin er zonder dat hij het wist doorheen had gejaagd.' Dit was opwindend.

Adelia knikte. 'Die meester Warin er inderdaad doorheen kon hebben gejaagd, wat het nodig maakte zijn jonge neef uit de weg te ruimen...'

'Waarbij meester Warin ineens bedacht dat hij in heer Wolvercote een bondgenoot heeft. Die ouwe Wolfie loopt een bruid en een fortuin mis als de schaking doorgaat.'

'Ja. Dus stapt hij op lord Wolvercote af en stelt voor Talbot te doden.'

Ze leunden achterover om hier eens goed over na te denken.

'Waarom was het zo belangrijk dat Talbots lichaam meteen werd geïdentificeerd?' vroeg Adelia zich af.

'Dat ligt voor de hand, meesteres. Raadsman Warin zat misschien krap bij kas – hij lijkt mij wel een man die van het goede leven houdt. Als hij Talbots erfgenaam is, zou het te lang duren om een lijkschouwer te bewijzen dat de nalatenschap van een anoniem lichaam hem toekomt. Dat duurt heel lang. Hoven werken traag. Zijn schuldeisers zouden al op de stoep staan voordat hij de erfenis binnen had.'

'En het zou Wolvercote goed uitkomen als Emma zou beseffen dat haar minnaar dood was. Ja, het is een logisch geheel.' Adelia zweeg even en voegde er toen aan toe: 'Wolvercote was degene die voor de moordenaars zorgde. Warin kende er waarschijnlijk geen.'

'En Wolvercote ontdeed zich van hen zodra ze hun werk hadden gedaan. Zo kan het zijn gegaan, meesteres.'

Door er zo over te praten was de zaak voor Adelia beklonken en was theorie werkelijkheid geworden. Twee mannen hadden samengezworen om een jong leven in de knop te breken. Bij advocaten op kantoor werd over boze opzet zakelijk gedaan, in landhuizen werd die besproken bij een kruik wijn; mannen werden erin geïnstrueerd. Normaliteit en goedheid waren artikelen die werden verruild voor begeerte. Onschuld kon er niets tegen uitrichten. Zíj kon er niets tegen uitrichten.

'Maar hoe valt dat te bewijzen?' vroeg Jacques.

'Samenzweerders vertrouwen elkaar niet,' zei ze. 'Ik denk dat het wel kan lukken, maar jij zult me moeten helpen.'

Ze liet hem gaan en haastte zich vervolgens terug naar het gastenverblijf, niet in staat haar angst om Allie van zich af te zetten.

'Met haar is niks aan de hand,' zei Gyltha. 'Kijk maar.'

Maar Adelia wist dat ook Gyltha bang was, omdat ze tegen Mansur had gezegd dat die dag en nacht bij hen moest blijven.

'En wie dat niet aanstaat kan... nou ja, je weet wel,' zei ze. 'Dus doe wat je moet doen. Mansur staat op scherp.'

Maar de moordenaar ook...

Nu moest ze vader Paton gaan opzoeken.

Dit keer ging ze voorzichtig te werk en wachtte ze tot het donker was. Ze keek rond of er spionnen waren, glipte van schaduw naar schaduw, tot ze beschermd was door het smalle pad dat naar de trap van de warme kamer leidde.

Zuster Lancelyne was naar de vespers en de kleine priester zat in zijn eentje bij kaarslicht over het cartularium gebogen. Hij vond het niet leuk dat hij werd gestoord.

Adelia vertelde hem alles, te beginnen met de vondst van Talbots lichaam op de brug – dat was misschien langs vader Paton heen gegaan, omdat hij vanwege de warmte in de wagen was gebleven –, en vervolgens over de gebeurtenissen in Wormhold, de terugkeer naar Godstow en de dood van Bertha. Ze zei erbij wie ze waarvan verdacht, vertelde over de bedreiging van Allie, de bedreiging aan het adres van vrouw Dakers.

Hij wilde het niet horen; hij bleef maar zitten schuifelen en verlangend naar de opengeslagen documenten die voor hem lagen kijken; dit verhaal rook naar kardinale zonden en vader Paton had liever in abstracto met de mensheid te maken. 'Weet u het zeker?' vroeg hij keer op keer. 'Nee, natuurlijk? Hoe durft u zulke dingen te zeggen?'

Adelia drong aan en doorprikte hem met logica alsof hij een vlinder op een speld was. Ze was niet bijzonder op hem gesteld en wist dat hij haar helemaal niet zag zitten, maar hij stond los van de strijd waarin zij was verwikkeld, en zijn geest was net als een van zijn eigen liggers: die had ze nodig als register.

'U moet het allemaal geheimhouden,' gaf ze hem te verstaan. 'Vertel er niemand iets over, behalve de koning.' Deze bloedeloze kleine man moest fungeren als de bewaarplaats van haar kennis, zodat hij als zij mocht komen te overlijden die aan Hendrik Plantagenet door kon geven. 'Als de koning komt, zal hij wel weten wat er gedaan moet worden.'

'Maar ik niet.'

'Jawel, dat weet u wel.' En ze vertelde hem waar hij naar uit moest kijken.

'Dit is schandalig.' Hij was ontzet. 'In elk geval betwijfel ik of het, als het al bestaat, uw zaak zal bewijzen.'

Adelia was daar ook niet zeker van, maar meer wapens had ze niet in haar arsenaal. Ze probeerde een bemoediging op te brengen die ze helemaal niet voelde. 'De koning komt hoe dan ook,' zei ze, 'en hij zál op het laatst zegevieren.' Dat was haar enige zekerheid. Eleanora mocht dan heel bijzonder zijn, maar ze had het opgenomen tegen iemand die als een reus boven op zijn koninkrijk zat; zij kon niet winnen.

Op dat punt was vader Paton het met haar eens. 'Ja, ja,' zei hij. 'Een koningin is maar een vrouw, niet in staat zich met succes hard te maken voor een zaak, laat staan haar eigen zaak. Het enige wat ze kan verwachten is dat God haar afstraft omdat ze tegen haar rechtmatige heer in opstand is gekomen.'

Hij wendde zich tot Adelia. 'Ook u, meesteres, bent maar een vrouw, zondig en vrijpostig. Of het nou goed of fout is, u zou degenen die boven u staan niet in twijfel moeten trekken.'

Ze beheerste zich en hield hem in plaats van kwaad op hem te worden een wortel voor. 'Als de koning komt,' zei ze, 'zal hij willen weten wie Rosamunde heeft vermoord. Er zal een beloning worden uitgeloofd voor de man die hem kan vertellen wie dat heeft gedaan.'

Ze keek toe hoe de priester zijn lippen samenkneep terwijl hij de gedachte van een mogelijke promotie tot abt, of misschien zelfs wel een functie in een bisdom, aan een mentale balansrekening toevoegde, waar hij hem afzette tegen het risico en de *lèse-majesté* van wat hem gevraagd werd te doen.

'Ik neem aan dat ik er God mee zal dienen, die zuivere waarheid is,' zei hij langzaam.

'Dat doet u zeker,' zei ze, en ze liep weg om hem daar de ruimte voor te geven. ,

En toen was het Kerstmis.

De kerk zat voor de angelusmis zo vol dat het zelfs warm was, en de geur van mensen dreigde het frisse, bittere aroma van hulst en klimop-guirlandes te overstemmen.

Adelia zat bijna te zweten in haar mantel van beverbont. Ze hield hem echter aan, omdat ze daaronder de tuniek droeg die de naaisters van Eleanora net op tijd af hadden gekregen. Ze wist dat ze er mooi in uitzag en had het idee dat ze, met alle andere versierselen die de konin-gin haar had gegeven, de aandacht erop zou vestigen.

'Zo loop je te veel in de gaten,' had Gyltha geprotesteerd. 'Maar je ziet er helemaal niet slecht uit.' Wat uit haar mond een compliment was.

Het instinct om zich voor de moordenaar gedeisd te houden was ech-ter sterk. Misschien dat ze haar mantel op het aanstaande feest zou uit-trekken, maar misschien ook niet.

De koorbanken, die nu weer gereserveerd waren voor de nonnen, vormden een zwart-witte omranding van het geborduurde en opge-smukte altaar met zijn kaarsengloed, en met de kleurige gewaden van de abt en twee priesters die zich als gloeiende schaakstukken door de li-tanie heen bewogen.

De magie miste zijn uitwerking niet.

In de rij voor de communie stonden moordzuchtige mannen, vijan-dige facties, het hele gamma van menselijke zwakheid en leed. Maar naarmate ze zachtjes verder naar voren kwamen werd iedereen door het-zelfde ontzag aangegrepen. Bij het hekwerk knielde de molenaar naast een van de mannen die hem hadden afgeranseld; Adelia nam de hostie in ontvangst van de abt van Eynsham, wiens handen een tel zegenend op Allies hoofd bleven rusten. De beker ging van een huurling van Wol-vercote naar een man van Schwyz, waarna ze allebei kauwend en diep onder de indruk terugslenterden naar hun plaats.

De mensen hielden steeds meer hun adem in terwijl Maria een paar meter verderop in de stal lag te bevallen. De rennende voetstappen van de schaapherders kwamen steeds dichterbij. Engelen zongen boven het door sterren verlichte en met sneeuw beladen kerkdak.

Toen de abt met opgestoken armen en zwaar klinkende stem aankondigde: 'Er is een kindeke geboren', ging zijn aansporing 'Ga in vrede' verloren in één grote kreet van vreugde; een paar vrouwen riepen adviezen over borstvoeding naar de onzichtbare, maar aanwezige Maria, en spoorden haar aan om 'die kleine nu maar lekker warmpjes in te pakken'.

Dit was Bethlehem. Het voltrok zich allemaal in het heden.

Toen Adelia in de rij de grote schuur in kwam, werkte Jacques zich door de menigte heen om haar op de schouder te tikken. 'De koningin zendt haar groeten, meesteres, en ze zal teleurgesteld zijn als u niet de cadeaus draagt die ze u heeft gegeven.'

Met tegenzin deed Adelia haar mantel met kap af, waarmee ze de tuniek en de barbette onthulde, en ze voelde zich naakt. Walt, die naast haar stond, keek haar met grote ogen aan. 'Ik vroeg me al af wie die vreemdelinge was,' zei hij. Dat vatte ze maar op als compliment. En inderdaad werd ze onthaald op een heleboel verraste blikken – de meeste welwillend. Want dit was nóg een cadeau dat Eleanora haar – zonder het te weten – had gegeven: door haar gunsten te bewijzen had de koningin haar van de smet van hekserij bevrijd.

Hoewel Eleanora en haar hofhouding plannen hadden gemaakt voor allerlei vertier, namen de Engelsen bij het feest in de schuur de leiding.

De leiding? Ze namen de hele boel over.

Charmante Aquitaanse kerstliedjes werden overstemd door gebrul toen het brandende joelblok, dat door een os aan het eind van een tuig naar binnen werd gesleept, op de haard werd gelegd in het midden van het grote vierkant van tafels in de schuur. Een minstreel op de omloop – in werkelijkheid de hooizolder – probeerde de eters toe te zingen, maar aangezien zo ongeveer iedereen uit het klooster en het grootste deel van het dorp waren uitgenodigd en de mensen te veel herrie maakten om hem te kunnen horen, gaf hij het maar op en ging naar beneden om samen met de rest de maaltijd te gebruiken.

Het was een vikingenmaal. Vlees en nog meer vlees. Het ijshuis had het beste van het beste prijsgegeven.

Eleanora's kok had – letterlijk – gevochten voor zijn kunst in de keuken, maar op zijn wintersalades en tarwepap, zijn fraai gekleurde kastelen van pasteideeg en zijn delicate bloemen in doorzichtige gelei was dusdanig aangevallen en ze waren zo veelvuldig bedropen met reuzel en bloedjus dat hij daar niet goed tegen had gekund, en nu zat hij in het luchtledig te staren, terwijl zijn leerling bij wijze van troost stukjes geroosterd varkensvlees in zijn mond stopte.

Er waren ook geen gangen. De bedienden van het klooster hadden het Godstows vele en veeleisende gasten te lang naar de zin moeten maken, en vanwege de naderende kerst hadden ze nog harder moeten werken. Ze hadden de laatste paar dagen in de schroeiende hitte van de kookvuren gewerkt en hadden gezwoegd om de schuur zo te versieren dat die leek op een open plek in een bos; ze waren verdorie niet van plan het feest te missen waarvoor ze het vuur uit hun sloffen hadden moeten lopen van en naar de keukens. Alles wat ze hadden klaargemaakt – pikant, zoet, gekruid, ongekruid, brood en pudding – werd in één keer op de tafels gezet, terwijl zij op de banken het dichtst bij de schuurdeuren klommen om ervan te genieten.

Dit was een goede zaak; er viel op een en hetzelfde moment zoveel te snijden en er moesten zoveel schotels uitgedeeld worden langs de tafels, er werd zoveel heen en weer geroepen om 'nog wat van die vulling voor mijn vrouw', 'een plakje ganzenvlees, alsjeblieft', 'mag ik die rapenpuree even', dat er dankzij het eten tussen hoog en laag een soort camaraderie ontstond, hoewel die zich niet uitstrekte tot de honden die onder tafel lagen te wachten tot er wat stukjes en beetjes hun kant op kwamen.

Hoeder bleef dicht bij Adelia's knieën, waar hij vorstelijk werd gevoed – zijn bazinnetje was een kleine eter, en omdat ze Mansur niet wilde ontrieven, die naast haar zat en steeds maar haar bord volschepte, voerde ze de hond stiekem stukken vlees.

Eleanora, zag Adelia, nam het allemaal goed op. Welgemoed had de koningin de monsterlijke kroon van klimop en laurier opgezet die haar door de smidsvrouw was aangeboden, waarmee ze haar eigen eenvoudige hoofdtooi had bedorven en de sfeer van de avond nog heidenser maakte, doordat ze daarmee zo op een aardgodin leek.

Afgezien van de koninklijke kok was de enige die niet deelnam aan alle jolijt Emma, die ijzig en roerloos naast haar echtgenoot bleef zitten, die haar negeerde. Adelia probeerde haar blik te vangen, maar het meisje keek in het niets.

Hoe zouden meester en meesteres Bloat met deze situatie omgaan, vroeg Adelia zich af. Veroordeelden ze de ontvoering van hun dochter? Nee, ze hadden besloten er geen drukte over te maken; ze hadden een plaatsje gekozen aan de binnenkant van een van de tafels tegenover de ontvoerder, hoewel Wolvercote niet inging op de meeste pogingen die ze deden hem in een gesprek te betrekken. Meester Bloat probeerde zelfs staande het gelukkige paar toe te spreken, maar toen hij daar aanstalten toe maakte zwol het lawaai alarmerend aan en Emma, die voor het eerst tot leven kwam, keek haar vader met zo'n bittere blik aan dat de woorden hem in de mond bestierven en hij weer ging zitten.

Met Mansur aan haar linkerzij en Allie stevig in een draagband tegen haar heup – er zouden géén dochters meer ontvoerd worden – wendde Adelia haar aandacht tot de man die rechts van haar zat. Ze had bewust moeite gedaan om naast hem te komen zitten.

Meester Warin had zich tot dan toe gedeisd gehouden, en het feit dat hij haar – beleefd – moest vragen wie ze was en niet ongunstig reageerde toen ze hem haar naam noemde, toonde aan dat de roddels uit het klooster hem niet hadden bereikt. Hij had de nerveuze gewoonte langs zijn lippen te likken en straalde niets van de gladde superioriteit van de meeste juristen uit; hij was een onopvallende man die was verwekelijkt, maar geen enkele moeite deed om zijn sterke Gloucestershire-accent te verbergen. Adelia kreeg de indruk dat het hem zwaar was gevallen, zowel financieel als intellectueel, om de nodige bevoegdheden als jurist te halen, en dat hij zich beperkte tot *consilio et auxilio* – adviezen over testamenten, rooien van land, grensgeschillen en arbeidscontracten, dus alle kleine dingen van de alledaagse rechtspraktijk –, hoewel hij behoorlijk belangrijk was voor degenen die daarbij betrokken waren.

Toen ze hem haar medeleven betoonde met de dood van zijn jonge neef, bevochtigde hij nogmaals zijn lippen en verschenen er echte tranen in zijn kippige ogen. De moordenaar had hem van zijn laatste familie beroofd, vertelde hij haar, want hij had nog geen vrouw gevonden. 'Wat benijd ik u om dat lieve kleine meisje, meesteres. Ik zou dolgraag kinderen willen hebben.'

Adelia had een zaak tegen de jurist opgebouwd. Ze moest zichzelf eraan herinneren dat íémand toch de informatie moest hebben doorgegeven die ertoe had geleid dat de moordenaars op de brug hadden gewacht op Talbot van Kidlington, en niemand kwam daar meer voor in aanmerking dan deze kleine man, die over Talbot zei: 'We waren intiemer met elkaar dan neven. Hij was toen zijn ouders waren gestorven als een jongere broer voor me. Ik zorgde voor hem in alle opzichten.'

Maar hoewel zijn kleding bescheiden was, was die wel van een kwaliteit die je niet zou verwachten van een familieadvocaat, en de grote zegelring aan zijn vinger was geheel van goud; meester Warin boerde goed. Ook ging zijn smaak niet uit naar mede en paling; wanneer de wijnkan rondging, greep hij er veelvuldig naar.

Adelia kwam meer ter zake. 'Dus uw neef had u niet op de hoogte gebracht van zijn plan om met meesteres Bloat de benen te nemen?' vroeg ze.

'Natuurlijk niet.' Meester Warins stem klonk scherp. 'Een krankzinnig idee. Ik zou het hem uit het hoofd hebben gepraat. Lord Wolvercote is een belangrijk man; ik zou niet willen dat een familielid van mij hem te schande maakte.'

Hij loog. Emma had gezegd dat hij deel uitmaakte van het schakingscomplot.

'Kende u hem dan – Wolvercote?'

'Nee, ik kende hem niet.' De tong van meester Warin streek langs zijn lippen. 'We hebben elkaar laatst in de kerk voor het eerst gezien.'

Weer loog hij. Dit was haar man.

'Ik vroeg me alleen maar af of u wist wat uw neef van plan was, omdat de mensen zeggen dat u hier vlak na hem arriveerde...'

'Wie zegt dat?'

'U kwam bij de abdij aan heel kort nadat –'

'Dat is laster. Ik maakte me zorgen omdat mijn neef door de sneeuw moest reizen. Wie zijn die roddelaars? Wie bent ú? Ik hoef hier niet te zitten...' Met een tong die flitste als die van een slang greep meester Warin zijn wijnbeker vast en stond op om verderop aan de tafel een plaatsje te zoeken.

Mansur draaide zijn hoofd om en zag de jurist geagiteerd weglopen. 'Heeft hij de jongen vermoord?' vroeg hij in het Arabisch.

'In zekere zin. Hij heeft Wolvercote op de hoogte gebracht, zodat die hem kon doden.'

'Dan draagt hij dus evenveel schuld.'

'Alsof hij de pijl zelf heeft afgeschoten, ja. Hij had kunnen zeggen dat hij van de schaking op de hoogte was en naar de abdij was gekomen om die een halt toe te roepen, waarmee meteen verklaard zou zijn waarom hij zo snel ter plaatse was. Maar dat zei hij niet – terwijl ik hem daar toch kans genoeg voor heb gegeven –, omdat mensen dan zouden denken dat hij tot Wolvercotes kamp behoorde, en hij houdt vol dat ze elkaar nooit hebben gezien. Maar het zou hem helemaal niet schaden als hij zou zeggen dat ze elkaar wel kenden – alleen, ze hebben samengezworen om de jongen te doden, snap je, en dat vertekent zijn oordeel. Zijn schuld spreekt eruit dat hij zich van Wolvercote distantieert terwijl hij dat helemaal niet hoeft te doen.'

'Als hij zijn eigen vlees en bloed heeft verraden, spuugt Allah op hem. Kunnen we het bewijzen?'

'We gaan ons best doen.' Adelia haalde Allie uit de draagdoek en wreef met haar wang tegen het donzige hoofdje van haar dochter. De banale gewoonheid van een moordenaar als de kleine jurist Warin was echt stukken deprimerender dan de wreedheid van een Wolvercote.

Ze kreeg opeens een duw en werd opzijgeschoven doordat Cross de plek innam die Warin had vrijgemaakt, en hij voerde de kilte van buiten met zich mee. 'Schuif eens deze kant op.' De huurling reikte naar de schotels alsof hij uitgehongerd was.

'Wat heb je allemaal gedaan?' vroeg ze.

'Wat denkt u dat ik gedaan heb? Heen en weer benen voor dat vermaledijde cachot. En dat was pure tijdverspilling, want ze is weg.'

'Wie is weg?'

'De demon. De abt heeft me zelf verteld dat ze een demon was. Wie dacht u dan?'

'Dakers? Is Dakers weg?' Ze stond al overeind, zodat Allie, die het merg uit een bot had liggen zuigen, ervan schrok. 'O lieve god, ze hebben haar te pakken.'

Terwijl de jus uit zijn mond droop keek Cross naar haar op. 'Wat raaskalt u nou? Niemand heeft haar te pakken. Ze is er gewoon vandoor. Zo gaat dat met demonen: die verdwijnen.'

Adelia ging zitten. 'Vertel.'

Hoe het was gegaan, of zelfs maar wanneer, kon Cross haar niet vertellen, want dat wist hij niet; niemand wist het. Het was pas even tevoren ontdekt, toen een keukenbediende op instructie van de kelderbeheerster een dienblad met een kerstmaal erop naar de gevangene had gebracht en Cross de deur van het cachot met zijn sleutel had geopend.

'De sleutel zit aan een ring, snapt u,' zei hij. 'De bewakers geven hem steeds door aan de volgende die dienst heeft. Oswald gaf hem aan mij toen ik aan de beurt was, en Walt had hem weer aan hém gegeven toen hij dienst had, en allebei zweren ze dat ze die rotdeur geen moment open hebben gehad, en ik ook zeer zeker niet, tot ik hem dus net opendeed...'

Het was even stil terwijl hij een stuk vlees in zijn mond stak.

'En toen?' vroeg Adelia ongeduldig.

'Dus ik steek de sleutel in het slot, draai hem om, doe de deur open, en die jongen gaat naar binnen met zijn mand, maar zij was... weg. Het was daar binnen zo kaal als babybilletjes.'

'Iemand moet haar eruit hebben gelaten.' Adelia maakte zich nog steeds zorgen.

'Nee, dat kan niet,' zei Cross. 'Ik zei toch al dat niemand tot op dat moment die deur open had gehad? Ze is verdwenen. Dat doen demonen nu eenmaal, die zijn ineens weg. Ze heeft zichzelf in een rookwolk veranderd en is door een van de kieren naar buiten gedreven, dát heeft ze gedaan.'

Hij had Schwyz naar het cachot laten komen, zei hij, met een knikje naar de lege plek aan de hoofdtafel waar de huurlingenleider had gezeten. Ook priores Havis was erbij gehaald.

'Maar zoals ik al tegen hen zei: je zult haar niet vinden, omdat ze weg is, terug naar de hel waar ze vandaan is gekomen. Wat kun je anders van een demon verwachten? Kijk, daar zul je hem hebben – de stoom komt uit zijn oren.'

Schwyz was met een nors gezicht de schuur binnengekomen en beende nu naar de tafel waar de abt van Eynsham naast de koningin zat. Alle eters hadden het te druk met zwelgen en zuipen om veel aandacht aan hem te besteden, behalve dan degene aan wie hij het nieuws kwam mededelen. Adelia zag dat Eleanora alleen maar haar wenkbrauwen optrok, maar de abt stond onmiddellijk op; hij leek iets te roepen, maar in de schuur was het zo'n lawaai dat Adelia hem niet verstond.

'Hij wil dat de abdij wordt doorzocht,' tolkte Cross. 'Nou, dat kan hij wel vergeten. Niemand laat zijn kerstmaaltje in de steek om in het donker op een duivel te gaan jagen. Ik in elk geval niet.'

Zoveel was duidelijk. De abt praatte dringend in op lord Wolvercote, die hem van zich af schudde alsof hij zich niet druk kon maken. Nu richtte hij zich tot de abdis, uit wier reactie, hoewel die beleefder was, eenzelfde gebrek aan bereidheid om te helpen sprak. Terwijl ze haar handen spreidde om aan te geven dat het geen zin had de eters te storen, bleven de ogen van moeder Edyve een ogenblik uitdrukkingsloos in die van Adelia aan de overkant van het vertrek rusten.

Ik heb tenslotte de sleutels van het cachot, bedacht Adelia zich.

'Waar lacht u om?' vroeg Cross.

'Om een man die in de kuil valt die hij zelf heeft gegraven.'

Hoe de abdis de ontsnapping had weten te regelen, welke van Dakers' bewakers opdracht had gekregen een oogje toe te knijpen, de abt van Eynsham kon geen schuldige aanwijzen noch straf uitdelen. Hij was degene die Rosamundes huishoudster door haar op te sluiten had gedemoniseerd; hij kon nu niet klagen als, zoals Cross zei, zij had gedaan wat demonen doen.

Nog steeds met een grijns op haar gezicht boog Adelia zich naar voren om Gyltha, die aan de andere kant van de Arabier zat, te vertellen wat er was gebeurd.

'Fijn voor die ouwe toverkol.' Gyltha nam nog een slok uit haar beker; ze zat al een poosje enthousiast te drinken.

Mansur zei in het Arabisch: 'Mannen van het klooster hebben door de sneeuw een pad naar de rivier gegraven. Dat had de abdis bevolen. Ik hoorde die Fitchet zeggen dat het bedoeld was om de koningin op het ijs te kunnen laten schaatsen. Nu denk ik dat ze een ontsnappingsroute wilden maken voor de bediende van Rosamunde.'

'Zouden ze haar hebben laten vertrekken? Met dit weer?' Dat was niet grappig meer. 'Ik dacht dat ze haar wel ergens in de abdij zouden onderbrengen.'

Mansur schudde zijn hoofd. 'Daar is het te vol, ze zou gevonden worden. Als Allah het wil, overleeft ze het wel. Naar Oxford is het niet ver.'

'Ze gaat vast niet naar Oxford.'

Er was maar één plek waar vrouw Dakers naartoe zou gaan.

Gedurende de rest van de maaltijd en terwijl de tafels opzij werden gezet om ruimte te maken om te dansen, dacht Adelia aan de rivier en de vrouw die de loop daarvan zou volgen naar het noorden. Zou het ijs haar gewicht kunnen dragen? Zou ze de kou overleven? Zou de abt, die zou weten waar ze heen ging, mannen en honden achter haar aan sturen?

Mansur zei met een blik op haar: 'Allah beschermt de zwakken van geest. Hij zal besluiten of de vrouw blijft leven of doodgaat.'

Maar juist omdat Dakers zwak van geest wás – en geen vrienden had en te veel wist – drukte de verantwoordelijkheid voor haar zwaar op Adelia's schouders.

Allah, God, wie U dan ook bent, zie naar haar om...

Maar toen ze naar de kleine Allie keek, die nadat ze had gegeten en geslapen nu weer wakker werd en van onder tot boven moest worden schoongeveegd, schone kleertjes aan moest en graag beziggehouden wilde worden, moest Adelia zich wel bekommeren om zaken die haar directe aandacht vroegen.

Amusement was er in overvloed. De troubadours hadden zich op de hooizolder verzameld en speelden nu met zoveel kracht en ritme dat niemand er meer omheen kon; aan de ene kant van de schuur dansten de koningin en haar hofhouding op de muziek, met elegant geplaatste voeten en handgebaartjes, terwijl aan de andere kant de Engelsen rondhosten in zwierige, lawaaiige cirkels. Een gunsteling van het klooster jongleerde zo vaardig met appels dat het zijn leeftijd weersprak, en de smid slikte, hoewel zijn vrouw het er niet mee eens was, een zwaard door.

Uit de drukke activiteit en het gekreun onder de hooizolder maakte zich uiteindelijk een bonte stoet figuren los die een dusdanige geïmproviseerde en obscene versie van Noach en de zondvloed ten beste gaven dat de dansers bleven staan om ernaar te kijken. Adelia, die op de grond zat met een kraaiende, wijzende Allie tegen haar knieën, merkte dat ze ervan genoot. Het viel te betwijfelen of Noach ook maar één van de soorten die zijn onzichtbare loopplank op liepen om een onzichtbare ark in te gaan zou hebben herkend. Het enige echte dier, de ezel van het klooster, liet de rest van de spelers ver achter zich door een riekende kanttekening bij hun prestaties aan de voeten van een eenhoorn te deponeren, een rol van Fitchet, waardoor Gyltha zo hard moest lachen dat Mansur haar moest wegsleuren tot ze weer was bijgekomen.

Hoe beschaafd ze ook waren, Eleanora's gezelschap kon geen weerstand bieden aan het applaus waarop dergelijke vulgariteit werd onthaald. Ze deden met de rest mee, lieten hun verfijning varen en toonden zich clowns *manqués* zoals ze rondrenden in opzienbarende pruiken en gewaden, hun gezichten geschminkt met meel en meekrap.

Wat was het toch dat sommige mannen ertoe bracht vrouwen te imiteren, vroeg Adelia zich af, ook toen ze joelde om een vertoornde mevrouw Noach, met verve vertolkt door Montignard, die Noach de les las omdat hij dronken was. Was dat Jacques, daar met al die wratten, dat strohaar en de ampele boezem van Jafets vrouw? Dat kon toch niet de abt van Eynsham zijn, die man met dat zwarte gezicht die zo snel ronddraaide op zijn tenen dat zijn onderrok in een warreling voorbijtrok?

Allie, nog steeds met haar mergpijp in haar handjes, was weer in slaap gevallen. Het werd tijd om naar bed te gaan voordat de manische hilariteit van de nacht zou ontaarden in dronkenmansgelal, wat onvermijdelijk zou gebeuren. De mannen van Schwyz en Wolvercote waren al in dronken groepjes uiteengegaan en keken elkaar met zulke lodderogen aan dat je zou denken dat de kerstgedachte op zijn laatste benen liep. Wolvercote zelf was al vertrokken en had Emma met zich meegenomen. De koningin bedankte de abdis voordat ze opstapte, en moeder Edyve gaf haar nonnen een teken. Meester Warin was nergens meer te zien. De smid, met zijn hand om zijn keel, werd door zijn echtgenote weggeleid.

Adelia keek rond of ze Gyltha en Mansur zag. O hemeltje, haar dierbare Arabier – misschien de enige in de schuur die nog nuchter was, afgezien van haarzelf – was ertoe overgehaald om zijn zwaarddans te doen om een paar bedienden van het klooster te vermaken, en Gyltha tolde als een dronken wezel om hem heen. In de regel dronk ze niet, maar als de alcohol gratis was kon ze er nooit weerstand aan bieden.

Met een geeuw pakte Adelia Allie op en bracht haar naar de hoek waar ze het wiegje hadden neergezet, stopte het kind erin, haalde de mergpijp uit haar handjes en gaf die aan Hoeder. Ze dekte haar dochter toe en trok de leren kap van de wieg op, waarna ze ernaast ging zitten wachten.

Ze viel in slaap en had een wilde, drukke droom, die heel akelig werd toen een beer haar oppakte en haar tegen zijn pels gedrukt het bos in begon te slepen. Ze hoorde gegrom toen Hoeder de beer aanviel en vervolgens een gil toen hij hem wegschopte.

Worstelend, bijna stikkend, met slepende benen, werd Adelia helemaal wakker. Ze werd naar het donkerste hoekje onder de hooizolder getrokken, in de armen van de abt van Eynsham. Terwijl hij zijn grote lichaam tegen haar aan drukte, perste hij haar zo hard tegen de buitenmuur dat er over hen allebei stukjes betengeling en pleisterwerk neerregenden.

Hij was stomdronken en fluisterde: 'Jij bent zijn spion, teef. De bisschop. Ik ken jou... Je deed maar tegen me of je zo preuts was, hoer. Ik weet wel wat jij in je schild voert. Hoe doet hij het? Van achteren? In je mond?'

Brandewijndampen omhulden haar toen zijn gezwarte gezicht zich naar het hare toe boog.

Ze trok haar hoofd weg en bracht zo scherp ze kon haar knie omhoog, maar de belachelijke rok die hij droeg bood hem bescherming, en hoewel hij kreunde bleef zijn gewicht toch op haar rusten.

Het gefluister ging maar door en door. '... denkt dat je zo slim bent... zie het aan je ogen, maar je bent een stinkende lichtekooi. Een spion. Ik ben beter dan St. Albans... Ik ben béter...' Zijn hand had haar borst gevonden en kneep erin. 'Kijk me aan, ik kan het... Hou van me, teef, hou van míj...' Hij likte haar gezicht.

Van buiten het verstikkende hokje waarin ze gevangenzat kwam iemand tussenbeide, die probeerde het hijgende, sissende vreselijke wezen van haar af te krijgen. 'Laat haar maar, Rob, ze is het niet waard.' Het was de stem van Schwyz.

'Jawel, dat is ze wel. Ze kijkt naar me alsof ik een stuk stront ben... alsof ze het weet.'

Er klonk een harde klap – toen waren er lucht en ruimte. Verlost van het gewicht zakte Adelia ademloos omlaag langs de muur.

De abt lag op de grond, waar Mansur hem had gevloerd. Hij huilde. Naast hem zat Schwyz op zijn knieën hem als een moeder te troosten. '... alleen maar een hoer, Robert, dat wil jij niet.'

Mansur stond naast hen tweeën op zijn knokkels te zuigen, maar was onverstoorbaar als altijd. Hij draaide zich om en reikte Adelia de hand. Ze pakte hem aan en kwam overeind.

Samen liepen ze terug naar het wiegje. Voordat ze daar waren aangekomen bleef Adelia staan, veegde over haar gezicht en streek haar kleren glad. Zelfs toen kon ze nog niet omlaagkijken naar haar kind. Wat konden kinderen je een bezoedeld gevoel geven.

Achter haar bleef Schwyz troostende woorden prevelen, maar de jammerkreet van de abt steeg er hoog bovenuit: 'Waarom St. Albans? Waarom ik niet?'

Terwijl Mansur de wieg droeg, haalden ze een wankele, zingende Gyltha op en liepen door de welkome kou van de nacht terug naar het gastenverblijf.

Adelia was te geschokt om boos te zijn, hoewel ze wist dat ze dat later wel zou worden; ze had tenslotte meer respect voor zichzelf dan vrouwen die ervan uitgingen dat het nu eenmaal bij het vrouw-zijn hoorde om te worden belaagd. Maar ook al trilde haar lichaam ervan, haar geest probeerde de reden te doorgronden voor wat er was gebeurd. 'Ik snap het niet,' jammerde ze. 'Ik dacht dat hij een ander soort vijand was.'

'Moge Allah hem straffen, maar hij zou jou volgens mij niets hebben aangedaan,' zei Mansur.

'Waar heb je het over? Hij heeft me wél iets aangedaan. Hij probeerde me te verkrachten.'

'Ik denk niet dat hij daartoe in staat is,' zei Mansur. Door hoe hij er zelf aan toe was was hij in staat dat soort dingen goed te beoordelen; hij vond de seksualiteit van zogeheten 'normale' mannen interessant. Hoewel hij gecastreerd was en geen kinderen kon verwekken, kon hijzelf nog steeds de liefde bedrijven met een vrouw, en hij had ontzettend te doen met mensen die daar niet toe in staat waren.

'Volgens mij mankeerde er bij hem niks aan.' Snikkend bleef Adelia staan om wat sneeuw op te scheppen, waarmee ze over haar gezicht wreef. 'Waarom stel je je zo mild op?'

'Hij wil wel, maar hij kan niet. Denk ik. Hij lijkt me een prater, geen doener.'

Was dat het? Onvermogen? Te midden van alle vuiligheid had hij een wanhopig verlangen getoond naar liefde, seks – iets.

Rowley had over hem gezegd: *Een boef. Slim. Het oor van de paus.*

En met al zijn slimheid moest deze vriend van de paus wanneer hij dronken was smeken om de blik van een verachte vrouw als een kind dat hunkert naar het speelgoed van een ander.

Omdat zíj hém verachtte?

En dat doe ik ook, dacht ze. Als er al sprake was van kwetsbaarheid, stond de abt haar daarom des te meer tegen. Adelia zag haar vijanden het liefst rechttoe, rechtaan en onverdeeld zonder enige menselijkheid.

'Ik haat hem,' zei ze – en nú was ze kwaad. 'Mansur, ik ga die man te gronde richten.'

De Arabier boog zijn hoofd. 'Laten we hopen dat dat Allahs wil is.'

'Dat is 'm geraden.'

Woede louterde de geest. Maar toen Mansur Gyltha maande ermee op te houden hem te kussen en te gaan slapen, waste Adelia zich niettemin van top tot teen in een kom ijzig water uit de lampetkan. En daar knapte ze van op.

'Ik richt hem te gronde,' zei ze weer. 'Zeker weten.'

Heel even – omdat de kou langer niet toestond – opende ze een van de luiken om naar de geometrische schaduwen te kijken die de hoge daken van de abdij op het stuk sneeuw naast de muren wierpen.

Op de plek waar een nieuw pad was uitgegraven naar de rivier liep een zwarte geul als een litteken over de maanverlichte witheid. Ze waren nu verbonden, de abdij en de Theems; voor het eerst was er een ontsnappingsroute uit deze ziedende, overvolle kookpot van mensen waar toonbeelden van moed en monsters in een verstikkend treffen hun ultieme maar nimmer eindigende strijd leverden.

Eén sterveling had die weg tenminste bewandeld. Ergens in die metalige wildernis zette Dakers haar leven op het spel. Niet, zo wist Adelia, om aan haar gevangennemers te ontkomen, maar om naar datgene toe te gaan waar ze van hield, ook al was het dood.

12

oen Adelia de volgende ochtend vroeg op St. Stephen's Day de luiken opende, merkte ze op dat er iets aan het uitzicht vanuit het gastenverblijf was veranderd. Ja, natuurlijk, er leidde een nieuw pad naar de oever – ze hadden er grove treden in uitgehouwen –, maar het was nog iets anders: het gevoel van isolement was weg en had plaatsgemaakt voor verwachting.

Het was moeilijk te zeggen waarom; de vroege ochtend zegende het verlaten platteland met zijn gebruikelijke kortstondige oranjeroze kleuren. De sneeuw was nog net zo massief als eerst en zo ver het oog reikte waren er geen menselijke voetstappen op te zien.

Toch was het witte bos aan de overkant van de rivier op de een of andere manier minder star...

'Ze zijn er!'

Mansur kwam bij haar aan het raam staan. 'Ik zie niets.'

'Ik dacht dat ik iets tussen die bomen zag.'

Ze bleven staan kijken. Adelia's opwinding sijpelde weg; ze voelde de verwachting vanbinnen, maar zag er in het uitzicht niets van terug.

'Wolven waarschijnlijk,' zei Gyltha, die zich achter in de kamer ophield en het licht vermeed. 'Ik heb ze vannacht gehoord, ze waren akelig dichtbij.'

'Was dat toen je moest overgeven in de kamerpot?' informeerde Adelia.

Gyltha negeerde haar. 'Ze stonden onder aan de muren. Ze zullen het paard van de jonge Talbot in de bossen wel gevonden hebben.'

Adelia had ze niet gehoord – de dieren die door háár dromen hadden gebanjerd waren beren. Maar waarschijnlijk had Gyltha gelijk; het zouden wel wolven zijn daar tussen de bomen – minder angstaanjagend dan die binnen de muren.

Maar de hoop dat Rowley nog in leven was en met de koning en zijn mannen naar hen toe kwam sloeg in zo'n golf door haar heen dat ze die niet zomaar kon opgeven. 'Het zóú kunnen zijn dat zich daar een leger

276

schuilhoudt,' zei ze. 'Dat zou niet aanvallen zonder te weten hoe sterk de macht is die zich hier binnen bevindt; de zusters zou iets kunnen overkomen. Hij zou wachten, Hendrik zou wachten.'

'Waarop?' vroeg Mansur.

'Ja, waarop?' Gyltha mengde zich met opzet in het gesprek om te laten zien dat ze echt wel helemaal bij de tijd was. 'Hij heeft bepaald geen heel leger nodig om de boel hier in te nemen; de kleine Allie en ik zouden zelfs een stormaanval kunnen doen. En hoe zou de koning hier gekomen moeten zijn? Nee, die ouwe Wolfie weet dat hij veilig zit totdat het gaat dooien. Hij heeft niet eens wachters opgesteld.'

'Nu wel,' zei Mansur.

Adelia boog zich naar buiten. Gyltha deed hetzelfde. Vlak onder hen patrouilleerde een in het rood en zwart geklede wachter van Wolvercote over het pad tussen de hopeloos inadequate kantelen van de kloostermuur, waarbij zijn ochtendschaduw ritmisch op de kantelen viel waar hij langs kwam en bij elke insnijding weer verdween. Hij had een piek in zijn ene en een ratel in zijn andere hand.

'Waar bewaakt hij ons tegen?' vroeg Gyltha. 'Tegen eksters soms? Er ís daar buiten geen leger. In de winter wórdt er niet gevochten.'

'Hendrik vecht wel,' zei Adelia. Ze hoorde Rowleys stem, die trilde van het bijna ongelofelijke plezier waarmee hij had gesproken over de heldendaden van zijn koning, het verhaal vertellen van de jonge Plantagenet toen hij, strijdend voor zijn moeders recht op de troon van Engeland tegen zijn oom Stephen, in een bittere kerststorm het Kanaal was overgestoken met een klein leger, zijn vijanden in winterslaap had aangetroffen en hen had overmeesterd.

Tot nu toe had Wolvercote erop vertrouwd dat de Engelse winter zijn vijand net zozeer in zijn bewegingen belemmerde als hijzelf daardoor werd belemmerd. Maar of het nu kwam door het navelstrengpad door de sneeuw dat het klooster nu met de buitenwereld verbond, of door iets wat vandaag, op St. Stephen's Day, in de lucht hing, hij had een bewaker neergezet...

'Hij is bang.' Adelia's eigen stem trilde ook. 'Hij denkt dat Hendrik eraan komt. En dat zou ook kunnen, Mansur, de koning zóu eraan kunnen komen – zijn mannen zouden de rivier op kunnen schaatsen hiernaartoe.' Ze bedacht nog iets anders. 'Ik neem aan dat Wolvercote zijn mannen zelfs naar Oxford zou kunnen laten schaatsen om zich aan te sluiten bij de andere rebellen. Waarom heeft hij dat niet gedaan?'

'Die Schwyz heeft het overwogen. Hij is van hen tweeën de beste tacticus,' zei Mansur. 'Hij vroeg Fitchet of het kans van slagen had. Maar verderop is de Theems dieper en zijn er meer schatplichtigen, het ijs is niet zo sterk en kan niet worden geriskeerd. Niemand kan langs die weg gaan of komen.' In een verontschuldigend gebaar omdat hij Adelia moest teleurstellen spreidde Mansur zijn handen. 'Plaatselijke kennis. Niemand verroert zich voordat de sneeuw smelt.'

'Doe die verre luiken eens dicht,' zei Gyltha. 'Wil je soms dat dit kind bevriest?' Opeens vriendelijk voegde ze eraan toe: 'Niemand in de buitenwereld weet dat we hier zijn, lieve kind.'

'De vrouw heeft gelijk,' zei Mansur.

Ze hebben de hoop opgegeven, dacht ze. Ze hebben er eindelijk vrede mee dat Rowley dood is. Godstow etterde als een onvermoede lymfeknoopzwelling in het witte vlees van de wereld, wachtend om zijn gif te verspreiden. Alleen de vogels die boven hun hoofd vlogen konden weten dat het de vlag voerde van een rebelse koningin – en vogels zouden dat aan niemand verklappen.

Maar vandaag vertelde de hoop Adelia tegen beter weten in dat er aan de andere kant van die luiken iets was... Er leidden in elk geval treden naar de rivier, en de rivier, hoe verraderlijk die ook was, leidde naar de buitenwereld. Het was zonnig, er hing iets ondefinieerbaars in de lucht.

Ze was te lang bang geweest, te lang belegerd geweest, te lang bedreigd geweest, overdag als een gijzelaar opgesloten in donkere kamers – dat gold voor hen allemaal. Toen ze gepraat en gelach hoorde, gaf ze de luiken een zet waardoor ze terugsloegen tegen de muur en boog zich naar buiten.

Verderop gingen de kloosterpoorten open en erbuiten verzamelde zich een menigte babbelende mannen en vrouwen. In hun midden bevond zich een slanke, elegante gestalte, gekleed in bont en met een pracht die opglansde in de zon.

'De koningin gaat uit schaatsen,' zei Adelia. Ze draaide zich om. 'En wij ook. Wij allemaal. Allie ook.'

En dat deden ze. St. Stephen's Day was tenslotte van oudsher de dag van de bedienden, die ze, aangezien ze niet naar huis konden naar hun dorpen, ter plekke aangenaam moesten zien door te brengen. Vanavond zou het hun voorrecht zijn hun eigen feestmaal te houden met de restjes van de vorige avond.

Bijna iedereen die in de abdij werkte tuimelde naar buiten het ijs op, sommigen zonder schaatsen, maar allemaal droegen ze de traditionele lemen doos waarmee ze uitnodigend onder de neus van de gasten rammelden.

Nadat ze haar bijdrage had gestort draaide Adelia zich om om haar dochtertje aangenaam bezig te houden door haar gordel aan het wiegje vast te maken en het kind daarin over het ijs te laten zwieren terwijl zij schaatste. Andere schaatsers waren op dezelfde manier degenen zonder schaatsen ter wille, zodat de brede vlakte van de Theems veranderde in een wirwar van sleetjes en plateaus, ademloos gedebiteerde grappen en roze wangen, waar een glimlachende koningin als een zwaan doorheen zeilde, met haar hovelingen verspreid achter haar aan.

Na de lauden voegden de nonnen zich bij hen, de jongere met opgewonden kreten en jaloers op priores Havis, die, terwijl ze er een hele ceremonie van maakte, hun allemaal toch mooi te snel af was.

Bij de oever werd een komfoor op het ijs gezet en er werd een stoel gebracht, zodat moeder Edyve in de warmte kon gaan zitten, samen met de ambulante gewonden die zuster Jennet uit de ziekenzaal had meegenomen. Hoeder, wiens pogingen om achter Adelia aan te krabbelen er telkens op uitdraaiden dat zijn poten links en rechts onder hem weggleden, gaf de strijd op en ging op een stuk tapijt onder de stoel van de abdis liggen mokken.

Adelia zag haar patiënt en schaatste naar hem toe, met het wiegje achter haar aan. 'Voel je je al wat beter?'

Poyns jonge gezicht straalde. 'Jawel, meesteres, van harte bedankt. En de abdis heeft een baantje voor me, als hulppoortwachter voor meester Fitchet. Aan de poort heb ik immers geen twee armen nodig.'

Adelia glimlachte naar hem terug. Wat een prettige abdij was dit.

'En bedank meester Man... Manum... Bedank de dokter van mij. Moge God en de heiligen hem zegenen.'

'Dat zal ik doen.'

Er werden tafels aangedragen, met restanten van het kerstmaal.

Terwijl ze op iemands zelfgemaakte slee op de andere oever zaten, waar Hoeder zich bij hen voegde, kauwden Adelia en Gyltha Allies eten voor haar en aten hun eigen maaltje op, het aanhoudende 'mer, mer' van het kind om weer op het ijs gezet te worden negerend.

'Ze bedoelt "meer",' zei Adelia trots. 'Dat is haar eerste woordje.'

'Het zijn haar eerste bevelen, zul je bedoelen,' zei Gyltha. 'Die kleine tiran.' Ze liet haar lamsbout over aan Hoeder, pakte de riem op en schaatste weg, met het wiegje in een spoor van ijsstof achter haar aan. Er stond een gestalte aan een van de ramen in het gastenverblijf van de mannen – ze dacht dat het meester Warin was.

Godzijdank was de abt nergens te bekennen; hij was haar net zo tegen gaan staan als omgekeerd moest hebben gegolden toen zij hem had afgewezen.

De brug was gesloten, maakte ze op uit het feit dat er dorpelingen uit Wolvercote samendromden aan de overkant en verlangend naar de pretmakers op het ijs keken. Anderen waren bezig een eigen pad naar de rivier te graven.

Achter haar, in het bos waarvan ze hoopte dat Hendrik Plantagenet en zijn leger zich er schuilhielden, kon ze de jongere mannen van het klooster horen roepen, terwijl ze, zonder zich druk te maken om eventuele wolven, de ondergroei afzochten op jacht naar een winterkoninkje – aan het lawaai dat ze maakten te horen troffen ze daar niets groters aan.

Ze keek achterom om hen tussen de bomen door te zien rennen, hun gezichten zwartgemaakt met roet, zoals het gebruik voorschreef. Waarom het nodig was om op St. Stephen's Day een winterkoninkje te vangen begreep ze niet goed; de Engelsen hielden er maar ondoorgrondelijke gewoonten op na. De meeste heidens. Ze wendde haar blik weer naar het tafereel op het ijs.

Bij de tafel met eten was Wolvercote in gesprek met Eleanora. Waar was Emma?

Adelia vroeg zich af wat de man ertoe had gebracht nu wel een wachter neer te zetten, terwijl hij eerst zo lang geen voorzorgsmaatregelen had genomen. Misschien voelde hij dezelfde waakzaamheid in de lucht hangen die haar zo'n kracht schonk – of misschien beschouwde hij het alleen maar als nog een manier om zijn macht te doen gelden. In beide gevallen was hij zowel dwaas als wreed – want wat had het voor zin de abdij te bewaken en, kennelijk, in gereedheid te brengen voor een belegering wanneer vrijwel alle bewoners buiten de muren ronddartelden, die allemaal het nieuws van zijn aanwezigheid aan zijn vijand zouden kunnen overbrengen?

Ze was er blij om – om de bevrijding. Als het niet had betekend dat ze haar eigen vlees en bloed zou moeten achterlaten, zou ze in de verleiding zijn gekomen zelf weg te schaatsen en op zoek te gaan naar Hendrik.

Maar Schwyz kwam net de abdijpoorten uit en aanschouwde de ordeloze vrolijkheid aan zijn voeten als een man die dingen beter georganiseerd kreeg. En verdorie, hij zóú ze ook beter organiseren. Hij daalde de treden af, naderde Wolvercote, schold hem de huid vol...

Binnen een paar minuten had hij zijn huurlingen aan beide uiteinden van de rivierbocht geposteerd. Nu kon niemand meer weg. Hij ging zelfs tekeer tegen Eleanora en wees naar de kloosterpoort. Zij schudde haar hoofd – ze amuseerde zich veel te goed – en schaatste van hem weg.

Ze zouden zo meteen naar binnen moeten; de zon zakte aan de hemel, zodat de helderheid en warmte waarvoor hij had gezorgd afnamen. Op het laatst kon je Eleanora's heldere stem moeder Edyve horen bedanken voor alle plezier. 'Heel verkwikkend...' Mensen maakten aanstalten de treden van het pad op te klimmen.

'Meesteres,' zei een kordate stem achter Adelia. Het was vader Paton.

Rowleys kleine secretaris zag er vreemd uit op schaatsen, maar hij wist zichzelf keurig in evenwicht te houden, zijn gehandschoende, inktbevlekte handen gekruist voor zijn borst alsof hij zichzelf tegen onwaardigheid wilde beschermen. 'Ik heb het,' zei hij.

Ze staarde hem aan. 'U hebt het gevonden? Niet te geloven... na al die tijd.' Ze moest zich herpakken. 'En is het hetzelfde?'

'Ja,' zei hij. 'Tot mijn spijt moet ik zeggen dat er een onmiskenbare gelijkenis bestaat met wat u me hebt gegeven.'

'Zou het standhouden voor de rechter?'

'Ja. Ze hebben allebei kenmerken die zelfs ongeletterden zouden herkennen. Ik heb het hier, ik heb ze allebei...' Hij begon de grote tas die aan zijn riem hing los te gespen.

Adelia hield hem tegen. 'Nee, nee, ik wil ze niet. Bewaart u ze maar, met mijn verklaring. Stop ze maar veilig weg tot het moment daar is – en in Jezus' naam, vertel niemand dat u ze hebt.'

Vader Paton kneep zijn lippen op elkaar. 'Ik heb mijn eigen verslag over deze kwestie geschreven, waarin ik degene die het aangaat uitleg dat ik heb gedaan wat ik heb gedaan omdat ik ervan overtuigd ben dat het de wil zou zijn van mijn meester, wijlen de bisschop van St. Albans.'

Het ijs warrelde op toen de boodschapper van de bisschop om hen heen cirkelde en glijdend tot stilstand kwam. Op Jacques' gezicht lag een blos van inspanning; hij was bijna knap te noemen, hoewel zijn bisschop de ingewikkelde buiging met veel handgedraai – echt Aquitaans – die hij voor Adelia maakte niet zou hebben gewaardeerd. 'Het is voor elkaar, meesteres. Met een beetje geluk treffen ze elkaar met de vespers in de kerk. U en deze heer zouden op tijd op jullie post moeten zijn.'

'Wat is dit voor onzin?' Vader Paton sloeg Jacques nauwelijks hoger aan dan Adelia.

'Jacques heeft twee uitnodigingen afgeleverd die ik heb geschreven, vader,' liet ze hem weten. 'We gaan luistervinkje spelen; we gaan bewijzen wie de dood van Talbot van Kidlington in scène heeft gezet.'

'Ik wil niets te maken hebben met al die veronderstelde moorden van u. Verwacht u van me dat ik ga afluisteren? Belachelijk, dat weiger ik.'

'We gaan erheen,' gaf Adelia de priester te verstaan. Ze kapte zijn protesten af. 'Ja, u gaat mee. We hebben een onafhankelijke getuige nodig. God in de hemel, vader, er is een jonge man ter dood gebracht.'

Er was een ruige gestalte met een nog ruigere stem naar hen toe gekomen. 'Ga naar binnen, jullie allemaal, en snel een beetje.' Cross had zijn armen wijd uitgespreid om hen drieën in de richting van de treetjes te drijven.

Vader Paton, die maar wat graag vertrok, schaatste weg.

'Ik zeg het niet nog een keer,' zei Cross. 'De baas zegt: "Naar binnen", dus ga verdorie naar binnen.'

Jacques gehoorzaamde. Adelia talmde.

'Kom op nou, juffer. Het wordt fris.' De huurling pakte haar niet onvriendelijk vast bij de arm. 'Kijk nou, u bibbert helemaal.'

'Ik wil niet naar binnen,' zei ze. De kloostermuren zouden haar weer samen met de moordenaar gevangenhouden; ze werd teruggesleept naar een kooi waarin een monster met bloed aan zijn kaken huisde.

'U kunt hier niet de hele nacht buiten blijven.' Terwijl hij haar meetrok over het ijs, riep Cross over zijn schouder naar de winterkoninkjesjagers tussen de bomen: 'Tijd om naar binnen te gaan, jongens!'

Toen ze bij de treetjes kwamen, moest hij Adelia omhoogsleuren als een beul die een gevangene de galg op leidt.

Achter hen kwam op de tegenoverliggende oever een groep mannen tevoorschijn die triomfantelijke kreten slaakten. Ze droegen een kooi die was gemaakt van gedraaide twijgen, met daarin een verschrikt fladderend winterkoninkje. Ze hadden kappen op en waren overdekt met sneeuw, en door hun zwarte gezichten waren ze onherkenbaar.

En als er, juichend en dollend met de rest, één man meer de kloosterpoort binnenging dan eruit was vertrokken, merkte niemand dat op.

Timmerlieden uit het klooster hadden houtplaten over de daksparren van de zijkapel van de kerk gelegd met de bedoeling het makkelijker te maken steunbalken die tekenen van rot vertoonden te verwijderen en te vervangen, zodat er een tijdelijke en gedeeltelijke kleine zoldering was ontstaan waarop de twee mensen die daar nu verstopt zaten wel konden horen, maar niet konden zien. Adelia en vader Paton waren, heel letterlijk, luistervinken.

Er was flink wat aandringen voor nodig geweest om de priester zover te krijgen dat hij met haar meeging tussen de daksparren; hij had geprotesteerd omdat het een list was, omdat er risico aan was verbonden, omdat het onwaardig was.

Adelia vond het ook niet leuk; zij pakte de dingen liever ook anders aan, en dit getuigde van willekeur en onwetenschappelijkheid. Erger nog: de angst die ze voelde doordat ze weer in de abdij was beroofde haar van haar energie, zodat ze het verdovende gevoel kreeg dat ze helemaal niets voorstelde.

Maar toen ze door de kapeldeur binnen waren gekomen, had een luchtvlaag de brandende kaarsen op het altaar van de Maagd doen flikkeren, waarvan er eentje door Emma was aangestoken voor Talbot van Kidlington. En dus had ze vader Paton op de huid gezeten, op zijn gevoel gespeeld en hem overgehaald. 'We hebben een verplichting tegenover de doden, vader.' Dat was de hoeksteen van haar overtuigingen, voor haar van even fundamenteel belang als de Athanasiaanse geloofsbelijdenis voor de westerse liturgie, en misschien had de priester de verdienste daarvan erkend, want hij was gestopt met argumenteren en de ladder op geklommen die Jacques voor hen had neergezet.

Nu hadden de vespers geluid, het zwakke gezang vanuit de kloostergang was gestopt. De kerk was leeg – vanaf het moment dat de huurlingen amok hadden gemaakt, hadden de nonnen de wake voor hun doden verplaatst naar hun eigen kapel. Ergens blafte een hond. Waarschijnlijk het mormel van Fitchet, een ruigharige verschrikking bij wiens nadering Hoeder, die niet bepaald bekendstond om zijn moed, op zijn rug op de grond ging liggen.

Ze bevonden zich te ver naar achteren op het vlierinkje om iets onder hen te kunnen zien; alleen een gloed van de kaarsen van het altaar in de eigenlijke kerk bereikte hen, zodat ze tenminste wel het tongewelf boven hen konden aanschouwen. Het gaf Adelia de indruk dat de priester en zij op de doften van een omgekeerde roeiboot zaten – oncomfortabel.

Felle kleine kraaltjes – de oogjes van de vleermuizen die aan de balken boven hen hingen – keken dreigend naar haar omlaag.

Het geluid van rennende pootjes deed vader Paton piepen: 'Ratten vind ik verschrikkelijk.'

'Stil nou,' zei ze tegen hem.

'Dit is dwaasheid.'

Misschien was het dat inderdaad, maar daar konden ze nu niets meer aan veranderen – Jacques had de ladder weggehaald en die teruggezet in de klokkentoren vlak naast hen, waar hij vandaan gekomen was, en had zelf een plaatsje gezocht in de schaduwen boven in de toren.

Er klikte een deurklink. De ongeoliede scharnieren van de zijdeur van de kapel protesteerden krakend. Iemand siste naar het lawaai. De deur ging dicht. Stilte.

Warin. Het zou de jurist zijn; Wolvercote zou niet sluipen zoals deze man sloop.

Adelia voelde een nieuwsgierige wanhoop. Het was één ding om te theoretiseren over de schuld van een man, maar iets heel anders om die te bevestigen. Ergens onder haar stond een wezen dat het enige familielid dat hij had had verraden, een jongen die aan zijn zorg was toevertrouwd, een jongen die hem had vertrouwd en zijn dood tegemoet was gestuurd.

Weer gekras van scharnieren, ditmaal begeleid door het gestamp van laarzen. Er werd een vibratie van energie voelbaar.

'Heb jij me dit gestuurd?' Wolvercotes stem klonk kwaad. Als meester Warin al protesteerde, konden de luisteraars hem niet verstaan, want Wolvercote ging zonder te pauzeren verder: 'Ja, dat heb je, hoerenzoon, pruttelende pot met pus, stinkend spuug, je moet niet meer van me vragen, misselijk mannetje...'

De tirade, waarvan de wonderlijke alliteratie verrassend was bij een spreker als deze, werd vergezeld van klappen, waarschijnlijk in meester Warins gezicht, die als zweepslagen tegen de muren echoden – bij elke klap sprong vader Paton op, zodat Adelia, die naast hem op de daksparren lag, met hem meeveerde.

De jurist bewaarde zijn kalmte, hoewel hij wel moest suizebollen. Hij riep: 'Kijk, kijk, my lord. In naam van Christus, kíjk.' De aanval werd gestaakt.

Hij laat zijn brief zien...

Afgezien van de vermelding van de tijd en plaats voor de voorgestelde ontmoeting was de boodschap die ze beide mannen had geschreven kort geweest: *We zijn ontdekt.*

Er viel een lange stilte, terwijl Wolvercote – geen man die vlot kon lezen – het briefje ontcijferde dat Warin was gestuurd. Snel zei de jurist: 'Het is een valstrik. Er is hier iemand.'

Er klonken gehaaste, zachte voetstappen terwijl Warin om zich heen zocht, het geluid van kasten die opengingen – een plof van knielkussentjes die op de grond vielen toen ze werden losgemaakt. 'Er moet hier iemand zijn.'

'Wie is hier? Wat voor valstrik?' Wolvercote bleef staan waar hij stond en riep Warin na terwijl de kleine man naar het schip van de kerk ging om daar ook te zoeken. 'Heb jíj me dit dan niet gestuurd?'

'Wat is daar boven?' Meester Warin was teruggekomen. 'We moeten daar boven kijken.'

Bij het vermoeden dat de ogen van de man door het hout heen priemden spande Adelia haar spieren. Vader Paton verroerde zich niet.

'Daar boven is niemand. Hoe zou je daarop moeten komen? Wat voor valstrik?'

'My lord, er is iemand op de hoogte.' Meester Warin was weer enigszins gekalmeerd. 'My lord, u had die boeven niet moeten ophangen. Dat zag er niet best uit. Ik had ze geld beloofd om het land te verlaten.'

Dus jíj hebt de moordenaars geregeld, dacht Adelia.

'Natuurlijk heb ik die honden opgehangen!' Wolvercote sprak nog steeds met stemverheffing. 'Wie kon zeggen of ze anders hun mond zouden houden? God vervloeke je, Warin, als dit een trucje is om meer betaald te krijgen...'

'Dat is het niet, my lord, hoewel de Heilige Maagd weet dat ik u een grote dienst heb bewezen.'

'Jazeker.' Wolvercotes toon was kalmer geworden, meer nadenkend. 'Ik begin me af te vragen waarom.'

'Dat heb ik u gezegd, my lord. Ik wilde niet dat u door iemand van mijn eigen familie onheus bejegend werd; toen ik hoorde wat de jongen van plan was –'

'En had je er zelf dan soms geen baat bij? Waarom ben je in vredesnaam hierheen gekomen? Wat bracht je ertoe naar de abdij te galopperen om te kijken of hij dood was?'

Ze liepen weg naar het schip van de kerk en hun stemmen veranderden in onverstaanbare uitwisselingen van vijandigheid en geklaag.

Na een hele poos kwamen ze terug; alleen voetstappen verraadden hun terugkeer. De deur ging met een schrapend geluid open en laarzen stampten er even hard doorheen als ze waren binnengekomen, en toen stierf het geluid weg.

Vader Paton ging verzitten, maar Adelia greep zijn arm vast en legde een vinger tegen haar lippen. 'Wacht.'

Opnieuw stilte. Een stil mannetje, die jurist.

Nu ging hij ervandoor. Ze wachtte tot ze de deurklink hoorde neergaan, waarna ze naar voren wriggelde om over de rand van de planken heen te kijken.

De kapel was verlaten.

'Respectabele mannen, een baron uit de streek – bruten, bruten!' Vader Patons afschuw was niet vrij van opwinding. 'De drost moet ervan weten, ik moet het opschrijven, ja, het opschrijven; ik ben getuige van samenzwering en moord; de drost zal een volledige verklaring eisen. Ja, ik ben een belangrijke getuige. Dat had ik niet gedacht: een baron uit de streek!'

Hij kon bijna niet wachten tot Jacques de ladder bracht. Nog terwijl hij die afdaalde vroeg hij de boodschapper al naar wat er in de kerk was gezegd.

Heel even bleef Adelia onbeweeglijk liggen waar ze lag. Het deed er niet toe wat er verder was gezegd; twee moordenaars hadden zichzelf door hun eigen uitlatingen veroordeeld, even zorgeloos als het leven dat ze hadden samengezworen te nemen alsof ze een grassprietje plukten.

O, Emma.

Ze dacht aan de pijl die zich in de borst van de jongeman had geboord, die het hart, dat wonderbaarlijke orgaan, had doen ophouden met kloppen; aan de onverschilligheid van de schutter die de pijl had afgeschoten in die oneindige complexiteit van aderen en spieren, even onverschillig als de neef die opdracht tot het afschieten had gegeven, als de heer die hem ervoor had betaald dat te doen.

Emma, Emma.

Vader Paton haastte zich weer naar de warme kamer; hij wilde meteen een verklaring opstellen.

Er stond een heldere, kille maan, dus een lantaarn was niet nodig. Terwijl Jacques met haar meeliep naar hun verblijf, vertelde hij haar wat hij in de kerk had weten op te vangen. Grotendeels was het een herhaling geweest van de uitwisselingen in de kapel. 'Tegen de tijd dat ze weggingen,' zei hij, 'hadden ze besloten dat er een streek met hen werd uitgehaald. Lord Wolvercote dacht dat toch al en verdenkt zijn huurlingen. Raadsman Warin was er nog steeds niet van bekomen en ik wil wedden dat hij het land verlaat als hij daar kans toe ziet.'

Onder aan de trap van het gastenverblijf namen ze afscheid.

Adelia, die hondsmoe was, sleepte zichzelf naar boven en nam de laatste helling voorzichtig, zoals steeds tegenwoordig, terwijl ze een gebeurtenis herleefde die zich niet had voltrokken maar waarbij ze voortdurend een wiegje over de rand zag tuimelen.

Ze bleef staan. De deur stond op een kier en binnen was het donker. Zelfs als haar bescheiden huishouding was gaan slapen, werd er altijd een brandende kaars voor haar neergezet – en nooit werd de deur opengelaten.

Ze werd gerustgesteld doordat Hoeder haar kwam begroeten, waarbij er door zijn energiek kwispelende staart meer geur vrijkwam dan anders. Ze ging naar binnen.

De deur werd achter haar dichtgedaan. Een arm werd om haar borst geslagen, een hand klemde zich over haar mond. 'Rustig maar,' fluisterde iemand. 'Raad eens wie er is?'

Ze hoefde niet te raden. Verwoed worstelde ze in de armen die haar gevangenhielden, totdat ze de man in zijn gezicht kon kijken, de enige man.

'Ellendeling,' zei ze. 'Bastaard.'

'In zekere zin is dat waar,' zei hij, haar oppakkend. Hij gooide haar neer op het dichtstbijzijnde bed en ging boven op haar liggen. 'Maar mijn vader en moeder zijn uiteindelijk met elkaar getrouwd. Ik weet het nog precies, want ik was erbij.'

Er was geen tijd om te lachen – hoewel ze dat met zijn mond op de hare gedrukt wel deed.

Niet dood, maar verrukkelijk levend; hij rook zó goed, hij was zó goed, álles was nu goed omdat hij er was; hij roerde haar tot in het diepst van haar ziel en helemaal diep tot in haar ingewanden, die vloeibaar werden bij zijn aanraking. Ze had te lang drooggestaan.

Hun lichamen, die pompten als enorme vleugels, voerden hen hoger en hoger de cataclysmische lucht in en vouwden zich toen in elkaar in de lange, pulserende val naar een laag rolbed in een donkere, koude kamer.

Toen de aarde stopte met draaien en weer stilstond, maakte ze zich onder hem vandaan los en ging overeind zitten.

'Ik wist wel dat je in de buurt was,' zei ze. 'Op de een of andere manier wist ik het.'

Hij gromde.

Ze had energie gekregen, alsof een wonderbaarlijke ingieting haar lichaam weer tot leven had gewekt. Ze vroeg zich af of er een andere baby van zou komen, en die gedachte maakte haar blij.

Over haar minnaar was de loomheid van na de gemeenschap neergedaald. Ze prikte met een vinger in zijn rug. 'Waar is Allie? Waar zijn Gyltha en Mansur?'

'Die heb ik naar de keukens gestuurd, de bedienden houden een feestje.' Hij slaakte een zucht. 'Dat had ik niet moeten doen.'

Ze stond op om naar hem te kunnen kijken en stommelde naar de tafel, tastte rond, nam wat tondel tussen haar vingers uit de doos, maakte vuur met een vuursteen en stak een kaars aan.

Hij was mager, gelukkig, maar knap. Met die broek – die nu op zijn enkels hing – zag hij eruit als een boer, zijn gezicht vol vegen van iets wat eruitzag als boombast.

'Een winterkoninkjesjager,' zei ze blij. 'Je bent binnengekomen met de winterkoninkjesjagers. Is Hendrik er ook?'

'Ik moest toch op de een of andere manier binnen zien te komen. Godzijdank is het St. Stephen's Day, want anders had ik over die rotmuur moeten klimmen.'

'Hoe wist je dat we in Godstow zouden zijn?'

'Nu de rivier bevroren is? Waar zouden jullie anders kunnen zijn?'

Hij reageerde niet zoals ze graag had gezien. 'We hadden wel dood kunnen zijn,' bracht ze hem onder de aandacht. 'En dat waren we ook bijna geweest.'

Hij ging rechtop zitten. 'Ik zat in de bomen,' zei hij. 'Ik heb je zien schaatsen. Heel elegant, een beetje wankel in de bochten misschien... Goeie hemel, ze is wel een gezonde baby, hè?'

Onze baby, dacht Adelia. Ze is ónze gezonde baby.

Ze gaf hem een kneepje in zijn schouder, niet zomaar speels. 'Verdorie, Rowley. Ik zat in de rats, ik dacht dat je dood was.'

'Dat stuk van de Theems ken ik goed,' zei hij. 'Daarom ben ik ook uitgestapt. Het is van Hendrik, het maakt deel uit van het Woodstockbos; vlakbij woont een opzichter – ik heb zijn kind voor hem gedoopt.

Ik ben naar zijn cottage gegaan; dat viel niet mee, maar ik wist er te komen.' Plotseling ging hij rechtop zitten. 'En, hoe gaat het hier allemaal?'

'Rowley, ik heb me grote zorgen gemaakt.'

'Dat had niet gehoeven. De opzichter heeft me naar Oxford gebracht – we hebben sneeuwschoenen gebruikt. Het stierf daar van de rebellen, elke hork die had gevochten voor Stephen en zich voor zijn zaak had ingezet had de wapens opgepakt en liet de banier van Eleanora of de vlag van Hendrik wapperen. We moesten om de stad heen trekken en in plaats daarvan naar Wallingford gaan. Wallingford is altijd nogal koningsgezind. De FitzCounts hebben het tijdens de oorlog voor de keizerin verdedigd. Ik wist dat de koning daar het eerst heen zou gaan.' Met de rug van zijn hand veegde hij over zijn voorhoofd. 'Moge Jezus me redden, maar het viel niet mee.'

'Dat is je verdiende loon,' zei ze. 'Heb je de koning daar gevonden? Is hij hier?'

'Je kunt beter zeggen dat hij mij heeft gevonden. Ik lag in Wallingford in bed met een verkoudheid, ik legde bijna het loodje. Een dokter, dáár zat ik om verlegen.'

'Het spijt me wel dat ik niet voor je heb kunnen zorgen,' zei ze bijtend.

'Tja, maar vanuit mijn bed kon ik tenminste de rivier in de gaten houden. En op een gegeven moment was hij er, met een hele vloot bij zich.' Verbaasd schudde Rowley zijn hoofd. 'Hij was in Touraine toen hij het nieuws over Rosamunde hoorde, om de opstand van de Jonge Hendrik neer te slaan. Moge God die jongen straffen; hij staat nu samen met Lodewijk van Frankrijk op tegen zijn bloedeigen vader. Lodewijk, nota bene!' Rowley bracht vol ongeloof zijn vuisten naar zijn slapen. 'We wisten allemaal wel dat hij niet wijs was, maar wie had ooit kunnen denken dat dat verraderlijke joch de grootste vijand van zijn vader om hulp zou vragen?'

Hij boog zich naar voren. 'En Eleanora had hem daartoe aangespoord. Wist je dat? Dat hoorden we van onze spionnen. Ze zette hun zoon tegen zijn vader op.'

'Het laat me koud,' liet ze hem weten. 'Het kan me niet schelen wat zij doen. Wat gebeurt er nú?'

Maar ze kon hem niet uit de sfeer halen waar hij in zat; zijn gedachten waren nog steeds bij Hendrik Plantagenet, die in Touraine twee kastelen op de aanhangers van de jonge koning had buitgemaakt voordat hij met een klein leger in de zwaarste winter sinds jaren koers zette naar Engeland.

'Hoe hij het voor elkaar heeft gekregen zou ik niet kunnen zeggen. Maar daar kwam hij de Theems op, met botenvol mannen achter zich aan. Had ik al gezegd dat híj roeide? De bemanning van de sloep ging niet snel genoeg naar zijn zin, en hij begon zelf als een piraat aan een roeiriem te sjorren en de hele boel stijf te vloeken.'

'Waar is hij nu?'

'Onderweg.' Er viel een stilte. 'Hij wil jou zien.'

'O ja?'

'Hij heeft mij erop uitgestuurd om je te gaan halen. Hij wil weten of Eleonora de hand heeft gehad in Rosamundes dood. Ik heb tegen hem gezegd dat jij hem daar wel uitsluitsel over zou kunnen geven.'

'Goeie god,' zei Adelia. 'Ben je daarom hier?'

'Ik zou toch wel zijn gekomen. Ik was er niet gerust op om je alleen te laten... maar ik had kunnen weten dat je redelijk veilig was.' Hij hield zijn hoofd schuin en zoog lucht tussen zijn tanden door alsof hij bewondering had voor haar overleversmentaliteit. 'God heeft je in Zijn hand gehouden. Dat had ik Hem ook gevraagd.'

'Redelijk veilig?!' Het klonk als een schreeuw. 'Je hebt me in een open boot laten doodvriezen.' Hij moest haar sussen. Op kalmere toon ging ze verder: 'Het is maar wat je veilig noemt. We zijn opgesloten met moordenaars – je dochter, wij allemaal. Er hebben hier moorden plaatsgevonden, verraad... Weken, wékenlang heb ik mijn hart vastgehouden – voor Allie, voor ons allemaal... Weken.' Met haar vuisten boende ze de tranen van haar wangen.

'Het waren tien dagen,' zei hij vriendelijk. 'Ik ben tien dagen geleden bij je weggegaan.' Hij was opgestaan, trok zijn broek op en fatsoeneerde zijn hemd. 'Kleed je aan, dan gaan we.'

'Waarnaartoe?'

'Naar Hendrik. Zoals ik al zei: hij wil je zien.'

'Zonder Allie? Zonder Gyltha en Mansur?'

'Die kunnen we niet goed meenemen; ik heb een pad door de sneeuw gevonden, maar zelfs te paard kom je daar moeilijk overheen, en ik heb er maar twee meegebracht.'

'Nee.'

'Jawel.' Hij slaakte een zucht. 'Hier was ik al bang voor. Ik heb de koning gewaarschuwd. "Zonder haar kind komt ze niet," zei ik.' Zoals hij het zei, klonk het als nukkigheid.

Ze had er genoeg van. 'Ga je het me nog vertellen? Waar is Hendrik?'

'In Oxford. Tenminste, daar zou hij naartoe gaan.'

'Waarom is hij niet hier?'

'Luister eens,' begon hij uiteen te zetten. 'Godstow is maar bijzaak. Oxford is waar het echt om gaat. Hendrik stuurt de jonge Geoffrey Fitzroy met een kleine strijdmacht hiernaartoe, meer zal er niet voor nodig zijn – Mansur zegt dat Wolvercote en Schwyz ook wat mannen hebben. Hendrik komt niet zelf...' Ze zag de flits van een grijns. 'Ik geloof niet dat onze bovenstebeste koning zichzelf genoeg vertrouwt om Eleanora in levenden lijve te ontmoeten; hij mocht haar eens aan zijn lans rijgen. Het is trouwens een tikkeltje gênant om je eigen vrouw te arresteren.'

'Wanneer? Wanneer komt die Geoffrey?'

'Morgen. Dat wil zeggen, als het mij lukt terug te gaan, zodat ik hem de weg kan wijzen en hem kan vertellen wie hier waar staat, zodat hij niet de verkeerde mensen ombrengt.'

Hij gaat het echt doen, dacht ze. Hij baant zich een weg terug door dit vreselijke platteland, nijdig omdat ik onze dochter niet wil achterlaten, maar in de overtuiging dat haar en mij niet zo snel iets zal overkomen. Hij is een toonbeeld van mannelijkheid en dapperheid, net als die stomme koning van hem, en we begrijpen helemaal niets van elkaar.

Maar ach, dacht ze, hij is wie hij is, en ik hou van hem.

Toch groeide er een kilte in haar binnenste; hij had een nieuwe vreemdheid over zich gekregen. Ze had gedacht dat de oude Rowley terug was – en heel even, op glorieuze wijze, was dat ook zo geweest –, maar er zat een beperking aan: hij praatte nog steeds op de onbekommerde toon die ze zich herinnerde, maar daarbij keek hij haar niet aan. Hij had een hand uitgestoken om de tranen van haar gezicht te vegen, en hem toen weer teruggetrokken.

Het moedigde haar aan te vragen: 'Hou je van me?'

'Te veel, God helpe me,' zei hij. 'Veel meer dan goed is voor mijn ziel. Ik had het niet moeten doen.'

'Wat niet?'

'Moge de Almachtige God me vergeven. Ik heb beloofd... Ik heb een eed gezworen dat als Hij zou zorgen dat je veilig was, ik me van jou zou onthouden en je niet weer tot zonde zou verleiden. Maar toen ik je aanraakte, ging het mis. Ik verlang te erg naar je. Toen ik je voelde, was dat... te veel.'

'Wát ben ik? Iets om op te geven voor de vasten?'

'Zoiets ja.' Zijn stem had een afgemeten klank gekregen, als die van een bisschop. 'Lieve schat, elke zondag moet ik wel in de een of andere kerk een preek houden tegen ontucht, en dan hoor ik God door mijn eigen aansporingen heen fluisteren: "Je bent schijnheilig, je begeert haar, jij bent verdoemd en zij is verdoemd."'

'Voor schijnheiligheid is veel te zeggen,' zei ze mat. Ze begon haar kleren aan te trekken.

'Je moet het begrijpen. Ik kan niet toelaten dat jij wordt gestraft voor mijn zonde. Ik heb je aan God toevertrouwd. Ik heb met Hem afgesproken: als zij veilig is, Heer, dan ben ik in alles Uw dienaar. Om het te bezegelen heb ik een eed gezworen in aanwezigheid van de koning.' Hij slaakte een zucht. 'En moet je nu kijken wat een zootje ik ervan maak.'

Ze zei: 'Mij kan het niet schelen of het zondig is.'

'Mij wel,' zei hij ongemakkelijk. 'Ik had met je willen trouwen, maar jij wilde je zelfstandigheid niet opgeven. Dus kreeg Hendrik zijn bisschop. Maar een bisschop, snap je, is hoeder van de ziel van andere mensen... Zijn eigen ziel, de jouwe...' Nu keek hij haar aan. 'Adelia, het doet er wél toe. Ik dacht dat het niet zo zou zijn, maar het is wel zo. Maar achter al die praal en al die koren – je zou het niet geloven zoveel als er wordt gezongen – fluistert nog steeds een klein stemmetje. Zeg alsjeblieft dat je het begrijpt.'

Dat deed ze niet. In een wereld vol haat en moord kon ze een God die liefde als een zonde beschouwde niet begrijpen. En ook een man die aan zo'n godheid gehoorzaamde niet.

Hij hief zijn hand op alsof hij haar wilde bekruisen. Ze gaf er een klap tegen. 'Heb het lef niet,' zei ze. 'Heb het lef niet om mij te zegenen.'

'Goed dan. Maar luister wel naar me. Als Geoffrey aanvalt – voordát hij aanvalt – ga jij naar de kruisgang; hij zal zorgen dat daar niet gevochten wordt. Neem Allie en de anderen met je mee. Ik heb Walt gezegd dat hij moet zorgen dat jullie daar veilig aankomen... "Ze is belangrijk voor de koning," heb ik gezegd.'

Adelia luisterde niet naar hem. Ze had nooit op gekund tegen Hendrik Plantagenet, dus God zou ze al helemaal niet kunnen overtreffen. Het was tenslotte winter. In zekere zin zou dat voor haar nu altijd zo blijven.

Als een vishaak die in haar gedachten stak leidde iets haar aandacht af van haar wanhoop. Ze zei: 'Heb je er met Walt over gesproken?'

'Mansur was hem gaan halen terwijl ik wachtte – waar zat je trouwens?'

'Je hebt Walt op de hoogte gebracht,' zei ze weer.

'En Oswald. Zij wisten niet waar Jacques was, of Paton, maar ik zei ze dat ze het door moesten geven. Ik wil dat al mijn mannen klaarstaan; ze zullen naar de poorten moeten gaan en die open moeten maken voor Geoffrey.'

'Allejezus,' zei ze.

Hoeder gromde zachtjes.

Toen ze naar de deur liep, struikelde ze bijna en sloeg ze ertegenaan. Ze schoof de grendel ervoor en legde vervolgens haar oor tegen het hout te luisteren. Lang hadden ze niet – de tijd die hun beiden al was toebemeten was louter aan Gods goedertierenheid te danken. 'Hoe wilde je ons naar buiten krijgen?'

'De poortwachter wat zilver in de hand drukken. Wat hoor je?'

'Sst.'

Ze hoorde het geluid van rennende laarzen door de sneeuwbrij in de steeg. 'Ze komen je halen. O god. O god!'

'Raam,' zei hij. Hij beende de kamer door en rukte de luiken open, zodat het maanlicht de kamer binnenstroomde.

Raam, ja.

Ze trokken de dekens van het bed en knoopten ze aan elkaar. Toen ze de sliert uit het raam gooiden, werd de deur belaagd. 'Open! Doe open!' Hoeder wierp zich er blaffend tegenaan.

Rowley bond het touw van dekens om de verticale raamstijl en trok eraan om het te testen. 'Na u, meesteres.'

Ze zou zich altijd zijn beleefde handgebaar blijven herinneren, als een uitnodiging voor een dans. 'Ik kan het niet,' zei ze. 'Mij doen ze niks. Het gaat om jou.'

Hij wierp een blik naar omlaag en keek haar toen weer aan. 'Ik móét gaan. Ik moet ze naar binnen leiden.'

'Dat weet ik.' De deur begon door te buigen; hij was niet al te stevig en kon het elk moment begeven. 'Doe dat dan,' fluisterde ze hem dringend toe.

Hij grijnsde, haalde een kromzwaard van zijn riem en overhandigde het haar. 'Ik zie je morgen.'

Toen hij bij de borstwering kwam, probeerde ze de knop rond de raamstijl los te maken en vervolgens, omdat die te strak zat, begon ze hem door te zagen met het zwaard, waarbij ze telkens opkeek. Ze zag hem naar de dichtstbijzijnde insnijding gaan en met wapperende mantel een sprong maken. De diepe sneeuw zou voor een zachte landing zorgen. Maar zou hij bij de treden kunnen komen?

Daar kwam hij. Toen de deur achter haar versplinterde en er uit Hoeders keel een ijselijke kreet klonk, zag ze haar man als een jongetje over het ijs glijden.

Ze werd opzijgeduwd. Schwyz brulde: 'Daar gaat hij. De overkant. Loso. Johannes.'

Twee mannen sprongen naar de deur. Een derde nam Schwyz' plaats in aan het raam en begon verwoed een kruisboog te spannen, zijn voet in de beugel. Hij richtte, schoot. 'Ach, *scheiss.*' Hij keek naar Schwyz. '*Nein.*'

Adelia sloot haar ogen en deed ze toen weer open. Er klonken nog meer voetstappen op de overloop buiten.

Een reusachtige gestalte boog zijn hoofd door de deur naar binnen en keek bedaard om zich heen. 'Misschien zou het beter zijn als we meesteres Adelia van haar dolk verlosten.'

Die zou ze toch niet tegen een menselijk wezen in stelling hebben gebracht. Ze gaf hem over, met het heft naar voren, aan de abt van Eynsham, die de brieven die Rosamunde moest kopiëren en naar de koningin moest sturen had opgesteld, en haar daarna had laten vermoorden.

Hij bedankte haar en ze liet zich op haar knieën zakken om zich om Hoeder te bekommeren, die onder een van de bedden was gekropen. Terwijl ze de rib betastte waar tegenaan was geschopt en die was gebroken, keek hij haar met zelfmedelijden in zijn ogen aan. Ze beklopte zijn lijf. 'Je redt het wel,' zei ze. 'Brave hond. Blijf maar hier.'

Beleefd hield de abt haar mantel voor haar op terwijl zij die aantrok, en toen werden haar handen achter haar rug vastgebonden en werd ze gekneveld.

Ze brachten haar naar het huisje van de poortwachter.

Er was verder niemand te zien; de abdij had zich ter ruste gelegd. Zelfs als ze in staat zou zijn geweest om om hulp te roepen, zou niemand aan deze kant van het klooster haar hebben gehoord – of als dat wel zo was haar te hulp gekomen zijn. Meester en meesteres Bloat stonden niet aan haar kant; raadsman Warin zeer zeker ook niet. Van Wolvercotes mannen was geen spoor te bekennen, maar die zouden haar al evenmin hebben geholpen.

De grote poorten stonden open, maar alle activiteit was geconcentreerd in de kamer achter de ingang, waar de mannen van Schwyz heen en weer renden. Ze duwden Adelia naar binnen. Fitchet lag dood op de vloer, gekeeld. Vader Paton lag naast hem en spoog een paar van zijn tanden uit.

Ze liet zich op haar knieën naast de priester neerzakken. Onder zijn blauwe plekken stond zijn gezicht verontwaardigd. 'Ze ble-e maa op me inslaan,' zei hij. 'Bieven mee'nomen.' Hij deed beter zijn best: 'Ze hebben de brieven meegenomen.'

Mannen waren bezig kappen en mantels vast te maken, wapens in bundels bij elkaar te graaien, Fitchets voorraadkast te plunderen en een paar verschrikte kippen in een krat te stoppen.

'Bezat onze waarde poortwachter iets als wijn?' vroeg de abt. 'Nee? Acharme, en ik heb nog wel zo'n bloedhekel aan bier.' Hij ging op een kruk de drukte aan zitten kijken, friemelend aan het enorme kruis op zijn borst.

De twee huurlingen die Rowley achterna hadden gezeten kwamen hijgend binnenvallen. 'Hij had paarden.'

'*Siech*. Dan is er niets aan te doen. We gaan.' Schwyz pakte de boei om Adelia's handen vast en trok haar overeind met een opwaartse ruk waarvan haar schouders bijna uit de kom schoten. Hij sleepte haar naar de abt. 'We hebben haar niet nodig, laat mij die slet doden.'

'Schwyz. Mijn beste, brave Schwyz.' Eynsham schudde zijn grote hoofd. 'Kennelijk is het aan je aandacht ontsnapt dat meesteres Adelia momenteel het meest waardevolle is wat er in het klooster te vinden is, want de koning wil haar zo graag zien dat hij een bisschop heeft gestuurd om haar te gaan halen – het staat nog te bezien of dat is om haar seksuele kunsten of vanwege de informatie die ze misschien bezit. Ze is onze troefkaart, mijn beste, de gouden appel van Atalanta die we misschien achter ons moeten neergooien om onze achtervolgers te vertragen...' Hij dacht even na. 'We zouden de koning zelfs kunnen verzoenen door haar aan hem terug te geven, mocht hij ons inhalen. Ja... dat is een mogelijkheid.'

Schwyz had hier geen tijd voor. 'Nemen we haar mee of niet.'

'We nemen haar mee.'

'En de priester?'

'Nou, wat hem betreft vrees ik dat we minder vergevingsgezind moeten zijn. Het komt heel ongelukkig uit dat meester Paton de brieven bezit. Hij beschikt over bewijsmateriaal waarvan ik niet graag zou willen dat de koning of de koningin ervan hoorde, gesteld al dat hij er uiting aan kon geven, wat –'

'Allejezus, moet ik hem koudmaken?'

'Dat moet je.'

'Nnnnn.' Adelia stortte zich naar voren. Schwyz trok haar weer naar achteren.

'Ik weet het. Ik weet het.' De abt knikte. 'Dit soort dingen zijn heel vervelend, maar ik wil niet in de achting van de koningin dalen, en ik vrees dat ons vadertje Paton daar wel voor zou kunnen zorgen. Heb je hem mijn tekst gegeven waar die lieve Rosamunde haar brieven op baseerde? Natuurlijk heb je dat gedaan. Wat ben je toch een ondernemend mannetje.'

Hij praatte maar door. Hij had de priester ter dood veroordeeld en geamuseerd hing hij een heel verhaal op.

'Aangezien ik bij onze gezegende Eleanora in hoog aanzien sta, zou het – hoe moet je dat noemen? – ongelégen komen als ze zou weten dat ik de prikkel was die haar aanzette tot grotere opstandigheid. Gezien mijn desertie zou ze Hendrik op de hoogte kunnen brengen. In plaats daarvan zal ze ervan in kennis worden gesteld dat er een moordzuchtige indringer in de abdij rondloopt, en dat wij, de bovenstebeste Schwyz en ik, dapper achter hem aan zitten om hem tegen te houden voordat hij de gelederen van de koning bereikt. In werkelijkheid laten we de vrouwe natuurlijk over aan haar onvermijdelijke lot; de sneeuw is ons te machtig gebleken, de beminndelijke lord Wolvercote te klein... Zoals meester Schwyz op zijn eigen botte manier over die man zegt: hij zou tegen een zak stront nog niets kunnen uitrichten.'

Schwyz had haar losgelaten en stapte op vader Paton af.

Adelia sloot haar ogen. God, ik smeek U.

Een jammerkreet van vader Paton, een hete geur. Een fluistering, alsof zelfs dit gezelschap onder de indruk was van de overgang van een ziel naar zijn Schepper.

Toen zei er iemand iets, en iemand anders moest lachen. Mannen begonnen bundels en kratten het huis uit naar de rivier te dragen.

De abt legde zijn vinger onder Adelia's kin en hief haar hoofd omhoog. 'Jij interesseert me, mevrouwtje, dat heb je altijd al gedaan; hoe

kan een sloerie uit het buitenland zoals jij niet alleen de aandacht af-
dwingen van een bisschop, maar ook van een koning? En dat, vergeef
me dat ik het zeg, zonder dat je met ook maar enige charme bent gezegend?'

Terwijl ze haar ogen gesloten hield, rukte ze zich los, maar hij greep
haar gezicht vast en draaide het heen en weer. 'Bevredig je hen allebei?
Tegelijkertijd? Hou je van triootjes? Ben je goed in *lit à trois*? Een pik
van voren en eentje van achteren? In je kont en *pudendum muliebre*?
Wat mijn vader op zijn eigen elegante wijze standje kont-buik noemde?'

Hij weet van geen ophouden, dacht ze.

Ze keek hem recht in de ogen. Grote god, hij is nog maagd. Hoe ze
dat zo zeker wist kon ze niet uitleggen, maar ze wist het ineens heel zeker.

Het gezicht boven het hare veranderde in een angstig, smekend
kwetsbaar iets – ken mij niet, ken mij niet – voordat hij het trompe-
l'oeil weer aannam dat de abt van Eynsham was.

Schwyz had tegen hen allebei staan schreeuwen; nu kwam hij naar
hen toe en trok Adelia overeind. 'Ze kan zich maar beter gedeisd houden,' zei hij. 'We hebben onze handen al vol.'

'Ik weet zeker dat ze zich gedeisd houdt.' De abt schonk Adelia een
glimlach. 'We zouden als je wilt iemand naar de keuken kunnen sturen voor de baby en die met ons meenemen, maar of die de reis zou
overleven...'

Ze schudde haar hoofd.

Eynsham gebaarde, nog steeds met een glimlach op zijn gezicht, naar
de deur. 'Na u, meesteres.'

Ze stapte erdoorheen en liep de bevroren treetjes af, als een lam naar
de slachtbank.

13

e maan was een stukje opgeschoven naar het westen, zodat de twee in mantels gehulde huurlingen lange, scherpe schaduwen op het ijs wierpen terwijl ze een grote slee optastten met pakketten die de anderen naar beneden brachten. Een van hen pakte Adelia op en slingerde haar boven op de bundels, waarbij ze haar armen bezeerde toen ze erop neerkwam. Iemand anders wierp een stuk zeildoek over haar heen, en ze moest met haar hoofd schudden tot er een plooi terugviel voor ze iets kon zien.

Ga naar het zuiden, dacht ze. Laat ze naar het zuiden gaan; daar is Hendrik. Heer, laat ze naar het zuiden gaan.

De abt, Schwyz en een paar van de andere mannen kwamen om haar heen staan en hielden zich in evenwicht tegen de zijkanten van de slee terwijl ze ingespannen, zonder te praten, schaatsen onder bonden.

Ze móéten naar het zuiden gaan – ze weten niet dat de koning Oxford aanvalt.

O, maar natuurlijk wisten ze dat wel. Ze wisten alles – Rowley had het hun onverhoeds verteld.

Heer, stuur ze naar het zuiden.

De abt draaide een paar keer een pirouette op het ijs, vol bewondering voor zijn schaduw in de stalen spiegel van de rivier. 'Ja, ja,' zei hij. 'Je verleert het nooit meer.'

Hij besteedde geen aandacht aan Adelia; die was nu bagage. Hij knikte Schwyz toe, die op zijn beurt zijn mannen toeknikte. Twee huurlingen raapten de uiteinden van het tuig dat aan de slee vastzat op en gordden de riemen aan. Iemand anders klom achter Adelia op de loopplank van de slee en pakte de leidsels vast.

De abt keek omhoog naar de kloostermuren die boven hem uittorenden. 'Koningin Eleanora, zoet gebroken riet, vaarwel. *Veni, vidi, vadi.*' Vervolgens sloeg hij zijn ogen op naar de met sterren bezaaide lucht. 'Zo, zo, op naar betere zaken. Laten we gaan.'

'In alle stilte,' zei Schwyz.

De slee kwam met een sissend geluid in beweging.

Ze zetten koers naar het noorden.

Adelia kokhalsde achter haar knevel. Niets zou hem nu nog tegenhouden haar om te brengen.

Heel even was ze zo bang dat ze amper iets zag. Hij zou haar vermoorden. Móést haar vermoorden.

Een verpletterende droefheid kwam over haar. Beelden van Allie die haar miste, die klein en behoeftig zonder haar opgroeide. Ik zal in liefde voor jou sterven, dacht Adelia. Dat moet je weten, kleintje: dat ik altijd van je ben blijven houden.

Toen het schuldgevoel. Mijn fout, schatje; een betere moeder zou het hebben laten passeren, zou ze elkaar allemaal hebben laten afslachten – zolang jij en ik maar niet uit elkaar werden gehaald. Mijn fout, mijn verschrikkelijke fout.

Het ging maar door – verdriet en angst, angst en verdriet –, terwijl de rommelige witgerande wallen voorbijgleden en de slee fluisterde en raspte, en de mannen die hem trokken gromden van inspanning en hun adem rookpluimen vormde in het maanlicht op hun tocht steeds dichter naar de hel.

Ongemak vergde haar aandacht: in de bundel onder haar zaten speren. Bovendien smaakte de knevel afschuwelijk en deden haar armen en polsen pijn.

Opeens geïrriteerd ging ze verzitten; ze kwam overeind en begon beter op te letten.

Twee huurlingen trokken de slee. Een andere liep erachteraan. Aan weerskanten schaatste er eentje mee, en Schwyz en de abt gingen voorop. Negen man in totaal. Haar vriend Cross was er niet bij; ze had de gezichten van de twee huurlingen die de slee hadden volgepakt niet kunnen zien, maar allebei waren ze slanker dan Cross.

Er viel dus geen hulp te verwachten. Waar ze ook heen gingen, Schwyz nam alleen zijn meest vertrouwde soldaten mee; de anderen had hij achtergelaten.

Waar gingen ze in vredesnaam naartoe? Naar de Midlands soms? In de Midlands smeulde nog steeds ontevredenheid met Hendrik Plantagenet.

Adelia schoof een stukje op en begon met haar polsen het pakdoek te onderzoeken; ze volgde de speren die erin zaten langs de schachten tot aan de bladen. Daar.

Ze drukte en voelde een punt in haar rechterhandpalm prikken. Ze waagde een poging of wat om het touw langs de zijkant van het blad te halen, maar miste telkens en trof in plaats daarvan de speerpunt, zodat die nutteloos in en uit de touwvezels bewoog, een exercitie waardoor het uiteindelijk wel zou uitpluizen als ze een weekje of twee de tijd had...

Maar op deze manier had ze in elk geval iets te doen om de traagheid van de wanhoop op afstand te houden. Natuurlijk zou Eynsham haar laten ombrengen. Ze had voor hem alleen maar nut als ruilmiddel, totdat hij zeker wist dat Hendrik niet achter hem aan kwam – en die kans werd met elke kilometer die ze verder naar het noorden gingen kleiner. Hij zou haar vooral laten doden omdat ze de worm had zien kronkelen in dat briljante, veelgefacetteerde, lege pantser en omdat hij had gezien dat zij het had gezien.

Haar armen begonnen moe te worden...

Met een gezicht dat nog nat was van de tranen doezelde Adelia weg.

De mannen die de slee trokken moesten hard zwoegen, en zelfs degenen die alleen maar hoefden te schaatsen kwamen moeilijk vooruit. Omdat ze bang waren dat ze achtervolgd werden, hadden ze geen toortsen ontstoken, en hoewel de maan helder scheen, gaf het ijs takken en andere rommel die erin was vastgevroren een bedrieglijke gladde glans, zodat de huurlingen vaak onderuitgingen of om obstakels heen moesten trekken – of af en toe de slee eroverheen zeulen.

In haar slaap was Adelia zich er vaag van bewust dat ze omrolde wanneer de slee werd opgetild, en van gesmoorde vloeken, en tevens van het feit dat er mannen op de slee even rust namen; ze kropen bij haar onder het zeildoek om weer op krachten te komen voordat ze hun plekje afstonden aan de volgende. Het had niets seksueels – daar waren ze te uitgeput voor – en ze weigerde wakker te worden; de slaap bracht vergetelheid...

Er stapte weer een passagier aan boord, die een zucht van verlichting slaakte dat hij even van het ijs af was. Vingers friemelden aan haar achterhoofd en maakten de knevel los. 'Deze is niet meer nodig, meesteres. En dit ook niet.' Zachtjes duwde iemand haar naar voren en een mes zaagde het touw om haar polsen door. 'Ziezo. Dat voelt beter, hè?'

Ze rook een vlaag van een zoete, vertrouwde geur. Terwijl ze haar tong langs haar lippen liet gaan, bewoog Adelia haar schouders en handen. Die deden pijn. Ze waren nog steeds onderweg en het was nog steeds ontzettend koud, maar de sterren waren wat doffer geworden; de maan scheen door een lichte sluier van mist.

'Je had Bertha niet hoeven te doden,' zei ze.

Het was even stil.

'Daar denk ik anders over,' zei Jacques bedaard. 'Haar neus zou me vroeg of laat hebben verraden. Ik ben bang dat dat arme kind me letterlijk zou hebben opgesnuffeld.'

Ja. Ja, dat had ze.

Adelia dacht aan Bertha die naar voren kroop in de koeienschuur, snuffelend, gebruikmakend van het scherpste zintuig dat ze bezat en die probeerde een beschrijving te geven van de oude vrouw in het bos die haar de paddenstoelen voor Rosamunde had gegeven.

Ze rook lekker. Net as u.

Ik was het niet, Bertha. Het was de man die achter me staat. *Het was geen zij, maar een hij.*

Het meisje had de geur van de boodschapper geroken, het parfum dat hij altijd gebruikte, ook als hij zich verkleedde als een oude vrouw die paddenstoelen plukte.

'Vindt u het erg?' vroeg hij nu. Hij klonk bezorgd, want hij hoopte dat ze niet van streek was. 'Aan haar is anders niet veel verloren gegaan, of wel soms?'

Adelia hield haar blik gevestigd op de twee huurlingen die de slee trokken.

Jacques stopte het zeildoek om haar in en ging zo zitten dat hij haar kon aankijken – niet langer de grootogige jonge man met grote oren, maar nu redelijk en veel ouder, terwijl hij op zijn gemak een verklaring gaf. Ze nam aan dat hij precies dat was: een vormveranderaar, die kon zijn wat hij wilde zijn wanneer de omstandigheden dat vereisten.

Híj had Allie in haar wiegje op de stoep gezet.

'Snapt u, normaal gesproken is wat ik aanvullende actie noem niet nodig, zoals in het geval van Bertha. 'Meestal doe je wat je contract van je vraagt en ga je weer verder. Allemaal keurig netjes. Maar deze baan is gecompliceerd – interessant, dat kan ik niet ontkennen, maar wel gecompliceerd.' Hij slaakte een zucht. 'Ingesneeuwd zitten in een klooster, niet alleen met je werkgever, maar, zoals blijkt, ook met een getuige, is niet iets wat voor herhaling vatbaar is.'

Een moordenaar. Dé moordenaar.

'Ja, ik snap het,' zei Adelia.

Ze had tenslotte al steeds afkeer gevoeld sinds ze begrepen had dat hij Rosamunde had vergiftigd. Hem inschakelen bij de noodzakelijke actie om Wolvercote en Warin zichzelf in de kerk hun vonnis te laten tekenen was een angstige oefening geweest, maar ze had geen andere strategie kunnen bedenken om hem gunstig te stemmen. Tegen die tijd was ze er al snuffelend achter gekomen welke geest de abdij sterker met bedreiging doortrok dan Wolvercote, omdat hij geen beperkingen kende en een blije geest was. Dood de een, spaar de ander, blijf zonder schuld.

Het was noodzakelijk geweest die geest aangenaam bezig te houden, zoals een wriemelende muis een kat geboeid houdt. Om tijd te winnen had ze hem laten toekijken terwijl zij de enige moord oploste waaraan hij geen schuld had. Om de kattentanden weg te houden uit de nek van een muis die vragen stelde.

Ze vroeg: 'Heeft Eynsham je opgedragen haar te doden?'

'Bertha? God, nee.' Hij was verontwaardigd. 'Ik heb zelf ook nog wel initiatief, weet u. Pas op...' Een elleboog porde in Adelia's ribben. 'Hij zal voor haar moeten boeten. Ze komt op zijn conto te staan.'

'Zijn conto,' zei ze met een knikje.

'Inderdaad. Ik ben niet de vazal van de abt, meesteres. Dat moet ik echt duidelijk stellen; ik ben onafhankelijk, ik trek door de christenwereld om overal mijn diensten aan te bieden. Niet iedereen keurt die goed, dat weet ik, maar desondanks zijn het diensten.'

'Een moordenaar.'

Daar dacht hij even over na. 'Dat zal dan wel. Ik zie het liever als een beroep als alle andere. Laten we het onder ogen zien, dokter. Wat uzelf doet wordt door degenen die er niets van begrijpen hekserij genoemd, maar we zijn allebei werkers die een beroep hebben dat niet in het openbaar mag komen. We handelen allebei in leven en dood.' Maar ze had hem gekwetst in zijn trots. 'Hoe heb ik mezelf verraden? Ik probeerde u nog zo te waarschuwen dat u niet te nieuwsgierig moest zijn.'

Zijn bezoekjes aan Bertha, zijn voortdurende nabijheid, het ondefinieerbare gevoel van dreiging dat in de koeienschuur hing wanneer hij daar was. De geur die Bertha had herkend. Een vrijheid om onopgemerkt door de hele abdij te dwalen die niemand anders was vergund. Op het laatst had alleen hij het maar kunnen zijn.

'Het kerstfeest,' zei ze.

Toen had ze het zeker geweten. In de dartele wrattige oude vrouw die deel uitmaakte van Noachs ark had ze een groteske parodie herkend van het besje dat Bertha in het bos had gezien.

'Ah,' zei hij. 'Ik kan me maar beter niet verkleden, is het wel? Maar daar heb ik een zwak voor, vrees ik.'

Ze vroeg: 'Wanneer heeft Eynsham je ingehuurd om Rosamunde om te brengen?'

'O, tijden geleden,' zei hij. 'Ik was nog maar kort in Engeland om opdrachten te werven. Nou, ik zal u zeggen wanneer het was: ik was net boodschapper van de bisschop geworden – in mijn branche is het altijd nuttig om een reden te hebben om het platteland door te reizen. Ik hoop trouwens maar dat de bisschop iets aan me heeft gehad...' Hij sprak in ernst. 'Ik zie mezelf graag als een uitstekend dienaar, om wat voor werk het ook gaat.'

Ja, uitstekend. Toen Rowley de abdij was binnengeslopen en tegen Walt had gezegd dat hij zijn andere mannen moest waarschuwen, was het niet in hem opgekomen om deze boodschapper niet tegelijk met de rest te waarschuwen voor de aanstaande aanval – niet de irritante, bereidwillige Jacques, een van zijn eigen mensen.

'Eerlijk gezegd zal ik het missen om voor St. Albans te werken,' zei hij nu. 'Maar zodra Walt me vertelde dat de koning eraan kwam, moest ik Eynsham wel inseinen. Ik kon toch niet meester de abt gevangen laten nemen, of wel soms? Hij is me nog geld schuldig.'

'Gaat het op die manier?' vroeg ze. 'Doet het bericht de ronde: moordenaar te huur?'

'In wezen wel, ja. Ik heb tot nu toe aan werk geen gebrek gehad. Degene die je aanneemt wil zichzelf nooit zomaar bekendmaken natuurlijk, maar weet u hoe ik erachter kwam dat het in dit geval om onze abt ging?'

Van gretige blijdschap ging zijn stem omhoog, zodat er een uil opvloog van een tak, waardoor Schwyz, voor hen uit, zich omdraaide en hem een vloek toevoegde. 'Weet je hoe ik hem herkende? Raad eens?'

Ze schudde haar hoofd.

'Aan zijn laarzen. Meester abt draagt bijzonder fraaie laarzen, net als ik. O ja, en hij sprak zijn bedienden aan met "mijn zoon", en ik zei bij mezelf: allemachtig, dit is een geestelijke, een rijke geestelijke." Ik hoefde alleen maar navraag te doen naar de beste laarzenmakers van Oxford. Ziet u, het probleem is hoe je moet zorgen dat je ook de andere helft van het bedrag binnensleept, toch?' Hij sprak uit wat een gedeelde zorg

303

van hen was. 'Zoveel vooraf en zoveel als de klus is geklaard. Hebt u ook niet gemerkt dat ze de tweede termijn liever niet betalen?'

Daar gaf ze geen antwoord op.

'Nou, die ervaring heb ik wel. Om de andere helft van het bedrag te krijgen heb ik me als vislijm aan lord Eynsham moeten vastplakken. Maar in dit speciale geval kon hij daar niets aan doen; de omstandigheden zaten hem niet mee: de terugtrekking uit Wormhold, de sneeuw... Maar kennelijk zijn we nu op weg naar zijn abdij in het noorden – daar bewaart hij zijn goud, in zijn abdij.'

'Hij vermoordt je,' zei ze. Dat zei ze alleen maar om hem aan de praat te houden; het maakte haar niet uit wat er ging gebeuren. 'Hij laat je door Schwyz kelen.'

'Zijn ze geen interessant stel? Is Schwyz niet een en al aanbidding voor hem? Ze hebben elkaar in de Alpen leren kennen, schijnt het. Ik vroeg me al af of ze... nou ja, u weet wel... maar ik denk toch van niet, u? Ik zou weleens willen weten wat een arts daarover te zeggen heeft...'

Een van de huurlingen in het tuig vertraagde zijn tempo en maaide met zijn arm dat de boodschapper zijn plaats moest innemen.

De stem in Adelia's oor werd een vertrouwelijke fluistering en veranderde van die van een roddelaar in die van een moordenaar. 'Maak u maar geen zorgen om mij, meesteres, onze abt heeft te veel vijanden wie in stilte het zwijgen moet worden opgelegd. Schwyz laat een slagersspoor achter, ik niet. Nee, nee, mijn diensten zullen altijd gevraagd worden. Maak u maar zorgen om uzelf.'

Hij wierp het zeildoek naar achteren om van de slee af te stappen.

'Zul jij degene zijn die mij ombrengt, Jacques?' vroeg ze.

'Ik mag hopen van niet, meesteres,' zei hij beleefd. 'Dat zou ontzettend jammer zijn.'

En weg was hij, zonder dat hij zijn plek in het tuig had willen innemen – 'Beste jongen, ik ben geen os.'

En ook geen mens, bedacht ze; een *lusus naturae*, een instrument, niet schuldiger aan wat het deed dan een artefact, zo schuldeloos als een wapen dat aan een muur is gehangen en door zijn eigenaar wordt bewonderd om zijn schitterende functionaliteit.

Het spoortje van zijn reukwater dat nog even bleef hangen werd overstemd door de geur van zweet en vochtig vuil van de volgende man die onder het zeildoek kroop, om snurkend in slaap te vallen.

De abt had plaatsgenomen op de treeplank achter haar, maar in plaats van dat hij meehielp de slee vooruit te krijgen, liet hij zich vervoeren als een passagier; zijn lichaamsgewicht vertraagde de mannen die hem trokken tot een moeizaam armengemaai, waardoor ze hun evenwicht dreigden te verliezen. Ze protesteerden. Op een bevel van Schwyz deden ze hun schaatsen af en gingen om meer grip te hebben verder op hun laarzen.

Waarop ze, zag Adelia, liepen te soppen. De slee wierp al glijdend een nevelwolk op. Er waren nu geen sterren meer en de vage maan was gehuld in een nog vagere schaduw. Schwyz had een toorts aangestoken en hield die al schaatsend hoog boven zijn hoofd.

Het dooide.

Van boven haar hoofd dreunde een volle stem: 'Ik wil niet klagen, mijn beste Schwyz, maar nog even en we marcheren over de rivierbodem. Hoe ver is het nog?'

'Nu niet ver meer.'

Niet ver waarnaartoe? Doordat ze had geslapen en niet wist hoe lang, kon ze niet inschatten hoe ver ze inmiddels waren. Aan de oevers, een rommelig geheel van riet en sneeuw, was nog steeds niets bijzonders te zien.

Het was nu nog kouder; daar had de kilte van het toenemende vocht mee te maken, maar ook angst. Eynsham zou gerustgesteld zijn doordat ze zonder te worden achtervolgd of te worden onderbroken rivieropwaarts konden reizen. Als hij zich eenmaal op veilig terrein bevond, kon hij zich ontdoen van de last die hij dat hele eind met zich had meegezeuld.

'Voor ons uit,' riep Schwyz.

Voor hen uit was niets anders te zien dan een vage twinkeling aan de westelijke hemel, alsof een enkele ster helder genoeg was om de mist te doorboren die de andere aan het zicht onttrok. Een kasteel met maar één lichtje? Een toren?

Nu naderden ze een aanlegsteiger, met witte randen en bekend.

Toen wist ze het.

Rosamunde had op haar gewacht.

Adelia herinnerde zich Wormhold als een oord van gekartelde, weerzinwekkende kleurflitsen, waar mannen en vrouwen als dollen rondliepen en praatten. Nu, in de ochtendnevel, werd de toren weer wat hij was: een mausoleum. Van enige architecturale grandeur was niets meer te merken. En de doolhof was, voor degenen die de slee er door de sneeuwbrij naar binnen trokken, niet meer dan een rechte en sombere tunnel van grijze struiken die naar een monument leidde dat zich als de grafzerk van een reus aftekende tegen een nog somberder lucht.

De deur boven aan het bordes stond open en hing nu scheef in zijn scharnieren. De brandstapel lag nog onaangeroerd in de hal, waar een berg kapotte meubels, evenals de muren, in het licht van Schwyz' toorts glom van het vocht.

Toen ze naar binnen gingen, benadrukte een zacht getrippel van weg-rennende rattenpootjes de stilte die in de hal hing, evenals de poging van de abt om de huishoudster te laten komen. 'Dakers. Waar zit je, schattebout? Je oude vriend is op bezoek, Robert Eynsham.'

Toen de echo wegstierf, wendde hij zich tot Schwyz. 'Ze weet niet dat ik degene was die haar had opgesloten, hè?'

Schwyz schudde zijn hoofd. 'We hebben haar erin geluisd, Rob.'

'Mooi zo, dan ben ik nog steeds haar bondgenoot. Waar is dat ouwe wijf? We willen eten. Dakers!'

Schwyz zei: 'We kunnen niet lang blijven, Rob. Die ellendeling komt achter ons aan.'

'Goeie hemel, hou toch eens op hem duistere krachten toe te schrij-ven; we zijn hem mooi te slim af geweest.' Hij trok een gezicht. 'Ik kan beter naar boven gaan om mijn brieven te zoeken. Als onze mooie Rosa-munde er eentje heeft bewaard, dan heeft ze er misschien wel meer. Ik had die dikzak nog zo gezegd dat ze ze moest verbranden, maar heeft ze dat ook gedaan? Vrouwen zijn zó onbetrouwbaar.' Hij wees naar de brandstapel. 'Steek daar zo meteen de brand maar in. Eerst wat eten, dunkt me, een dutje doen, en dan, als onze beminnelijke koning arri-veert, zijn wij allang weer vertrokken en hebben we een lekker warm vuurtje voor hem aangestoken bij wijze van welkom. Dakers!'

Hij moet weten waar ze is, dacht Adelia. Het enige leven hier bevindt zich in de bovenste kamer bij de dode.

'Naar boven jullie.' Schwyz wendde zich af om zijn mannen het bevel te geven en draaide zich toen weer om. 'Wat wil je dat we met die sloe-rie doen?'

'Déze sloerie?' De abt keek omlaag naar Adelia. 'Die houden we tot het laatste moment vast, lijkt me, voor het geval dat. Ze kan mee naar boven komen om naar de brieven te helpen zoeken.'

'Hoezo? Ze kan beter hier beneden blijven.' Schwyz was jaloers.

De abt had geduld met hem. 'Omdat ik nergens brieven heb zien liggen toen ik hier de laatste keer was, maar dit nieuwsgierig aagje had er wel eentje, toch, m'n beste?' Als ze er één vond, kan ze de andere ook vinden. Bind haar handen maar vast als jullie willen, maar dit keer aan de voorkant en niet te strak; ze ziet er wat pips uit.'

Adelia's handen werden weer vastgebonden, en niet zo zuinig ook.

'Naar boven, naar boven.' De abt gebaarde dat ze de trap op moest. 'Naar boven, naar boven, naar boven.' Tegen de huurling zei hij: 'Zeg maar tegen de mannen dat ze zich om mijn eten moeten gaan bekommeren. En Schwyz...' De toon was veranderd.

'Ja?'

'Zet een verdomd goeie wachter bij die rivier.'

Hij is ook bang, dacht Adelia opeens. Ook hij kent Hendrik bovennatuurlijke krachten toe. O lieve god, laat hem gelijk hebben.

Het viel nog niet mee om zonder haar handen te gebruiken om zich mee in evenwicht te houden de kleine, wigvormige, gladde en kronkelende traptreden op te gaan, maar Adelia schoot toch beter op dan de abt, die al kreunde van inspanning voordat ze op de tweede overloop waren. Van daaraf sneed de toren hen af van het lawaai aan de basis en daalde er een stilte neer waarin de echo van hun voetstappen hun in de oren klonk alsof ze weigerden te gehoorzamen aan het gebod van de doden: *ga terug. Dit is een graf.*

Een miezerig licht scheen aarzelend door de schietgaten op dezelfde kapotte rommel die op de overlopen had gelegen toen ze hier met Rowley naar boven was geklommen. Niemand had de troep opgeruimd, en niemand zou dat ook ooit doen.

Steeds verder omhoog gingen ze, langs de vertrekken van Rosamunde, waaruit nu de kleden en gouden ornamenten waren weggehaald, buitgemaakt door de huurlingen, misschien zelfs door de Aquitaniërs terwijl Eleonora haar wake had gehouden bij het graf. Veel hadden ze er niet aan gehad; zowel de buit als de rovers lagen nu op de bodem van de Theems.

Ze kwamen nu dicht bij het hoogste punt.

Ik wil daar niet naar binnen, dacht Adelia. Waarom houdt het niet op? Het kan niet zo zijn dat ik hier het leven laat. Waarom steekt hier niet iemand een stokje voor?

De laatste overloop. De deur ging krakend open, maar met de bewerkte sleutel in het slot.

Adelia stapte naar achteren. 'Ik ga niet naar binnen.'

De abt greep haar bij haar schouder en duwde haar voor zich uit. 'Dakers, wijfie. Hier is je oude vriend de abt van Eynsham, die zijn eer komt betuigen aan je meesteres.'

Een geur als een windvlaag deed hem wankelen op de drempel.

De kamer was ingericht op de manier zoals Adelia hem voor het laatst had gezien. Hier was niet geplunderd – daar was geen tijd voor geweest.

Rosamunde zat niet langer aan de schrijftafel, maar er lag iets op het bed, omlijst door de tere gordijnen en met een mantel over de bovenste helft.

Van Dakers geen spoor, maar als ze haar meesteres had willen behouden, had ze de fout gemaakt om de ramen te sluiten en begrafeniskaarsen aan te steken.

'Lieve god.' Met een zakdoek tegen zijn neus gedrukt haastte de abt zich de kamer door om de kaarsen uit te blazen en de ramen open te zetten. 'Lieve god, wat stinkt dat mens! Lieve god!'

Vochtige grijze lucht zorgde in de kamer voor enige verfrissing.

Gefascineerd kwam Eynsham terug naar het bed.

'Laat haar met rust,' raadde Adelia hem aan.

Hij sloeg de mantel van het lichaam terug en liet die op de grond vallen. 'Aach!'

Rosamundes prachtige haar waaierde van het ontbindende gezicht uit over een kussen; een ander kussen hield haar kroon tegen de bovenkant van haar hoofd gedrukt. De gevouwen handen op haar borst gingen barmhartig schuil onder een gebedenboek. De voeten bolden vochtig op uit de gouden muiltjes die uitstaken onder de sierlijke, zorgvuldig geschikte plooien van een japon zo blauw als een lentehemel. De zijden stof ervan vertoonde vochtvlekken.

'Grote genade,' zei de abt zachtjes. '*Sic transit Rosa Mundi*. Dus de roos van de hele wereld rot net zo hard als alle andere. Rosamunde de Rotte...'

'Waag het niet!' riep Adelia hem toe. Als ze haar handen vrij had gehad, zou ze hem een klap hebben verkocht. 'Waag het niet de spot met haar te drijven. U hebt ervoor gezorgd dat ze er zo aan toe is, en bij God, zo zal het ook u vergaan – met ziel en al.'

'Oef.' Hij stapte achteruit zoals een kind wegstapt van een woedende ouder. 'Nou, het is heel afschuwelijk... Geef toe dat het heel afschuwelijk is.'

'Dat kan me niet schelen. U behandelt haar met respect!'

Heel even werd hij op het verkeerde been gezet door de teloorgang van zijn smaakgevoel. Aarzelend, terwijl hij een eind van het bed af bleef staan, beschreef zijn hand in de lucht erboven een zegening. '*Requiescat in pace.*' Even later zei hij: 'Wat is dat toch voor wit spul op haar gezicht?'

'Grafwas,' liet Adelia hem weten. Eigenlijk was het razend interessant; ze had dit verschijnsel nog niet eerder bij mensen waargenomen, alleen maar op het lichaam van een zeug op de dodenboerderij. Heel even werd ze weer meesteres in de kunst des doods, met alleen aandacht voor het fenomeen dat voor haar lag en vagelijk geërgerd doordat gebrek aan tijd en middelen haar ervanaf hield het nader te onderzoeken.

Het kwam doordat ze zo dik was, bedacht ze. De zeug in Salerno was ook dik geweest, en Gordinus had haar in een luchtdichte metalen kast bewaard, tegen de vliegen. *Zie je, mijn kind? Als er geen insecten bij komen zal dit witte vet, dat ik corpus adipatum noem, zich afzetten op de dikkere gedeelten, zoals de wangen, de borsten, de billen en dergelijke, en daar de ontbinding tegengaan – ja, die ook daadwerkelijk vertragen. Hoewel het nog maar de vraag is of het de vertraging veroorzaakt of zelf daardoor veroorzaakt wordt.*

Het was met name interessant dat de nieuwe warmte in de kamer, te oordelen naar wat er door Rosamundes japon heen sijpelde, tegelijkertijd ook voor ontbinding zorgde. Dat kon niet door vliegen worden veroorzaakt – of toch wel? –, want die waren er in deze tijd van het jaar niet. Verdorie, als ze haar handen vrij had, zou ze kunnen uitzoeken wat er onder het materiaal broeide...

'Ja, wat is er?' vroeg ze nurks. De abt trok aan haar.

'Waar bewaart ze de brieven?'

'Welke brieven?' Zoveel gelegenheid om meer te weten te komen zou ze waarschijnlijk nooit meer krijgen. Als het geen vliegen waren...

Hij draaide haar met een ruk om, zodat ze hem aankeek. 'Ik zal je uitleggen hoe het ervoor staat, m'n beste. In deze hele kwestie heb ik alleen maar geprobeerd mijn christenplicht te doen om een koning ten val te brengen die de eerwaarde Sint-Thomas op de trap van zijn eigen kathedraal heeft laten vermoorden. Ik stuurde aan op een oorlog die onze goedgunstige koningin zou winnen. Aangezien die uitkomst nu onwaarschijnlijk lijkt, moet ik mijn positie terugwinnen, want als Hendrik mijn brieven vindt, stuurt hij ze naar de paus. En zal de Heilige

Vader goedkeuren wat ik heb gedaan om de Boze te straffen? Zal hij zeggen: "Goed gedaan, bovenstebeste en trouwe Robert van Eynsham, je hebt onze grote zaak een heel eind vooruitgeholpen"? Dat zegt hij vast niet. Hij moet woede voorwenden, omdat er onderweg een waardeloze lichtekooi is vergiftigd. Hij zal zijn handen in onschuld wassen. Zullen er eikenbladeren zijn? Een beloning? Ach, nee.'

Genietend van zijn eigen stemgeluid deed hij er het zwijgen toe. 'Zoek die brieven voor me op, meesteres, of anders zal Hendrik wanneer hij hier komt in de as van zijn bordeel de botten van niet één, maar van twee lichtekooien aantreffen.' Hij werd afgeleid door een blijde gedachte. 'Samen, in elkaars armen misschien wel. Ja, wie weet...'

Hij mocht niet zien dat ze bang was; dat mocht hij absoluut niet zien. 'In dat geval worden de brieven ook verbrand.'

'Niet als die teef ze in een metalen doos bewaarde. Waar zijn ze? Jij had er eentje, meesteres, en hebt die snel aan de anderen laten zien. Waar bewaarde ze de brieven?'

'Op tafel. Ik had hem van de tafel gepakt.'

'Als ze er eentje had, had ze er meer.' Hij riep weer om de huishoudster. 'Dakers! Die weet het wel. Waar is die helleveeg?'

En toen wist Adelia waar Dakers was.

Geen van de keren dat hij dit vertrek had bezocht had hij geweten dat hij door een kijkgat werd gadegeslagen vanuit een garde-robe. Nu besefte hij dat ook niet.

Eynsham onderzocht de tafel, schoof met een armbeweging het schrijfgerei opzij, waarbij de oude kom waarin Rosamunde snoepjes had bewaard in stukken op de grond viel. Hij bukte zich om onder tafel te kijken. Er klonk een tevreden gegrom. Hij kwam weer omhoog met een stuk vellum in zijn handen. 'Is dit alles wat er was?'

'Hoe moet ik dat weten?' Het was de brief die Rosamunde aan de koningin had geschreven, degene die Eleanora in haar woede op de vloer had gegooid. Adelia had het voorbeeld van de abt aan vader Paton gegeven, en al zou het haar dood worden, ze ging deze man hier niet vertellen dat er nog meer verstopt zaten in een opbergkrukje op maar een paar centimeter van zijn rechterlaars.

Laat hem maar twijfelen; laat er maar zo lang als hij leeft een worm van zorg aan hem knagen.

Grote god, hij leest hem...

De abt was naar het open raam geslenterd en hield het perkament op naar het licht. 'Wat had die sloerie toch een verschrikkelijk handschrift,' zei hij. 'Al mag het wel een wonder heten dat ze überhaupt kon schrijven.'

En laat Dakers maar aan hém twijfelen. Geen wonder dat de huishoudster had moeten lachen toen ze die nacht naar de boten waren gebracht: ze had Eynsham gezien, die altijd Rosamundes vriend was geweest en daarom ook een vriend van háár zou zijn.

Als ze nu luisterde, als ze kon worden overgehaald om over te lopen naar de andere kant...

Adelia zei met stemverheffing: 'Waarom liet u Rosamunde brieven schrijven naar Eleanora?'

De abt liet het perkament zakken, deels geërgerd en deels geamuseerd. 'Moet je haar nou eens horen. Waarom stelt ze een vraag als haar brein het antwoord toch niet kan bevatten? Wat heeft het voor zin om je dat te zeggen? Hoe kun jij je ook maar enigszins een voorstelling maken van de druk die op ons, bemiddelaars van God, wordt uitgeoefend om ervoor te zorgen dat Zijn wereld op koers blijft, van hoe diep we moeten afdalen in het vuil, van de instrumenten die we moeten gebruiken – sloeries zoals die daar op dat bed, moordenaars, alle uitschot van de beerput, om een heilig doel te bereiken?'

Hij vertelde het haar toch wel. Een breedsprakig man. Een man die behoefte had aan de geruststelling van zijn eigen stem, en sterker nog: aan rechtvaardiging van wat hij had gedaan.

En hij had nog steeds hoop. Dat verraste haar. Dat hij afscheid moest nemen van zijn grote spel omdat het een verloren zaak was en zich niet langer sterk kon maken voor Eleanora prikkelde hem, alsof hij zeker wist dat hij de situatie wel weer naar zijn hand zou kunnen zetten, met al zijn charme, zijn tactieken, een moord hier of daar, met zijn valse air van beleefdheid, zijn houding van 'ik ben maar een gewoon man die heeft doorgeleerd', alle lucht in de ballon die hem naar de zalen van pausen en koningen had gebracht... Een charlatan, in feite, dacht Adelia.

En ook een maagd. Mansur had het opgemerkt en haar erop gewezen, maar Mansur had, met de superioriteit van een man die nog steeds een erectie kon krijgen, zijn boosaardigheid geweten aan de angst om op dat gebied niet te kunnen presteren. Een andere geestelijke zou misschien blij zijn met een conditie die zijn kuisheid waarborgde, maar voor deze man gold dat niet; hij verlangde hevig, hij hunkerde naar het meest natuurlijke en alledaagse vermogen dat hem ontzegd bleef.

Misschien dat hij de wereld ervoor liet boeten – zoals hij zich met al zijn briljantie mengde in hoge politiek, mannen en vrouwen heen en weer schoof op zijn schaakbord, die uit de weg ruimde, een ander verplaatste, compensatie zocht voor de verschrikkelijke nieuwsgierigheid die hem buiten hun hof van Eden hield, terwijl hij op en neer stond te dansen in een poging er naar binnen te kijken.

'Om oorlog te stimuleren, m'n beste,' zei hij nu. 'Kun je dat begrijpen? Natuurlijk kun je dat niet – jij bent de klei waarvan je gemaakt bent en de klei waarnaar je zult terugkeren. Een oorlog om het land te bevrijden van een barbaarse en onreine koning. Om die arme Becket te wreken. Om Engeland terug te geven aan Gods gezag.'

'Zou dat met Rosamundes brieven allemaal lukken?' vroeg ze.

Hij keek op. 'Ja, inderdaad. Een vrouw die onbillijk is behandeld en die wraakzuchtig is – en geloof mij maar: niemand is wraakzuchtiger dan Eleanora – zal aan alle ketenen ontsnappen, alle mogelijke bergen beklimmen, elke oceaan oversteken om degene die haar kwaad doet in het verderf te storten. En dat heeft ze dus gedaan.'

'Waarom hebt u dan Rosamunde laten vergiftigen?'

'Wie zegt dat ik dat gedaan heb?' Heel scherp.

'Uw moordenaar.'

'Die goeie ouwe Jacques heeft zeker zijn mond voorbijgepraat? Ik moet Schwyz eens op die knul af sturen.'

'Mensen zullen denken dat de koningin het heeft gedaan.'

'De koning wel, zoals de bedoeling was,' zei hij vagelijk. 'Barbaren, beste kind, zijn makkelijk te manipuleren.' Hij wendde zijn aandacht weer naar de brief en las verder. 'Uitstekend, o, uitstekend,' zei hij. 'Ik was vergeten... *Vrouwe Eleanora, hertogin van Aquitanië en vermeende koningin van Engeland, gegroet door de ware en echte koningin van dit land, Rosamunde de Mooie.* Wat ik niet allemaal heb moeten doen om die sufkop ertoe over te halen dit op te schrijven. Robert, Robert, wat ben je toch een geraffineerd mannetje...'

Een luchtstroom beroerde Adelia's mantel. Het kleed achter Rosamundes bed was omhooggegaan. De lucht die vanuit de kleine ruimte van de verborgen garde-robe de kamer in kwam, voerde een andere, alledaagsere stank met zich mee dan die van het arme lichaam op het bed. Die verdween weer toen het kleed terugviel.

Adelia liep naar het raam. De abt hield de brief nog steeds op naar het licht om hem te lezen. Ze ging op een plek staan waar hij als hij zou opkijken haar zou zien, en niet de gestalte die langs de zijkant van het bed kroop. Die had geen mes in de hand, maar niettemin was het de Dood – ditmaal die van de gestalte zelf.

Dakers was stervende; Adelia had die gelige huid en die verzonken ogen te vaak gezien om niet te weten waar ze op duidden. Dat de vrouw nog kon lopen mocht wel een wonder heten, maar dat deed ze. En stilletjes ook.

Help me, spoorde Adelia haar in gedachten aan. Doe iets. Zonder zich te bewegen seinde ze met haar ogen. Help me.

Maar Dakers keek niet naar haar, noch naar de abt; al haar energie was erop gericht de trap te bereiken.

Adelia keek toe hoe de vrouw tussen de op een kier staande deur en de deurpost door glipte zonder een van de twee aan te raken, en vervolgens verdween. Ze voelde wrevel opkomen. Je had hem ergens mee kunnen slaan.

De abt was al lezend op Rosamundes stoel gaan zitten en las nog steeds mompelend passages uit de brief hardop voor: '... *en ik heb de koning in bed behaagd zoals jij nooit gedaan hebt, vertelde hij me...* Dat geloof ik graag, wijfie. Aan zuigen en likken zal het bij jou niet hebben ontbroken. ... *hij kreunde van genot...* Ongetwijfeld, smerige sloerie...'

Hij zit zich in zijn eigen woorden te verlustigen.

Op het moment dat Adelia dat dacht, keek hij op – in haar ogen. Zijn gezicht betrok. 'Waar kijk je naar?'

'Nergens naar,' antwoordde ze. 'Ik kijk naar u en zie niets.'

Schwyz riep vanaf de trap, maar zijn stem ging verloren in Eynshams schreeuw. 'Waag je het over míj te oordelen? Jíj, een hoer, veroordeelt míj?'

Hij stond op, een gigantische golf die opreses, en spoelde over haar heen. Hij trok haar tegen zijn borst en tilde haar zo hoog op dat haar voeten tussen zijn knieën bungelden. Verblind dacht ze dat hij haar uit het raam zou smijten, maar hij draaide haar om en hield haar hoog vast in haar nekvel en aan haar riem. Heel even ving ze een glimp op van het bed, hoorde de grom terwijl ze werd neergegooid op wat daarop lag.

Terwijl Adelia's lichaam neerkwam op het lijk, dreef de buik daarvan met een fluitend geluid zijn gassen uit.

De abt tierde: 'Kus haar. Kus, kus, kus, zuig, lik, stomme hoeren!' Hij drukte haar gezicht tegen dat van Rosamunde. Hij verdraaide haar hoofd alsof het een stuk fruit was, drukte het neer in het vet. 'Snuif, zuig, lik...'

Ze stikte zowat in het ontbindende vlees.

'Rob. Rob!'

De druk op haar hoofd nam iets af en ze slaagde erin haar besmeurde gezicht naar opzij te draaien en adem te halen.

'Rob. Rob! Er staat een paard in de stal.'

Het hield op. Het was opgehouden.

'Geen berijder,' zei Schwyz. 'Ik kan geen berijder vinden, maar er moet hier iemand zijn.'

'Wat voor soort paard?'

'Een strijdros. Een prima beest.'

'Is het van hem? Hij kan hier niet zijn. Jezus redde ons, is hij híér?'

Door het dichtslaan van de deur waren hun stemmen niet meer te horen.

Adelia liet zich van het bed rollen en baande zich tastend een weg over de vloer naar een van de ramen, en met haar gebonden handen zocht ze buiten op de vensterbank naar een restantje sneeuw. Die vond ze en schoof ze in haar mond. Bij een ander raam nam ze nog meer sneeuw in haar mond; ze poetste haar tanden ermee, spoog hem uit. Meer, voor het gezicht, neusgaten, ogen, haar. Ze ging van het ene raam naar het andere – er was niet genoeg sneeuw op de wereld, niet genoeg schoon, verdovend ijs...

Doornat en trillend zakte ze neer in Rosamundes stoel, en terwijl ze met haar geboeide handen nog steeds over haar hals wreef, legde ze haar hoofd op de tafel en gaf zich over aan zwoegende, hijgende snikken. Ongeremd, als een baby, huilde ze om zichzelf, om Rosamunde, om Eleanora, om Emma, Allie – om alle vrouwen overal en wat hun werd aangedaan.

'Waar zit je om te grienen?' zei een mannenstem verongelijkt. 'Vind je dit soms al erg? Probeer dan maar eens een poosje in een schijtgat opgesloten te zitten met Dakers als gezelschap.'

Een mes verwijderde het touw rond haar handen. Er werd een zakdoek tegen haar wang gedrukt. Hij rook naar paardenolie. Hij rook verrukkelijk.

Met uiterste precisie draaide ze haar hoofd zo dat haar wang tegen de zakdoek rustte en dat ze hem met samengeknepen ogen kon aankijken.

'Hebt u daar al die tijd gezeten?' vroeg ze.

'Ja, de hele tijd,' antwoordde de koning haar.

Met haar hoofd nog steeds op de tafel zag ze hem naar het bed lopen, zijn mantel oppakken en die zorgvuldig over het lijk legggen. Hij liep naar de deur om te kijken of de grendel ervoor zat. Er zat geen beweging in. Hij bukte om door het sleutelgat te kijken.

'Op slot,' zei hij, alsof dat een troost was.

De heerser over een koninkrijk dat zich van de grens van Schotland uitstrekte tot aan de Pyreneeën droeg de leren beenkappen van een jager – ze had hem nooit anders gezien dan zo, en maar weinigen hadden dat wel. Hij liep met de schommelende o-benige tred van een man die meer tijd in het zadel doorbracht dan erbuiten. Niet lang, niet knap, niets wat hem anders maakte dan anderen, behalve dat hij een energie over zich had die meteen de aandacht trok. Als Hendrik Plantagenet in de kamer was, golden alle blikken hem.

Er liepen nu diepere lijnen van zijn neus naar zijn mondhoeken dan toen ze hem de laatste keer had gezien, in zijn blik lag een nieuwe dofheid en zijn rode haar was dunner; er was iets uit hem verdwenen waarvoor niets anders in de plaats was gekomen.

Van opluchting kon ze een manische lachkriebel bijna niet onderdrukken. Adelia begon over haar polsen te wrijven. 'Waar zijn uw mannen, majesteit?'

'Ah, nou...' Met een grimas kwam hij terug van de deur en liep langs de tafel om behoedzaam naar buiten te kijken. 'Die zijn onderweg – een paar maar, maar prima, uitgelezen mannen. Ik heb de situatie in Oxford in ogenschouw genomen en de jonge Geoffrey daar achtergelaten om het in te nemen voordat hij verder trekt naar Godstow.'

'Maar... heeft Rowley u gevonden? Weet u dat de koningin in Godstow is?'

'Daarom neemt Geoffrey het ook als eerstvolgende in,' zei hij geërgerd. 'In geen van beide plaatsen zal hij op problemen stuiten. De rebellen – moge God ze verdelgen, ik lust ze rauw – stonden in Oxford al zo'n beetje met de witte vlag te zwaaien, dus –'

'Mijn dochter is in Godstow,' zei ze. 'Mijn mensen...'

'Ik weet het, Rowley heeft het me gezegd. Geoffrey weet het ook, ik heb het hém gezegd. Ik heb wel sneeuwmannen gezien met meer inzicht in defensie dan Wolvercote. Laat dat maar aan de jonge Geoffrey over.'

Ze nam aan dat er niets anders op zat.

Hij keek om zich heen. 'Hoe is het trouwens met de kleine Rowley-Powley? Heeft hij al tandjes? Begint hij al iets te voelen voor de geneeskunde?'

'Ze maakt het goed.' Hij kon haar altijd doen smelten. Maar het zou fijn zijn om hier weg te komen. 'Die uitgelezen mannen van u...' zei ze. Dit was weer echt iets voor Rowley. Waarom kwamen ze nóóit met flink wat troepen?

'Die zijn onderweg,' zei hij, 'maar ik ben bang dat ik sneller was dan zij.' Hij draaide zich weer naar het raam. 'Zie je, ze hadden me gezegd dat ze nog niet begraven was. Mijn mannen nemen een kist met zich mee. Die stakkers konden het niet bijhouden.'

Dat zou wel niet; hij moest als een dolle hebben gereden, zodat de sneeuw voor hem smolt, om afscheid te nemen, om de onfatsoenlijke daad die zijn minnares was aangedaan weer recht te zetten.

'Ik was hier nog maar net toen jullie eraan kwamen,' zei hij. 'Ik hoorde jullie de trap op komen, dus bliezen Dakers en ik de aftocht. Les één wanneer je getalsmatig in de minderheid bent: ga na hoe krachtig je vijand is.'

En ga na dat Rosamunde, in haar domheid en ambitie, hem had verraden. Net als zijn vrouw, net als zijn oudste zoon.

Adelia had ontzettend met hem te doen. 'De brieven, majesteit... Het spijt me zo.'

'Hou daar maar over op.' Dat zei hij niet uit beleefdheid; ze moest er gewoon niet meer op zinspelen. Sinds hij het lijk had afgedekt, had hij er niet meer naar gekeken.

'Nou, daar zitten we dan,' zei hij. Nog steeds op zijn hoede boog hij zich naar buiten. 'De bewaking stelt niet bijster veel voor, moet ik zeggen. Er patrouilleren maar een paar man over de hof – waar spookt de rest in vredesnaam uit?'

'Ze gaan de toren in brand steken,' liet ze hem weten. 'Met ons erin.'

'Als ze het hout in de hal willen gebruiken, zal dat ze nog niet meevallen. Dat fikt voor geen meter.' Hij boog zich verder uit het raam en snoof. 'Ze zijn in de keuken, dáár zitten ze... Er staat iets op het vuur. Wel verdraaid, dat stelletje flapdrollen neemt uitgebreid de tijd om te gaan zitten schranzen.' Van inefficiëntie moest hij niets hebben, ook niet als het zijn vijanden betrof.

'Ik geef ze groot gelijk.' Ze had honger, ze rammelde zelfs. Een als bij toverslag verschenen koning had deze dodenkamer draaglijk gemaakt. Niet door medeleven te tonen, niet door haar te ontzien omdat ze een vrouw was, maar door haar als een kameraad te behandelen, had hij haar haar krachten teruggegeven. 'Hebt u iets te eten bij u?'

Met de muis van zijn hand wreef hij over zijn voorhoofd. 'Nou, het is alweer een poosje geleden dat ik aan een feestmaal heb aangezeten. Nee, dat heb ik niet. Tenminste, dat geloof ik niet...' Hij had een zak in zijn jasje en met één hand haalde hij de inhoud eruit om die op tafel te leggen, zijn blik nog steeds op de hof gericht.

Op tafel lagen touw, een priem, een paar ingedroogde eikels, naald en draad in een verrassend vrouwelijk naaietui, een leiboek en krijt en een klein vierkantje kaas, allemaal overdekt met haver voor zijn paard.

Adelia haalde de kaas ertussenuit en veegde hem schoon. Het was net of ze op een stuk hars kauwde.

Nu ze weer enigszins was bedaard, begonnen zich verbanden tussen de gebeurtenissen af te tekenen. Deze koning, deze gewelddadige koning, deze man die, met opzet of niet, de ridders had aangevoerd die de hersens van aartsbisschop Becket over de vloer van zijn kathedraal uiteen hadden doen spatten, had achter een gordijn gezeten en zonder geluid te maken en zonder zich te verroeren geluisterd naar verraad van een enorme omvang. En hij was gewapend geweest.

'Waarom bent u niet naar buiten gekomen om ze te vermoorden?' vroeg ze, niet omdat ze had gewild dat hij dat had gedaan, maar omdat ze oprecht wilde weten hoe hij erin was geslaagd zichzelf daarvan te weerhouden.

'Wie? Eynsham? Die vriend van de paus? *Legatus maleficus?* Dank je wel, die gaat er heus wel aan, maar niet door mijn hand. Ik heb mijn lesje wel geleerd.'

Hij had Canterbury aan Becket gegeven omdat hij hem vertrouwde, omdat hij van hem hield – en van die dag af aan hadden zijn hervormingen overal op tegenstand gestuit. De moord op de Jodenhatende, boosaardige, nu heilig verklaarde aartsbisschop had de hele christelijke wereld tegen hem opgezet. Hij had er overal boete voor gedaan, had de monniken van Canterbury hem in het openbaar laten geselen, alleen maar om te voorkomen dat de paus een interdict zou uitspreken over zijn land en huwelijken, dopen en begrafenissen onmogelijk zou maken...

Ja, hij kon zijn woede nu beheersen. Eleanora, de Jonge Hendrik en zelfs Eynsham hoefden geen executie te vrezen.

Adelia bedacht hoe vreemd het was dat ze zich nog op haar gemak kon voelen, zoals ze hier opgesloten zat in een kamer met een man die even onthand was als zijzelf, boven in een toren die elk moment in een rokende schoorsteen kon veranderen.

Maar hij was dat niet; hij stond op de raamstijl te bonken. 'Waar blijven ze nou in godsnaam? Jezus, als ík hier snel kan komen, waarom zij dan niet?'

Omdat je ze te snel af was, dacht Adelia. In je ongeduld ben je iedereen te snel af – je vrouw, je zoon, Becket – en toch verwacht je dat ze van je houden. Zij zijn mensen van onze tijd en jij bent dat niet; jij kijkt verder dan de grenzen die zij stellen; jij ziet me zoals ik ben en gebruikt me tot je voordeel; je ziet Joden, vrouwen, zelfs ketters als menselijke wezens en gebruikt hén tot je eigen voordeel; je streeft naar rechtvaardigheid, tolerantie, onbereikbare zaken. Natúúrlijk kan niemand jou bijhouden.

Gek genoeg was de enige geest die ze op één lijn kon stellen met de zijne die van moeder Edyve. De wereld geloofde dat wat er nu was permanent zou zijn, dat God het zo had gewild en dat je daar niets aan kon veranderen zonder Hem te beledigen. Alleen een stokoude vrouw en deze onstuimige man hadden het lef om de status-quo ter discussie te stellen en te geloven dat er voor het nut van het algemeen dingen konden en moesten veranderen.

'Kom op nou,' zei hij. 'We hebben de tijd. Vertel eens, jij bent mijn onderzoeker: wat heb je aangetroffen?'

'U betaalt me niet om uw onderzoeker te zijn.' Nu ze toch de kans had, kon ze die net zo goed te baat nemen om hem daarop te wijzen.

'O nee? Ik dacht van wel. Neem dat maar op met de thesaurier. Vertel, vertel.' Zijn stompe vingers trommelden op het raamkozijn. 'Vertel het me.'

Dus vertelde ze het hem, van het begin af aan.

Hij was niet geïnteresseerd in de dood van Talbot van Kidlington. 'Dwaze kerel. Het was die neef, zeker? Stel nooit je vertrouwen in de man die je geld beheert... Wolvercote? Gevaarlijk, die familie. Allemaal rebellen. Mijn moeder heeft de vader opgehangen aan de brug van Godstow, en met de zoon doe ik hetzelfde. Vooruit, vooruit, vertel iets wat ertoe dóét.'

Hij doelde op Rosamundes dood, maar voor Adelia deed álles ertoe, en ze bespaarde hem niets. Ze was slim geweest, ze was dapper geweest, het had te veel levens gekost; nu moest hij alles weten. Hij kreeg het tenslotte gratis en voor niets.

Ze deed de rest van haar verhaal en knabbelde af en toe aan de kaas. Druppels van de smeltende ijspegels spatten op de vensterbank. De koning keek naar de hof. Het lichaam van de vrouw met wie het allemaal begonnen was lag op haar bed te rotten.

Hij onderbrak haar. 'Wie is dat – godskolere, hij steelt mijn paard! Ik rijt hem aan stukken, ik maak gehakt van hem, ik...'

Adelia stond op om te kijken wie bezig was het strijdros van de koning te ontvreemden.

Een zich verdichtende mist onttrok de heuvel aan het zicht en vervaagde de hof beneden hen, maar de gestalte die het paard in galop naar de doolhof stuurde was niettemin herkenbaar, ook al had hij zich diep over de paardenhals gebogen.

Adelia slaakte een kreet. 'Hem niet, hem niet. Hij mag niet weggaan! Hou hem tegen, in godsnaam, hou hem tegen!'

Maar er was niemand om hem tegen te houden; een paar van Schwyz' mannen hadden het hoefgetrappel gehoord en renden vergeefs in de richting van de doolhof.

'Wie was dat?' vroeg de koning.

'De moordenaar,' antwoordde ze. 'Waarom? Lieve god, hij mag niet ontkomen. Ik wil dat hij gestraft wordt. Voor Rosamunde, voor Bertha...'

Als hij Eynsham verliet en het tweede deel van zijn dierbare betaling erbij liet zitten, moest er iets gebeurd zijn wat hem bang had gemaakt.

Het volgende moment trok ze de koning aan zijn mouw. 'Het zijn uw mannen,' zei ze. 'Hij moet ze hebben gehoord. Ze zijn hier. Spreek ze streng toe. Zeg dat ze achter hem aan moeten gaan. Zullen ze hem kunnen pakken?'

'Dat mag ik hopen voor ze,' zei hij, 'want dat is een verrekte goed paard.'

Maar als Hendriks mannen al waren gearriveerd en de moordenaar hen had gehoord en had besloten eieren voor zijn geld te kiezen, was daar op de hof niets van te zien of te horen.

Samen keken Adelia en de koning toe hoe de achtervolgers terugkwamen en met een schouderophalen de keuken in verdwenen.

'Weet u zeker dat uw mannen onderweg zijn?' vroeg ze.

'We krijgen ze niet te zien voordat ze eraan toe zijn. Ze komen via de achterkant van de doolhof.'

'Is er dan een andere ingang?'

De koning grijnsde. 'Doe zoals de mol doet: zorg dat je altijd meer dan één uitgang hebt. Ga maar verder, vertel me de rest.'

Jacques' ontsnapping stemde haar zorgelijk. Ze dacht aan het kleine ongemarkeerde graf op het kerkhof van de nonnen... Het enige goede was dat hij zijn werkgever zonder middel van vervoer had gelaten.

De koning begon weer met zijn vingers te trommelen, dus pakte ze de draad van haar verhaal weer op.

Ze werd nog een keer onderbroken. 'Hallo, waar gaat Dakers heen?'

Adelia stond onmiddellijk naast hem. De mist was spelletjes gaan spelen: nu eens verdichtte hij zich en dan weer trok hij in flarden op, waardoor je ging denken dat de nog niet gesmolten sneeuwhopen hurkende mannen en dieren waren. Maar de nevel vermocht niet de schriele zwarte gestalte van Rosamundes huishoudster te verhullen die naar de doolhof sloop.

'Wat sleept ze nou met zich mee?'

'God zal het weten,' zei de koning. 'Een zaagbok?'

Het was iets groots en hoekigs, dat te zwaar was voor het bundeltje menselijke botten dat het meezeulde. Na elke ruk die ze eraan gaf stortte ze in elkaar, maar telkens slaagde ze erin weer genoeg kracht te verzamelen om er nog een keer aan te trekken.

'Ze is natuurlijk niet goed bij haar hoofd,' zei de koning. 'Dat is altijd al zo geweest.'

Het was benauwend om naar zoveel inspanning te kijken, maar toch bleven ze haar gadeslaan, waarbij ze hun blik steeds opnieuw moesten scherpstellen terwijl Dakers haar last als een mier door de warrelende grauwheid voortsleepte.

Laat het hier, wat het ook is, smeekte Adelia haar in stilte. Ze hebben je niet gezien. Ga en sterf op de manier die je verkiest.

Nog één knippering en er was alleen maar mist.

'Dus...' zei de koning, 'je had een van de voorbeelden van Eynsham uit zijn kamer in Godstow gehaald en aan de priester gegeven. Vertel verder.'

'Zijn handschrift is heel apart, ziet u,' vertelde ze hem. 'Ik heb nog nooit zoiets gezien. Met heel veel krullen – best wel mooi. Hij gebruikt klassieke vierkante kapitalen, maar vult ze in met spiralen, en zijn minuskels –'

Hendrik slaakte een zucht en Adelia ging haastig verder. 'Maar goed, zuster Lancelyne, de bibliothecaresse van Godstow, had een keer naar Eynsham geschreven om te vragen of ze het exemplaar dat de abt had van Boethius' *Vertroosting* mocht lenen om het te kopiëren, en hij had teruggeschreven met een weigering.'

Ze zag de geleerde kleine oude non weer tussen haar lege boekenplanken zitten. 'Als we hier ooit uit komen, zou ik graag willen dat zuster Lancelyne het krijgt.'

'Een hele *Wijsbegeerte*? Bezit Eynsham een Boethius?' De ogen van Plantagenet begonnen te glimmen; hij was hebberig als het om boeken ging en volkomen onbetrouwbaar als het op andermans boeken aankwam.

'Ik zou graag willen,' zei Adelia, duidelijk articulerend, 'dat zuster Lancelyne het krijgt.'

'Ach, laat ook maar. Zij kan er beter voor zorgen. Vertel verder, vertel verder.'

'En nou we het er toch over hebben...' Er moest hier iets uit te halen zijn. 'Mocht Emma Bloat weduwe worden...'

'Dat wordt ze zeker,' beloofde de koning. 'O ja, zonder meer.'

'... dan mag ze niet worden gedwongen nog een keer te trouwen.'

Met haar eigen vermogen en de landerijen van Wolvercote zou Emma een begeerlijke vrouw zijn. Ze zou tevens, als de weduwe van een van zijn baronnen, aan de koning overgeleverd zijn, een waardevol verhandelbaar voorwerp op de koninklijke markt.

'Is dit soms een paardenmarkt?' vroeg de koning. 'Probeer je handjeklap te doen – met míj?'

'Ik onderhandel. Beschouw dat maar als mijn honorarium.'

'Je ruïneert me nog,' zei hij. 'Maar goed. Kunnen we verdergaan? Ik moet bewijs hebben van Eynshams achterklap om aan de paus te kunnen laten zien, en ik betwijfel of hij een krullerig handschrift als zodanig beschouwt.'

'Vader Paton vond wel dat het bewijs was.' Adelia huiverde. 'Arme vader Paton.'

'Maar,' zei Hendrik terwijl zijn ogen de tafel afzochten, 'die boef heeft zijn voorbeeld kennelijk met zich meegenomen.'

'Er zijn nog andere. Wat we niet kunnen bewijzen is dat hij een moordenaar inschakelde om... degene te vermoorden die hij liet vermoorden.'

'Daar zou ik me geen zorgen om maken,' zei de koning. 'Hij zal het ons waarschijnlijk wel vertellen.'

Straks wordt Eynsham dus door mijn toedoen gemarteld, dacht Adelia. Opeens was ze moe en wilde ze niets meer kwijt. Als Schwyz erin slaagde de brandstapel in de hal aan te steken, had dat trouwens toch geen enkele zin.

Van wat er verder nog te vertellen viel gaf ze een beknopte versie. 'Toen kwam Rowley. Die zei tegen Walt – zijn dienaar – dat hij voor mij moest zorgen als er een aanval kwam. Walt vertelde het, zonder het te weten, tegen de moordenaar, die het weer aan Eynsham doorgaf. Hij is heel bang voor u en besloot zich uit de voeten te maken en mij met zich mee te nemen.' Het klonk als een sneeuwbaleffect. 'Dat is alles,' zei ze, en ze sloot haar ogen. 'Min of meer.'

De ijspegels druppelden steeds harder en tikten als regen op de vensterbanken van een stille kamer.

'Vesuvia Adelia Rachel Ortese Aguilar,' zei de koning peinzend.

Het was een eerbetoon. Ze deed haar ogen open, probeerde naar hem te glimlachen en deed ze weer dicht.

'Hij is een goeie knul, de jonge Geoffrey,' zei Hendrik. 'Heel liefdevol. God zegene hem. Ik heb hem verwekt bij een lichtekooi, Ykenai – een vreemde naam, alleen de heiligen weten van wat voor ras haar ouders waren, want zijzelf heeft geen idee. Een forse vrouw, aangenaam. Ik zie haar nog steeds af en toe als ik in Londen ben.'

Adelia was nu wakker. Hij vertelde haar iets – leer om leer, als loon voor haar moeite. Dit ging over Rosamunde, zonder dat hij haar naam noemde.

'Ik heb haar, Ykenai, een pasteiwinkel gegeven, en die is heel succesvol geweest, alleen is ze er nóg dikker van geworden. We praten over de pasteien, daar komt nog een heleboel bij kijken.'

Forse vrouwen, comfortabel verende matrassen – zoals Rosamunde was geweest. Vrouwen die over ditjes en datjes praatten, die hem niet op de proef stelden. Vrouwen zo anders dan Eleanora, zoals krijt verschilde van kaas – en misschien had hij wel van allebei gehouden.

Echtgenote en maîtresse, allebei verraderlijk. Of Rosamunde nou zelf ambities had gehad of daartoe was aangezet door een slinkse abt, de uitkomst kwam op hetzelfde neer: ze had bijna een oorlog ontketend. Het enige vrouwelijke toevluchtsoord dat deze man, deze keizer, nog overhad, woonde in een Londense pasteiwinkel, waar ten minste één koninklijke zoon van hem was geboren.

Ernstig klonk Hendriks stem vanaf het raam. 'Heeft de bisschop van St. Albans terwijl hij bij jou was je over zijn eed verteld?' Hij wilde iemand anders pijn doen die was verraden.

'Ja,' zei ze.

'Die heeft hij ten overstaan van mij gezworen, weet je. Met zijn

322

hand op de bijbel. "Ik zweer bij de Here God en alle heiligen in de hemel dat als U haar behoedt en in veiligheid bewaart, ik mij niet aan haar zal vergrijpen."'

'Ik weet het,' zei ze.

'Ah.'

Voor het eerst in dagen kon ze vogels horen kwetteren, alsof hun bevroren hartjes door de dooi weer tot leven waren gewekt.

Hendrik stak zijn hand uit en pakte het restant van de kaas uit haar vingers, verkruimelde het en strooide de kruimels uit op de vensterbank.

Onmiddellijk kwam er een roodborstje op af; zijn vleugels raakten bijna zijn hand aan voordat het weer wegvloog.

'Ik kom Engeland weer het voorjaar brengen,' zei zijn koning. 'Mij krijgen ze er niet onder, jezus nee, dat gaat niet lukken.'

Ze hebben je er wél onder gekregen, dacht Adelia. Je mannen laten verstek gaan. Iedereen verraadt je.

Hendrik had zijn hoofd geheven. 'Hoor je dat?'

'Nee.'

'Ik wel. Ze zijn er.' Zijn zwaard schrapend uit de schede getrokken. 'Laten we naar beneden gaan en die schoften te lijf gaan.'

Ze waren er niet. Hij had vogels gehoord. Zij tweeën zouden hier voor altijd blijven en naast Rosamunde vergaan.

Ze sleepte zichzelf naar het raam.

Vanuit de keuken kwamen gealarmeerde mannen tevoorschijn, die her en der wegliepen, in verwarring gebracht door de mist, en teruggingen om wapens te halen. Ze hoorde Schwyz roepen: 'Aan de andere kant. Het kwam van achteren.'

De abt van Eynsham zette besluiteloze stappen naar de ingang van de doolhof, en toen weer ervandaan.

'*Yes*,' zei Adelia.

Op tafel lag Hendriks dolk, die haar handen uit hun boeien had bevrijd. Wild van vreugde pakte ze hem op. Ze wilde met iemand vechten.

Maar dat kon niet. Want... 'Grote god, we zitten ingesloten.'

Hij stond op zijn tenen en tastte rond boven op het baldakijn waaronder de gordijnen van Rosamundes bed bij elkaar kwamen. Toen hij zijn hand weer naar beneden bracht, had hij een sleutel vast. Daarmee zwaaide hij naar haar. 'Ga nooit een gat in zonder dat er een tweede uitgang is.'

Toen waren ze de deur uit en daalden roffelend, met Hendrik voorop, de trap af.

Twee overlopen lager troffen ze een van Schwyz' mannen die naar boven kwam gerend, zijn zwaard getrokken. Of hij nou een plek zocht om zich te verschuilen of voor haar was gekomen zou Adelia nooit weten. Toen hij de koning zag, zette hij grote ogen op.

'Verkeerde route,' liet Hendrik hem weten, en hij stak hem door de mond. De man stortte neer. De koning doorstak zijn lichaam nogmaals, hij reeg hem aan de punt van zijn zwaard alsof dat een spit was, en wierp hem opzij zodat hij om de volgende hoek kwam te liggen. Hij wierp hem steeds weer opzij, een zware man, om de volgende en de volgende bocht, hoewel die tegen de tijd dat ze bij de hal kwamen allang de geest had gegeven.

De lucht buiten galmde van de kreten en het slaan van metaal op metaal. De mist had zich verdicht; het viel moeilijk te bepalen wie nu met wie slag leverde.

De koning verdween. Adelia hoorde de blije kreet *Dieu et Plantagenet* toen hij een vijand vond.

Het was net of je midden tussen de strijdende, ongeziene geesten stond. Met de dolk in de aanslag liep ze behoedzaam vooruit naar de plek waar ze Eynsham voor het laatst had gezien. Eén moordenaar was ontsnapt; ze mocht hangen als de ander het onmogelijk maakte dat er recht zou geschieden. Dat zou deze man doen, als hij de kans kreeg; de abt was geen moedig man; hij doodde alleen via anderen.

Links van haar verschenen twee forse gestalten; de vonken sloegen van hun zwaarden terwijl ze vochten. Met een sprong maakte ze zich uit de voeten en ze verdwenen weer.

Als ik hem roep, komt hij wel, dacht ze. Zij was nog steeds een soort uitverkoopartikel; hij zou haar als schild willen gebruiken. Ze had een mes, daarmee kon ze hem tot staan brengen. 'Abt!' Haar stem was hoog en ijl. 'Abt!'

Iets antwoordde haar met een stem die nog hoger was dan de hare. Verbaasd. In een steeds grotere benauwenis die overging in een falsetstem die niet meer menselijk te noemen was. In kreten die pulseerden door de mist en het strijdlawaai overstemden en deden stilvallen. Ze stegen boven alles uit.

Het klonk vanuit de richting van de doolhof. Adelia rende ernaartoe, glibberend in de sneeuwbrij, vallend, weer opstaand en doormodderend. Wat het ook was, het moest hulp hebben; het was onverdraaglijk om hiernaar te luisteren.

Iemand sopte langs haar heen. Ze zag niet wie het was.

Er doemde een muur van struiken op. Met haar hand erlangs volgde ze die haastig de hoek om naar de ingang van de doolhof, in de richting van het geschreeuw. Het geluid werd nu minder; er werden afzonderlijke woorden verstaanbaar. Een gebed? Een smeekbede?

Ze vond de ingang en daverde naar binnen.

Gek genoeg was het makkelijker om hier iets te zien; het was er alleen maar somber, alsof de tunnels op zich al verbijsterend genoeg waren en de mist hadden geordend volgens hun eigen kronkelingen. De begroeide deuren waren open, zodat er nog steeds een directe doorgang was.

Hij was een heel eind naar binnen gegaan, bijna tot aan de uitgang die naar de heuvel leidde. Het geluid nam af tot een gemompel, als van een misnoegd persoon. Toen Adelia naderbij kwam, was het helemaal opgehouden.

In een laatste stuiptrekking lag de abt ruggelings over de mensenval heen, zodat zijn buik bol naar boven stak. Zijn mond was geopend; hij zag eruit alsof hij brullend van het lachen zijn laatste adem had uitgeblazen.

Voorzichtig liep ze naar de voorkant. Schwyz zat te krabbelen aan de brij waar de bek van het toestel zich in Eynshams onderlijf had vastgebeten. 'Het is goed, Rob,' zei hij. 'Het is goed.' Hij keek op naar Adelia. 'Help me eens even.'

Het had geen zin. Hij was dood. Er zouden twee mannen voor nodig zijn om de val open te wrikken. Alleen een haat zo fel als de vuren van de hel had Dakers de kracht gegeven de stijlen zo ver uiteen te krijgen dat de bek plat op de grond kwam te liggen, wachtend om dicht te klappen met de man ertussen die Rosamunde had laten vergiftigen.

De huishoudster was een paar meter verderop gaan zitten, zodat ze kon toekijken hoe hij het loodje legde. En met een glimlach op haar lippen was zij met hem gestorven.

Er viel een heleboel op te ruimen.

Ze brachten de gewonden naar Adelia op de aanlegsteiger, omdat ze niet naar de toren terug wilde. Het waren er niet veel en geen van allen waren ze ernstig gewond. De meesten hadden genoeg aan een paar hechtingen, die ze aanbracht met de inhoud van het naaietui van de koning.

Het waren allemaal mannen van Plantagenet; Hendrik had niemand gevangengenomen.

Ze vroeg niet naar wat er gebeurd was met Schwyz; het kon haar niet veel schelen. Waarschijnlijk hem ook niet.

Een van de sloepen die vanuit Godstow de rivier op kwamen voerde de kist voor Rosamunde mee, die al een hele afstand had afgelegd. De bisschop van St. Albans bevond zich aan boord van een andere. Hij was met de jonge Geoffrey aanwezig geweest bij de bestorming van de abdij en zag er zo moe uit dat hij wel leek te kunnen omvallen. Toen hij Adelia zag, bewaarde hij afstand, hoewel hij wel God dankte voor haar bevrijding. Godstow was bevrijd zonder verliezen aan de Plantagenetkant. Wolvercote, die nu in de boeien was geslagen, was de enige die enig verzet had geboden.

'Met Allie is alles goed en ze is veilig,' zei Rowley. 'En Gyltha en Mansur ook. Ze hebben ons aangemoedigd vanachter het raam van het gastenverblijf.'

Ze wilde nog iets anders weten. Ja, nog één ding... 'Raadsman Warin,' zei ze. 'Heb je hem gevonden?'

'Die kleine snotteraar? Hij probeerde via de achtermuur te ontsnappen, dus hebben we hem in de boeien geslagen.'

'Mooi zo.'

De dooi zette nu snel door; de rommelige ijsschotsen die rivierafwaarts dreven en tegen de steiger aan botsten werden kleiner en kleiner. Ze sloeg ze gade; allemaal droegen ze hun eigen wolkje dichtere mist door de nevel.

Het was nog altijd bijtend koud.

'Kom mee naar de toren,' zei Rowley. 'Om warm te worden.'

'Nee.'

Hij sloeg zijn mantel om haar heen, nog steeds zonder haar aan te raken. 'Eleanora is ontkomen,' zei hij. 'Ze zoeken naar haar in de bossen.'

Adelia knikte. Het maakte op de een of andere manier niet uit.

Hij draaide zich half om. 'Ik kan maar beter naar hem toe gaan. Hij heeft me nodig om de doden te zegenen.'

'Ja,' zei ze.

Hij liep weg, in de richting van de toren en zijn koning.

Er werd nog een kist de steiger op gesleept, samengesteld uit stukken hout van de brandstapel. Dakers zou haar meesteres vergezellen naar het graf.

De rest van de doden werd opgestapeld op de hof achtergelaten, totdat de grond zacht genoeg was geworden om een gemeenschappelijk graf voor hen te delven.

Hendrik kwam en drong erop aan de wapens te laden, riep tegen de roeiers dat als ze niet zouden roeien zo hard ze konden hij hun bij hun ballen zou grijpen; hij had haast om in Godstow te komen en vervolgens in Oxford. Hij bracht Adelia aan boord. De bisschop van St. Albans, vertelde hij haar, zou achterblijven om op de begrafenissen toe te zien.

De mist was te dicht om nog een laatste blik op Wormhold Tower te kunnen werpen, ook al zou Adelia achterom hebben gekeken, wat ze niet deed.

Plantagenet wilde niet de cabine in gaan, want hij was te druk bezig om de roeiers weg te loodsen van de ondiepe gedeelten, terwijl hij af en toe een aantekening maakte in zijn leiboek en het weer bestudeerde. 'Zo meteen steekt de wind op.'

Hij liet Adelia evenmin naar binnen gaan; hij zei dat ze frisse lucht moest hebben en liet haar plaatsnemen op een bankje op de achtersteven. Na een poosje voegde hij zich daar bij haar. 'Al wat beter?'

'Ik ga terug naar Salerno,' deelde ze hem mede.

Hij slaakte een zucht. 'Dit gesprek hebben we al eerder gevoerd.'

Dat hadden ze inderdaad, na de laatste keer dat hij haar hulp had ingeroepen om onderzoek te doen naar sterfgevallen. 'Ik ben niet je onderdaan, Hendrik. Ik val onder Sicilië.'

'Jawel, maar dit is Engeland, en ík bepaal hier wie er komt en gaat.'

Ze deed er het zwijgen toe en hij begon haar stroop om de mond te smeren. 'Ik heb je nodig. En je zou Salerno helemaal niet leuk meer vinden, niet na Engeland; het is er te heet, je droogt er nog op als een pruim.'

Ze kneep haar lippen op elkaar en draaide haar hoofd weg. Verdorie, nou niet lachen.

'Ja toch?' zei hij. 'Niet dan?'

Ze moest het wel vragen: 'Wist je dat Dakers de val zou zetten voor Eynsham?'

Hij was verbaasd, gekwetst. Als hij niet net zo had zitten vleien, zou hij kwaad zijn geweest. 'Hoe kon ik nou in vredesnaam zien wat dat mens met zich meezeulde? Het was verdorie veel te mistig.'

Ze zou het nooit weten. Voor de rest van haar leven zou het beeld van hen tweeën, Dakers en hij, zoals ze samen in de garde-robe plannetjes zaten uit te broeden, haar achtervolgen. 'Die gaat er heus wel aan, maar niet door mijn hand,' had hij gezegd. Daar was hij heel zeker van geweest.

'Akelige dingen, mensenvallen,' zei hij. 'Ik gebruik ze nooit.' En hij zweeg even. 'Behalve dan voor hertenstropers.' En zweeg weer. 'Die verdienen niet beter.' Weer zweeg hij. 'En dan nog alleen vallen die zich in je benen boren.'

Ze zou het nooit weten.

'Ik ga terug naar Salerno,' zei ze, heel duidelijk.

'Dat zou Rowleys hart breken, eed of geen eed.'

Het hare zou er waarschijnlijk ook van breken, maar toch zou ze gaan.

'Jij blijft hier.' De roeier die het dichtst bij hen zat draaide zich bij die geblafte woorden om. 'Ik heb nu wel genoeg rebellie meegemaakt.'

Hij was de koning. De route naar Salerno voerde door uitgestrekte landstreken waar niemand zonder zijn toestemming doorheen kon reizen.

'Het gaat om die eed, hè?' zei hij, weer een en al vleierij. 'Zelf zou ik die niet gezworen hebben, maar ik hoef godzijdank ook niet kuis te blijven. We moeten maar eens zien wat we daaraan kunnen doen – in mijn eerbied voor God zwicht ik voor niemand, maar in bed heb je niets aan Hem.'

Ze schoten flink op; de dooi zorgde op de Theems voor hoogwater, wat de boot snelheid gaf. Hendrik zat de rest van de tijd aantekeningen te maken in zijn leiboek. Adelia zat in het luchtledig te staren, want meer viel er niet te zien.

Maar de koning had gelijk: er was een licht briesje opgestoken tegen de tijd dat ze Godstow naderden, en al van een afstandje tekende de brug zich af. Daar gonsde het zo te zien van de activiteit; de middenboog was leeg, maar aan beide uiteinden liepen mensen te hoop voor één enkele roerloze gestalte. Toen de sloep langs het dorp voer, werd duidelijker waar de drukte aan hun kant van de brug om begonnen was.

Er vond een ophanging plaats. Wolvercote, die langer was dan wie ook, stond in het midden met een strop om zijn nek, terwijl een man het andere uiteinde van het touw aan een schoor vastbond. Naast hem stond de veel kleinere gestalte van vader Egbert een gebed te prevelen.

Vanaf de kant van de abdij stond een jonge vrouw toe te kijken. De menigte mensen achter haar kwam niet naar voren, maar meesteres Bloat – Adelia herkende haar welgedane vormen – trok aan de hand van haar dochter alsof ze smeekte. Emma besteedde er geen aandacht aan. Haar ogen bleven strak gericht op het tafereel aan de andere kant van de brug.

Toen hij de sloep zag naderen, boog een jonge man zich over de borstwering. Zijn stem klonk helder en vrolijk. 'Gegroet, heer, en mijn dank aan God dat Hij u heeft behoed.' Hij grijnsde. 'Dat wist ik trouwens wel.'

De roeiers roeiden de andere kant op, zodat de boot op zijn plek zou blijven liggen, tegen de stroom van het water in, en de koning met zijn zoon kon praten. Boven hen hield Wolvercote zijn blik gericht op de lucht. De zon kwam tevoorschijn. Vanuit het oeverriet vloog een reiger op, die met zijn hoekige slag wegvloog een stuk verder stroomafwaarts.

Hendrik legde zijn leiboek opzij. 'Goed gedaan, Geoffrey. Is alles veiliggesteld?'

'Alles veilig, my lord. En, my lord, de mannen die ik achter de koningin aan heb gestuurd hebben laten weten dat ze gepakt is en wordt teruggebracht.'

Hendrik knikte. Omhoogwijzend naar Wolvercote zei hij: 'Heeft hij zijn zonden opgebiecht?'

'Alles behalve zijn verraad aan u, my lord. Hij weigert zich te laten vergeven voor zijn opstandigheid.'

'Ik zou dat zwijn sowieso niet vergeven,' zei Hendrik tegen Adelia. 'Zelfs de Heer moet daar nog twee keer bij nadenken.' Hij riep achterom: 'Geef hem dan maar een zet, Geoffrey, en moge God zijn ziel genadig zijn.' Hij gebaarde naar zijn roeiers dat ze moesten doorroeien.

Terwijl de boot langsvoer, tilden twee mannen Wolvercote op en hielden hem in evenwicht op de brugleuning.

Vader Egbert verhief zijn stem om met de absolutie te beginnen: '*Dominus noster Jesus Christus...*'

Adelia wendde zich af. Ze was nu dichtbij genoeg om Emma's gezicht te zien; dat stond volkomen uitdrukkingsloos.

'*... Deinde, ego te absolvo a peccatis tuis in nomine Patris, et Filii, et Spiritus Sancti. Amen.*'

Met een bonkend geluid spande het touw zich. Aan beide kanten van de brug stegen gejuich en vreugdekreten op.

Adelia kon er niet naar kijken, maar ze wist wanneer Wolvercotes strijd voorbij was, want pas op dat moment draaide Emma zich om en liep ze weg.

Een menigte soldaten, nonnen en dienend personeel – vrijwel iedereen in de abdij – had zich verzameld op de wei onder het klooster om koning Hendrik feestelijk binnen te halen.

Voor Adelia waren er maar drie – een lange Arabier, een vrouw op leeftijd en een kind met wie heen en werd gezwaaid bij wijze van welkom.

Dankbaar dat ze hen zag boog ze haar hoofd.

Ik heb tenslotte niemand anders nodig dan zij, dacht Adelia.

Allie leek een nieuw woordje te hebben geleerd, want Gyltha probeerde het haar te laten zeggen; eerst moedigde ze de baby aan en vervolgens wees ze naar Adelia, die het vanwege alle gejuich niet kon verstaan.

Vanaf de tegenoverliggende oever sneed een geluid dwars door het lawaai heen: 'My lord, my lord. We hebben de koningin teruggehaald, my lord.'

Op een bevel van Hendrik schoot de sloep de rivier over naar een groep ruiters die kwam aanrijden van tussen de bomen. Een man met het insigne van kapitein van de Plantagenet-garde steeg af, terwijl een van zijn soldaten de koningin omlaaghielp van zijn paard, waarop ze op een duozadel had meegereden.

Er ging een deurtje in het hakkebord van de sloep open en er werd een loopplank over de opening tussen schip en oever gelegd. De kapitein, een zorgelijk kijkende man, stapte aan boord.

'Hoe is ze de rivier over gekomen?' vroeg Hendrik.

'Er lag verderop een oude jol, my lord. Wij denken dat heer Montignard haar heeft overgeboomd. My lord, hij probeerde haar gevangenname te vertragen, hij vocht als een wolf. My lord, hij –'

'Ze hebben hem gedood,' riep de koningin vanaf de oever. Ze schudde de hand van de soldaat die probeerde haar tegen te houden van haar arm alsof het een stofje was.

De koning schoot toe om haar aan boord te helpen. 'Eleanora.'

'Hendrik.'

'Die vermomming is lang niet gek, hij staat je goed.'

Ze was gekleed als een jongen en dat flatteerde haar zeer, hoewel niemand zich erdoor liet bedriegen; ze was weliswaar slank genoeg om voor een jongen te kunnen doorgaan, maar ze droeg de bemodderde korte mantel, de laarzen en de muts waarin ze haar haar had gestopt met té veel zwier.

Het gejuich vanaf de abdij was verstomd; er was een gapende stilte neergedaald, alsof mensen op de andere oever toekeken bij een treffen tussen oorlogvoerende Oympiërs en wachtten tot er met bliksems zou worden geslingerd.

Die waren er niet. Adelia, die in elkaar gedoken bij de achtersteven zat, zag twee mensen die elkaar maar al te goed en te lang kenden om elkaar nu nog te kunnen verrassen; ze hadden samen acht kinderen op de wereld gezet en één van hen zien sterven; ze hadden samen grote landen geregeerd, samen wetten opgesteld, samen opstanden neergeslagen, samen ruziegemaakt, gelachen en elkaar bemind, en ook als daar nu allemaal een einde aan gekomen was in een poging om elkaar figuurlijk de buik open te rijten, toch zag je het nog steeds in hun blikken en hing het allemaal nog steeds tussen hen in.

Alsof ze het, zelfs nu, niet kon verdragen om er anders dan als een vrouw voor hem uit te zien, zette Eleanora haar muts af en gooide hem warrelend in de rivier. Daar deed ze geen goed aan; het jongenskostuum kreeg iets grotesks toen het lange, grijzende haar van een vrouw van vijftig over haar schouders viel.

Behoedzaam, genadig nam haar echtgenoot zijn mantel af en sloeg die om haar heen. 'Alsjeblieft, lieve.'

'Zo, Hendrik,' zei ze. 'Wat gaat het dit keer worden? Terug naar Anjou en Chinon?'

De koning schudde zijn hoofd. 'Ik dacht meer aan Sarum.'

Ze maakte afkeurende geluidjes. 'O, niet Sarum, Hendrik, dat ligt in Engeland.'

'Dat weet ik, lieve, maar het probleem met Chinon was dat jij daar alleen maar weg wilde.'

'Maar Sarum,' drong ze aan, 'is zo ontzettend saai.'

'Nou, nou, als je een brave meid bent, laat ik je met Pasen en Kerstmis naar buiten.' Hij gebaarde dat de roeiers hun riemen moesten opnemen. 'Maar vooralsnog zetten we koers naar Oxford. Daar zitten wat opstandelingen op me te wachten om opgehangen te worden.'

Adelia die verrukt toekeek, schrok op in paniek. Er lag een rivier tussen haar en haar kind. 'My lord, my lord, laat mij eerst uitstappen.'

Hij was haar vergeten. 'Ach, natuurlijk.' En tegen de roeiers: 'Vaar naar de andere oever.'

Tegen het snel stromende water in ging dat niet zomaar en al die tijd zat de koning geërgerd te mompelen. Tegen de tijd dat de sloep bij een geschikt uitstappunt op de vereiste oever was aanbeland, was hij de abdij al ver voorbij; in de modder van een verlaten weiland werd Adelia aan land geholpen, en daar zonk ze tot de bovenkant van haar laarzen in weg.

Dat vond de koning amusant. Hij boog zich over het hakkebord, weer in montere stemming. 'Je zult terug moeten soppen,' zei hij.

'Ja, my lord. Dank u wel, my lord.'

De sloep voer weg; van de rijzende en dalende roeiriemen vielen glinsterende druppels terug op het oppervlak van het water.

Opeens haastte de koning zich over de lengte van de sloep naar de achtersteven, zodat hij haar nog één ding kon zeggen. 'Over die eed van de bisschop,' riep hij. 'Maak je daar maar geen zorgen over. "... als U haar behoedt en zorgt dat ze veilig is." Heel mooi gezegd!'

Ze riep terug: 'O nee?'

'Nee.' Vanwege de snel groeiende afstand tussen hen moest hij zijn stem verheffen: 'Adelia, jij bent degene die voor mij onderzoek naar doden doet, of je het nu leuk vindt of niet...'

Het enige wat ze nu nog kon zien was het Plantagenet-vaandel met de drie luipaarden dat flapperde in de wind terwijl de sloep een beboste bocht om voer, maar de stem van de koning galmde vrolijk over de boomtoppen. 'Veilig zul je nooit zijn!' zei hij.

Noot van de auteur

De mooie Rosamunde Clifford neemt een grotere plaats in de legende in dan in de officiële geschiedenis, die slechts kort aandacht aan haar besteedt, en ik hoop dat haar schim niet bij me komt spoken voor het gefictionaliseerde portret dat ik van haar schets.

Uit *The English Register of Godstow Nunnery*, bezorgd door Andrew Clarke en gepubliceerd door de Early English Text Society, is op te maken dat de abdij in die tijd zowel in hoog aanzien stond als efficiënt werd beheerd. Men hield er tevens dusdanig ruime opvattingen op na dat het lichaam van de maîtresse van koning Hendrik II, Rosamunde Clifford, voor het altaar kon worden begraven, waar haar graf uitgroeide tot een populaire schrijn. Maar bisschop Hugh van Lincoln was, hoewel hij een vriend van Hendrik was geweest, ontsteld toen hij het daar aantrof tijdens zijn bezoek aan het klooster in 1191, twee jaar na de dood van de koning, en gebood haar stoffelijk overschot uit te graven en op een minder heilige plek in het klooster te herbegraven.

Het verzet tegen de familie van Hendrik II was grotendeels gesitueerd op het vasteland, maar aangezien de lacunes in middeleeuwse verslagen een romanschrijver zo goed uitkomen, heb ik me verstout om één zo'n opstand te laten plaatsvinden in Engeland, waarvan we in elk geval weten dat althans een deel van zijn ontevreden baronnen zich maar al te snel aansloot bij de strijd van zijn zoon Hendrik en Eleanora.

Een voor een keerden al Hendriks zonen zich tegen hem, en in 1189 overleed hij in Chinon, waarschijnlijk aan darmkanker, in de wetenschap dat zijn jongste en meest dierbare zoon, John, zich had aangesloten bij de opstand van zijn oudere broer Richard.

Eleanora van Aquitanië overleefde de dood van Hendrik en de gevangenschap die hij haar oplegde. Ze overleefde bovendien zelfs al haar zonen, behalve koning John. Toen ze in de zeventig was, stak ze de Pyreneeën over om het huwelijk van een kleindochter te regelen, en maakte ze een ontvoering en een beleg mee. Ze stierf op tweeëntachtigjarige leeftijd en werd te rusten gelegd naast haar echtgenoot en Richard I, hun zoon, in de abdij van Fontevrault, waar hun beeltenissen in de prachtige kerk nog steeds te zien zijn.

Ik verontschuldig me niet voor de manier waarop mijn personages over water reizen tussen Godstow en diverse andere plaatsen. Zelfs tegenwoordig is de Theems rondom het eiland waarop de restanten van het klooster staan nog een heel stuk verder bevaarbaar en de kans is groot dat de zijrivieren in de loop der jaren van richting zijn veranderd en dat die van de nu verdwenen Cherwell een betere route boden dan wegen over land, waarvan er veel minder waren. Zoals professor W.G. Hoskins, de vader van de landschapsarcheologie, in zijn *Fieldwork to Local History* (Faber and Faber) opmerkt: 'In middeleeuwse en latere tijden vond een groot deel van de binnenlandse handel plaats via rivieren, veel meer dan over het algemeen wordt beseft.' Tevens zijn er verwijzingen te vinden dat de Theems tijdens de zeer koude winters van de twaalfde eeuw bevroor.

Voor dit verhaal heb ik het landgoed Wolvercote een verzonnen landheer toebedeeld; de echte eigenaar van het landgoed in die tijd was Roger d'Ivri, en ik heb geen bewijs dat d'Ivri betrokken was bij opstand tegen Hendrik II, hoewel het interessant is dat hij, of hij het nu wilde of niet, het landgoed later aan de koning gaf, die het aan Godstow Abbey schonk.

De verwijzing naar papier als schrijfmateriaal in hoofdstuk 4 strookt wellicht niet met de algemene opvatting dat men vóór de veertiende eeuw in Europa geen papier kende, en zeker niet in Noord-Europa. In de twaalfde eeuw werd het weliswaar niet veel gebruikt – klerken en schrijvende monniken haalden er hun neus voor op en verkozen vellum –, maar het bestond wel, hoewel het waarschijnlijk van povere kwaliteit was (zie David Carvalho's interessante artikel 'Medieval Ink' op internet).

De truc om uit een doolhof met vele windingen te komen dank ik aan de geweldige schrijver over landschappen Geoffrey Ashe en zijn *Labyrinths and Mazes* (Wessex Books).

De echte abt van Eynsham, wie hij ook geweest moge zijn, dient de boosaardigheid die ik zijn fictieve tegenhanger toedicht vergeven te worden. Zover ik weet leidde hij een onberispelijk leven en had hij groot respect voor vrouwen – hoewel hij zich daar dan wél mee onderscheidde van andere middeleeuwse geestelijken.

De gedachte van God als zowel vader als moeder was zoals bekend vervat in de geschriften van de veertiende-eeuwse mystica Juliana van

Norwich, maar dit concept was al lang daarvoor diep in een deel van het christelijke denken verankerd, dus is het gesprek tussen de abdis van Godstow en Adelia in hoofdstuk 11 niet per se een anachronisme.

In de middeleeuwen werd de titel 'dokter' gebezigd voor filosofen, niet voor artsen, maar ik heb hem hier in de moderne zin gebruikt om de betekenis ervan voor de lezers en voor mijzelf te vereenvoudigen.

In de twaalfde eeuw kwamen er in bepaalde perioden veel bevers in Engelse rivieren voor. Later, in de achttiende eeuw, werd er vanwege hun pels zoveel op ze gejaagd dat ze uitstierven.

En hoe onwaarschijnlijk het ook klinkt: op de veengronden van East Anglia werd inderdaad opium geteeld, niet alleen in de twaalfde eeuw, maar ook in de daaropvolgende eeuwen – men vermoedt dat de Romeinen de papaver naar Engeland brachten, zoals zoveel. De tinctuur die veenbewoners 'Godfrey's Cordial' noemden – een mengsel van opium en stroop – was in de twintigste eeuw nog steeds in zwang.